# Séduire
# à coup sûr

Catalogage avant publication
de Bibliothèque et Archives Canada

Lowndes, Leil

   Séduire à coup sûr

   Traduction de : How to make anyone
fall in love with you

   1. Amours.   2. Séduction.   3. Relations entre
hommes et femmes.   4. Intimité.   I. Titre.

HQ801.L6914 2007      306.7      C2006-942213-3

Pour en savoir davantage sur nos publications,
visitez notre site : **www.edhomme.com**
Autres sites à visiter : www.edjour.com
www.edtypo.com • www.edvlb.com
www.edhexagone.com • www.edutilis.com

01-07

L'ouvrage original américain a été publié
par Contemporary Books, division de
NTC/Contemporary Publishing Company,
sous le titre *How to Make Anyone Fall in Love with You*

Dépôt légal : 2007
Bibliothèque et Archives nationales du Québec

ISBN 978-2-7619-2348-4

DISTRIBUTEURS EXCLUSIFS :

• Pour le Canada et les États-Unis :
MESSAGERIES ADP*
2315, rue de la Province
Longueuil, Québec J4G 1G4
Tél. : (450) 640-1237
Télécopieur : (450) 674-6237
* une division du Groupe Sogides inc.,
  filiale du Groupe Livre Quebecor Média inc.

• Pour la France et les autres pays :
INTERFORUM editis
Immeuble Paryseine, 3, Allée de la Seine
94854 Ivry CEDEX
Tél. : 33 (0) 4 49 59 11 56/91
Télécopieur : 33 (0) 1 49 59 11 33
Service commande France Métropolitaine
Tél. : 33 (0) 2 38 32 71 00
Télécopieur : 33 (0) 2 38 32 71 28
Internet : www.interforum.fr
Service commandes Export – DOM-TOM
Télécopieur : 33 (0) 2 38 32 78 86
Internet : www.interforum.fr
Courriel : cdes-export@interforum.fr

• Pour la Suisse :
INTERFORUM editis SUISSE
Case postale 69 – CH 1701 Fribourg – Suisse
Tél. : 41 (0) 26 460 80 60
Télécopieur : 41 (0) 26 460 80 68
Internet : www.interforumsuisse.ch
Courriel : office@interforumsuisse.ch
Distributeur : OLF S.A.
ZI. 3, Corminboeuf
Case postale 1061 – CH 1701 Fribourg – Suisse
Commandes :   Tél. : 41 (0) 26 467 53 33
              Télécopieur : 41 (0) 26 467 54 66
              Internet : www.olf.ch
              Courriel : information@olf.ch

• Pour la Belgique et le Luxembourg :
INTERFORUM editis BENELUX S.A.
Boulevard de l'Europe 117, B-1301 Wavre – Belgique
Tél. : 32 (0) 10 42 03 20
Télécopieur : 32 (0) 10 41 20 24
Internet : www.interforum.be
Courriel : info@interforum.be

Gouvernement du Québec – Programme de crédit
d'impôt pour l'édition de livres – Gestion SODEC –
www.sodec.gouv.qc.ca

L'Éditeur bénéficie du soutien de la Société de
développement des entreprises culturelles du
Québec pour son programme d'édition.

Nous reconnaissons l'aide financière du gouvernement du Canada par l'entremise du Programme
d'aide au développement de l'industrie de l'édition
(PADIÉ) pour nos activités d'édition.

Leil Lowndes

# Séduire
# à coup sûr

Traduit de l'américain
par Jeanne Maroun-Haddad

 LES ÉDITIONS DE L'HOMME

# CHAPITRE 1
## Quiconque? Oui.
## Pratiquement n'importe qui

Je ne comprends pas. Je suis une personne séduisante, intelligente, sensible, douée. Pourquoi ne tombe-t-on pas amoureux de moi? Pourquoi l'amour me fuit-il? Combien de fois vous êtes-vous posé cette question en donnant des coups de poing rageurs dans l'oreiller?

Vous ouvrez cet ouvrage avec scepticisme, entretenant cependant l'espoir secret d'y trouver la solution. Vous lisez le titre: *Séduire à coup sûr*.

Vous vous dites «c'est une promesse bien belle». En effet, c'est bien beau. Il n'empêche que ce pouvoir est vôtre si vous êtes prêt à suivre le plan scientifiquement étudié pour conquérir le cœur d'un partenaire amoureux potentiel.

Les histoires innombrables de cœurs brisés ou solitaires existent depuis la nuit des temps. Qu'est-ce qui permet aujourd'hui d'affirmer qu'il existe des moyens de faire naître l'amour dans le cœur de l'être à conquérir? C'est que, après des siècles de résistance, la science a finalement éclairci la vraie notion de l'amour romantique, les éléments qui le déclenchent, ceux qui l'éteignent et ceux qui le font durer.

Les peuples de jadis s'étaient écriés à la vue d'une éclipse qu'il s'agissait de magie noire. Nous, nous avons considéré l'amour comme un ensorcellement. Que de fois, surtout au cours de ces premiers moments divins où on est emporté par le désir d'arrêter les passants dans la rue et de leur crier tout haut «Je suis amoureux!», n'avons-nous pas cru à l'ensorcellement! Mais, au seuil du vingt et unième siècle, nous avons découvert que l'amour romantique est une expérience physique intense dont les composantes chimiques, biologiques et psychologiques sont mesurables (avec, peut-être, un zeste de magie noire).

Maintenant que la science navigue dans ces mers naguère inconnues, nous commençons enfin à comprendre les rudiments de l'amour que George Bernard Shaw a décrit en ces termes : « la plus folle, la plus illusoire, la plus éphémère des passions ». Qu'est-ce qui fait que l'on veuille « rester dans cet état d'excitation, anormal et épuisant, jusqu'à ce que la mort nous sépare » ? Quelle est la définition exacte de l'amour est une question que le monde se pose depuis très longtemps et qui a été sérieusement débattue à travers les âges par des éminences cérébrales telles que Platon, Sigmund Freud et Charlie Brown.

En 1950, sur la scène de Broadway, toute la salle se sentait en parfaite harmonie avec Ezio Pinza qui chantait dans *South Pacific :* « Qui peut l'expliquer ? Qui peut vous dire pourquoi ? Les sots vous donnent des raisons, les sages n'essaient pas. » Récemment, un grand nombre d'hommes et de femmes sages *ont essayé* et ils ont réussi. À l'époque où Rodgers et Hammerstein composaient des comédies musicales romantiques, la communauté scientifique était aussi perplexe que Nellie et Émile de Becque qui exprimaient en chantant la confusion qu'une soirée enchantée avait fait naître dans leurs cœurs.

## La science découvre le domaine sexuel

Bien avant que Sigmund Freud n'aborde le sujet, les esprits scientifiques analytiques s'accordaient pour dire que l'amour est essentiel à l'expérience humaine. Mais leurs esprits rationnels jugeaient aussi que l'évaluation, la classification et la définition de l'amour romantique étaient une chose impossible et, par conséquent, une perte de temps et d'argent. Sur son lit de mort, Freud a dit : « Nous ne connaissons que très peu de choses au sujet de l'amour. »

Ces mots ont caractérisé la doctrine scientifique du moins jusqu'en 1970, l'année où un groupe de psychologues sociaux d'esprit pionnier a entrepris d'étudier les *pourquoi* et les *comment* continuels des scientifiques. Ils se sont posé des questions à eux-mêmes et ils ont interrogé tous ceux et celles qui ont accepté de se soumettre à leurs investigations au sujet de l'amour romantique.

Deux femmes psychologues ont, par inadvertance, attiré l'attention de la presse moderne sur l'éternelle question «Qu'est-ce que l'amour?». Ellen Berscheid et sa collègue Elaine Hatfield ont réussi à obtenir une subvention pour étudier l'amour romantique. Berscheid a convaincu la National Science Foundation de la nécessité d'étudier de nouveaux sujets, car, leur a-t-elle dit, «nous avons cerné l'étude des habitudes d'accouplement de l'épinoche, il est temps à présent d'étudier une nouvelle espèce».

Cette étude aurait pu, comme bien d'autres, passer inaperçue et ne jamais être publiée, sauf dans quelque revue professionnelle obscure. Mais, heureusement pour toutes les personnes en quête d'amour partout à travers le monde, un matin sur la colline du Capitole, l'ancien sénateur américain du Wisconsin, William Proxmire, a eu la bonne idée de mettre de l'ordre dans ses papiers parmi lesquels se trouvait la subvention «frivole» accordée par la NSF à deux femmes pour étudier les relations amoureuses.

Le sénateur est sorti de ses gonds! Quatre-vingt-quatre mille dollars pour étudier *quoi*? Il a aussitôt émis un communiqué de presse explosif déclarant que l'amour romantique n'est pas une science et, de plus, a-t-il rugi, «la National Science Foundation doit sortir de ce racket de l'amour et laisser Elizabeth Barrett Browning et Irving Berlin s'en occuper». Il a ensuite ajouté une note personnelle disant «je m'y oppose aussi parce que je *ne veux pas* avoir la réponse», assumant que tout le monde serait de son avis. Mais il se trompait grandement!

La réaction de Proxmire a déclenché un brasier international qui a fait rage autour de Berscheid au cours des deux années qui ont suivi. «Extra! Extra! Lisez tous les détails. *La National Science Foundation subventionne l'amour!*» Les journaux s'en sont donné à cœur joie. Les caméras et les microphones se sont dirigés droit vers Berscheid. Le paisible bureau de la psychologue a été submergé de lettres.

Mais le coup s'est retourné contre ceux-là mêmes qui avaient voulu tirer à vue de nez sur l'amour. Au lieu de mettre fin à la «poursuite frivole», la pagaille déclenchée par Proxmire a généré un intérêt intempestif pour l'étude de l'amour. James Reston, du *New York Times*, a déclaré que si Berscheid et ses collègues réussissaient à trouver «la réponse à nos concepts de l'amour romantique, du mariage, des déceptions, du divorce et des enfants laissés pour compte, ce serait le meilleur investissement qui serait fait avec l'argent du gouvernement depuis que Jefferson a acheté la Louisiane».

La démarche d'Ellen Berscheid a ouvert les digues. Il y a eu depuis un déferlement d'études minutieusement menées sur tous les aspects de l'amour. Des sociologues respectés tels que Foa, Murstein, Dion, Aron, Rubin et bien d'autres qui ne sont connus que dans le milieu scientifique nous ont laissé un présent qui est resté emballé mais que nous n'allons pas tarder à ouvrir. Les résultats de leur labeur et de leurs recherches nous apprennent comment captiver le cœur de l'être à conquérir, même si tel n'était pas leur objectif premier.

Il est vrai que certaines études n'y mènent pas directement. Pour trouver les plus pertinentes, il a fallu passer au peigne fin des centaines d'études scientifiques aux titres rocambolesques, tels que «Les conséquences de l'orientation d'échange sur la fonction dyadique des cohabitants hétérosexuels». Qu'en dites-vous? D'autres ont étudié les effets de la musique sur les souris en leur faisant écouter du classique, du jazz et du blues et en observant les différents degrés d'excitation obtenus[1]. Il y a celles qui ont étudié la nécrophilie, mais qui ne servent en rien notre objectif[2]. Puis, celles sur le rapport sexuel tantrique, sans mouvement, qui, je suppose, n'a d'effet que lorsque le bateau croisière sur lequel se trouve le couple en lune de miel frappe une mer houleuse[3].

Il y a cependant, fort heureusement, un grand nombre d'études plus sérieuses et plus solides, entre autres les recherches de l'intrépide Timothy Perper, Ph.D., qui a passé des heures innombrables à observer ses sujets dans ses laboratoires préférés, les «bars pour célibataires». Il y a aussi les conclusions de Robert Sternberg et ses collègues qui ont étudié les théories de l'amour sous tous leurs aspects, les recherches innovatrices sur les éléments de la passion amoureuse passagère faites par Dorothy Tennov et d'autres scientifiques et les audaces instructives d'autres chercheurs moins connus, comme Carol Ronai qui s'est fait engager comme danseuse aux tables dans un bar de danseuses nues pour enregistrer les expressions faciales qui attisent le désir des hommes[4].

## La compilation des recherches

Ma première recherche, quoique moins audacieuse, n'en était pas moins vigoureuse. Pendant plus de dix années, et ce, avant de devenir formatrice et consultante en communication, j'ai créé et dirigé un organisme de recherche nommé *The Project*.

*The Project* était un organisme à but non lucratif, basé à New York, dont la mission était d'étudier tous les aspects de la sexualité et des relations amoureuses. Des milliers de personnes ont été interrogées sur ce qu'elles recherchaient chez un partenaire amoureux, et toutes les réponses ont été cataloguées. J'ai recueilli de l'information auprès des étudiants d'une douzaine d'universités où j'avais été invitée pour parler de ma recherche.

*The Project,* comme l'étude d'Ellen Berscheid, a attiré, par inadvertance, l'attention du public à l'échelle nationale. Un journaliste du magazine *Time* venu couvrir une de nos séances de travail a publié un article d'une page intitulé « Les fantasmes sexuels sur la scène à Broadway ». Et c'est ce qui s'est réellement passé.

Des bénévoles du groupe en charge de *The Project* ont monté des psychodramatisations de leurs fantasmes amoureux réels. Il n'y avait ni nudité ni langage explicite. Ces dramatisations claires et perspicaces, uniques en leur genre, ont attiré l'attention des trois principales chaînes de télévision qui en ont présenté des extraits dans le cadre d'émissions diffusées à l'échelle nationale. Par la suite, un grand nombre d'articles ont été publiés dans la presse, les revues, les magazines autant américains qu'européens.

Nous avons reçu des témoignages des quatre coins du monde. Les gens racontaient leurs histoires, leurs fantasmes, leur désir d'aimer. Par téléphone ou par lettre, ils nous ont exprimé de manière claire et détaillée ce qu'ils recherchaient chez un partenaire romantique. La plupart commençaient immanquablement par cette phrase: «Je ne l'ai jamais dit à personne, mais…», puis ils révélaient à cette entité anonyme qu'était *The Project* leurs plus profonds désirs. La multitude de données recueillies a considérablement étayé nos recherches sur ce qui amène les gens à tomber amoureux.

## Le développement des techniques

Nous allons délaisser pour quelques instants le monde de la sexualité et passer au domaine de la communication qui est ma seconde discipline. C'est dans ce cadre que j'analyse mes conclusions et les transforme en techniques de séduction qui assurent la victoire amoureuse.

Il est indubitable qu'il existe des moyens de provoquer chez l'Autre le comportement désiré. Autrement, tous les psychologues et les milliers de formateurs corporatifs, incluant moi-même, se retrouveraient au chômage. Il y a des méthodes reconnues qui permettent de faire naître différentes émotions et de modifier les comportements. Nous pouvons, par exemple, apprendre comment négocier avec des personnes difficiles ou comment amener des employés rebelles à réagir de telle ou telle manière.

Le *feed-back* reçu à la suite des conférences données dans les organismes gouvernementaux, les universités, les associations professionnelles et les corporations m'a convaincue qu'il était possible de modifier les différents types de comportement. Cette tâche complexe consiste d'abord à déterminer les besoins et les motivations de l'être à conquérir, puis à modifier son comportement à l'aide des bonnes techniques verbales ou non verbales.

En me basant sur des études scientifiques, je vais déterminer les besoins et les stimulants essentiels qui amènent une personne à tomber amoureuse. Puis, je vais présenter les bonnes techniques verbales et non verbales qui permettent de provoquer chez l'Autre le comportement souhaité, soit tomber amoureux de vous.

Cet ouvrage est le résultat d'un grand nombre d'années de recherche et d'exploration dans des disciplines variées allant des relations interpersonnelles à la sexualité humaine, en passant par les techniques de communication et les différences entre les hommes et les femmes. Aux études scientifiques sur la nature de l'amour et à mes recherches personnelles s'ajoutent les travaux des thérapeutes et des analystes en communication moderne. Je suis particulièrement reconnaissante au travail de la sociolinguiste Deborah Tannen[5] et aux analogies intelligentes entre Mars et Vénus du thérapeute John Gray[6] qui a donné une notoriété publique au fait que les hommes et les femmes ont des modes de penser et de communiquer grandement différents.

Quelle est la recette pour amener l'Autre à tomber amoureux de vous? Y a-t-il une formule magique? Celle qui suit paraît simple, mais elle est en réalité très compliquée.

Il faut d'abord saisir la base scientifique des éléments de l'attraction interpersonnelle. Ensuite, il faut glaner des données sur *l'être à conquérir* et apprendre les techniques de communication subtiles, parfois subliminales, pour répondre à ses besoins conscients et subconscients. Et, pour le ou la subjuguer complètement, il faut en dernier lieu lui laisser entrevoir votre perception égrillarde et *précise* de ses désirs sexuels. Voilà la formule pour amener un partenaire amoureux potentiel à tomber amoureux de vous.

## La mise à l'essai des techniques

Les recherches, dans l'absolu, étaient bien belles mais il me fallait étudier leurs effets sur le terrain. C'est ce que j'ai fait en organisant un séminaire intitulé comme cet ouvrage: *Séduire à coup sûr.*

J'ai reçu des invitations des quatre coins du pays, d'universités, de groupes de célibataires, de clubs et d'organismes de formation continue. C'est sur ce terrain de jeu que les données ont été testées. La réponse a été unanime: «Oui, la séduction est un art qui, bien manipulé, permet aux ailes de l'amour de se déployer.»

Est-ce une tâche facile? Non.

Faut-il faire des sacrifices? Oui.

Il se peut que, après avoir lu cette introduction, vous décidiez que cela ne vaut pas la peine de se donner autant de mal pour séduire l'être à conquérir. Mais si la curiosité l'emporte et que vous voulez en savoir plus, n'hésitez pas à suivre mon analyse. Nous allons commencer par l'étude des techniques à développer pour amener l'Autre à tomber amoureux de vous.

Qui est cet Autre? C'est *quiconque* est prêt à tomber amoureux. Il faut choisir aussi le bon moment. Ainsi, par exemple, une personne qui vient de perdre son conjoint bien-aimé ne sera probablement pas prête à tomber amoureuse. Elle est, temporairement, hors du circuit amoureux.

L'Autre est, par ailleurs, toute personne libérée des besoins psychologiques ésotériques (le tracé amoureux) qui sont des besoins difficiles à satisfaire sans développer un sentiment de culpabilité. Nous allons reparler plus loin du tracé amoureux.

Cela nous laisse un grand nombre de partenaires amoureux potentiels et toute une myriade de cœurs à conquérir. Tout le monde à bord! À nous le cœur des êtres désirés!

# CHAPITRE 2

# Qu'est-ce qui nous fait tomber amoureux ?
# Les six éléments

Quels ont été les résultats tant attendus des premières études de Berscheid et de la multitude d'autres qui a suivi ? Eh bien, Freud avait peut-être raison. L'amour romantique est énigmatique. Il est difficile à capturer et à convertir en puces instructives, informatisées et contrôlées. Mais, en le considérant comme un virus, les spécialistes se sont attaqués à des questions précises pour déterminer ses différentes facettes indépendamment les unes des autres. Ils ont fait des progrès extraordinaires.

De ce torrent de recherches et d'études, six vérités émergent sur ce qui déclenche le sentiment amoureux. Pour devenir chasseur ou chasseresse, il faut développer vos dons d'archer et apprendre, comme Cupidon, à viser au cœur des six cibles suivantes.

## I. La première impression

### Le coup de foudre ne donne jamais une deuxième chance

Dès l'instant où vous repérez votre proie et qu'elle vous entrevoit, la chasse est ouverte. C'est à ce moment précis que se prend la décision de «charger ou non». Selon les scientifiques, les graines de l'amour sont semées au cours de ces premières minutes décisives.

Quand deux chats se rencontrent pour la première fois, ils s'arrêtent et se regardent. Si l'un se met à gronder, l'autre hérisse ses poils et gronde aussi. Mais si le premier s'approche et donne un petit coup de museau, l'autre va répondre de la même manière et ils se retrouveront ronronnant à l'unisson et se léchant l'un l'autre.

Un homme et une femme qui se rencontrent pour la première fois sont comme deux petits animaux qui se reniflent. Ils n'ont pas de queue qui remue ni de poils qui se hérissent, mais ils ont des pupilles qui se rétrécissent ou se dilatent, des mains qui fusent comme l'éclair ou qui se détendent, les paumes tournées vers le haut en signe de soumission. Des dizaines d'autres réactions « involontaires » se manifestent au cours des premiers échanges. La bonne nouvelle est qu'il est possible de contrôler ces réactions apparemment involontaires.

À l'instant même où les regards se rencontrent, le subconscient va immédiatement enregistrer les subtilités du langage corporel. C'est au cours de cet instant crucial que la décision se prend d'essayer un décollage romantique ou de laisser avorter les idées amoureuses. L'esprit devient alors comme un ordinateur qui va, au cours de la *première* conversation et du *premier* rendez-vous, accumuler des données et prendre des décisions rapides sur le suivi de la relation.

La première partie de cet ouvrage couvre les techniques qui permettent d'attirer le partenaire amoureux potentiel, de se faire apprécier puis de fixer le premier rendez-vous. Je vous présente aussi les techniques fondées sur des données scientifiques solides pour entretenir une conversation passionnante qui le séduira au premier rendez-vous.

## II. Caractères similaires et besoins complémentaires

### Je veux un amoureux à mon image ou presque !

Après avoir franchi l'étape de la première impression, c'est la deuxième manche qui commence. L'Autre vous ayant jugé comme un partenaire amoureux potentiel, son subconscient lui envoie le message suivant: « Je veux quelqu'un qui me ressemble *ou presque.* »

Il faut qu'il y ait une certaine similarité entre les deux personnes pour assurer une compatibilité à vie ou l'espace d'un rendez-vous.

Les cœurs sont des instruments de musique admirablement accordés qui cherchent une âme qui a des valeurs similaires, des croyances similaires et une vision du monde similaire. La similarité est réconfortante, car elle confirme les choix que l'on fait au cours de la vie. Il faut avoir du plaisir à partager les mêmes activités. La similarité est une base de lancement qui assure un bon décollage amoureux.

Cependant, un *excès* de similarité est lassant. Qui va combler les manques? Si nous n'avons pas la bosse des mathématiques, qui va vérifier le solde du compte chèques? Si nous sommes peu soignés, qui va ramasser les chaussettes?

Il faut donc rechercher la complémentarité chez un partenaire à long terme. Mais pas *n'importe quelle* donnée complémentaire. Il faut des données enrichissantes et stimulantes. Vous devez avoir des atouts à la fois *similaires* et *complémentaires*.

Nous allons voir dans la deuxième partie comment semer les graines subliminales de la similarité dans le cœur de l'être à conquérir et par quels moyens lui faire savoir que, même si vous êtes tous les deux pareils à la base, il y a entre vous des différences utiles, amusantes et intéressantes à la fois.

## III. L'équité

### L'amour, qu'est-ce que ça me rapporte?

«Eh! Ma chérie, tout le monde a une valeur marchande! Tout le monde porte une étiquette avec un prix marqué dessus.» Est-elle belle? A-t-il de la classe? A-t-elle du sang bleu dans les veines? A-t-il du pouvoir? Sont-ils riches, intelligents et bons? *Qu'est-ce qu'ils ou elles peuvent m'apporter?*

Cela vous semble odieux? Les chercheurs nous disent que l'amour n'est pas réellement aveugle. Tout le monde, même les presque parfaits, dévoile une touche d'intérêt le moment venu de choisir un partenaire à long terme. C'est comme dans le monde des affaires où nul ne peut s'empêcher de se demander: «*Qu'est-ce que ça me rapporte?*»

J'entends déjà certains protester: «Non, l'amour est pur et compatissant. L'amour c'est de l'attention, de l'altruisme, une communion d'âme et un désintéressement. C'est *ça* l'amour.» Oui, *c'est bien ça* l'amour quand deux personnes partagent réellement le même sentiment amoureux. Vous avez sans doute rencontré des couples où les partenaires sont profondément dévoués l'un à l'autre et sacrifieraient tout l'un pour l'autre. Oui, cet amour désintéressé dont tout le monde rêve existe bel et bien. Mais il vient plus tard, bien plus tard. Il vient *après* la conquête du partenaire amoureux potentiel.

Selon les chercheurs, il faut convaincre l'Autre qu'il fait une bonne affaire avant de chercher à le ou la séduire. Qu'on le veuille ou non, les relations amoureuses sont, d'après la science, soumises aux principes marchands. C'est inconsciemment que les amoureux calculent la *valeur comparable de* l'Autre, le *rapport coûts et bénéfices* de la relation, les *coûts cachés*, les *frais d'entretien* et la *dépréciation possible.* Ils se demandent ensuite: «Est-ce la meilleure offre que je puisse avoir?» Tout le monde a une grille de cotation enfouie dans le cœur et, pour séduire l'être à conquérir, il faut lui faire sentir qu'il ou elle fait une très bonne affaire.

Est-ce que mes chances sont nulles si je ne suis pas d'une beauté ravissante ou si mon grand-père n'est pas un descendant des Vanderbilt ou des Kennedy, ou si je n'ai pas la compassion d'un docteur Schweitzer? Non. Dans la troisième partie, nous allons explorer les techniques verbales qui donnent de l'éloquence et remplacent les avantages avec lesquels vous n'êtes pas né. L'acquisition de ces techniques vous permettra de satisfaire les exigences des cœurs les plus difficiles.

## IV. L'ego

### M'aimes-tu? De quelles manières?

Au cœur des premiers grondements enflammés de l'amour, il y a l'ego. Il arrive à Cupidon de manquer sa cible, mais la science, elle, donne le point précis à viser pour tirer droit sur l'ego. On tombe généralement amoureux des êtres dans les yeux de qui on aperçoit le reflet idéal de soi-même.

L'idée que l'ego fait tourner le monde doit enchanter ceux et celles qui cherchent l'amour, parce que c'est une cible très vulnérable. Il y a diverses façons de flatter l'Autre, lui dire qu'elle est belle, qu'il est fort, qu'elle est séduisante, qu'il est charmant ou tout autre qualificatif qu'il ou elle *veut* entendre. Il y a les compliments massues, les douces caresses et une myriade d'autres moyens détournés, d'une innocence exquise, pour donner à l'être à conquérir le sentiment qu'il ou elle est unique. Il y a des moyens subtils pour le ou la convaincre qu'il ou elle est « différent, merveilleux, extraordinaire » et lui ou elle, pour vous remercier d'avoir reconnu ses qualités, va tomber amoureux de vous.

Par ailleurs, tout le monde a soif de sécurité et de validation. À travers les relations amoureuses, nous cherchons à nous protéger du monde cruel qui nous entoure. La quatrième partie est consacrée aux moyens qui permettent de donner à l'être à conquérir le sentiment que vous êtes sa bouée de sauvetage, l'abri qui le protégera des orages de la vie.

## V. Le fossé qui sépare les hommes et les femmes

### Y a-t-il de l'amour après l'Éden ?

Tout le monde souriait d'un air entendu lorsque, en 1956, sur la scène de Broadway, Rex Harrison se lamentait: «Pourquoi une femme ne peut-elle ressembler à un homme?» Il savait bien sûr que sa Lady était un animal différent. Mais dans les années qui ont suivi *My Fair Lady*, les féministes ont sérieusement ébranlé ses convictions.

Aujourd'hui, après quelques décennies de questionnements, de suppositions et d'hypothèses à savoir si, mis à part les organes génitaux, les hommes et les femmes sont différents, la réponse est, tambour s'il vous plaît, *Oui*! Il y a des différences spectaculaires entre leurs façons respectives de penser et de communiquer.

Les neurochirurgiens affirment qu'il y a dans le cerveau féminin des groupes de neurones qui amènent des hommes comme Henry Higgins, dans *My Fair Lady,* à dire que les femmes sont «exaspérantes, calculatrices, troublantes, énervantes, enrageantes» et que, dans le cerveau masculin, il y a des molécules qui amènent les femmes à accuser les hommes d'être des «balourds insensibles».

Malgré le torrent de données qui coule au sujet des différences génétiques, cérébrales et sexuelles entre les hommes et les femmes, les chasseurs et les chasseresses continuent de *présumer* qu'ils ont une même façon de penser et s'acharnent à courtiser comme ils ou elles voudraient l'être. Les conclusions scientifiques des dernières années ont permis aux hommes et aux femmes de prendre conscience de leurs différences, mais il faudrait opérer une lobotomie frontale pour amener un changement permanent au niveau des neurones cérébraux. Les femmes demeureront «exaspérantes» et les hommes demeureront «insensibles». Et les deux continueront à communiquer suivant des modes qui les éloignent au lieu de les rapprocher, surtout au cours des premiers rendez-vous.

Afin de ne pas l'effrayer et de ne pas le faire fuir, les grands chasseurs doivent connaître toutes les caractéristiques et les habitudes du gibier qu'ils chassent, que ce soit le cerf, l'orignal, le caribou ou le sanglier sauvage. En amour, les chasseurs et les chasseresses doivent acquérir une bonne connaissance des différences entre les hommes et les femmes pour s'assurer une bonne prise.

La cinquième partie donne un aperçu des écueils les plus courants qui risquent de troubler la joie des premiers moments, ainsi que des conseils sur la manière de les éviter et d'apaiser les craintes de l'être à conquérir. La gazelle craintive qui, habituellement, prend la fuite à l'approche d'un humain, va allègrement se mettre dans votre point de mire.

## VI. L'érotisme cérébral

## Comment brancher l'électricité sexuelle

Un grand nombre d'ouvrages portant sur la manière d'attiser le désir sexuel donnent l'impression qu'il suffit de tourner l'interrupteur de la veilleuse à côté du lit, de « presser ici pour hâter l'orgasme », de « donner là de petites tapes pour une décharge additionnelle ». Il est vrai que la sexualité *est* de l'électricité, mais les interrupteurs corporels ne font que hâter ou ralentir les fonctions physiques. Pour maîtriser la puissance de la machine et maintenir longtemps sa production d'énergie, il faut contrôler le *pouvoir de l'esprit*. L'organe le plus érotique du corps humain est le *cerveau*.

Il existe une multitude d'ouvrages de référence détaillés sur les mécanismes de l'activité sexuelle. Ils ont pour titre, entre autres, *Comment rendre votre homme fou de désir au lit, Comment rendre la femme folle de désir au lit, Comment déchaîner votre homme au lit, Comment satisfaire une femme et l'amener à vous en redemander encore et encore.* La liste est interminable. Ces manuels abondent de détails sur la manière de chatouiller tel point juste au-dessous du « petit casque mignon » pour faire perdre à l'homme tout contrôle ou sur les points de repère que les hommes doivent se fixer pour reconnaître les points stratégiques où laisser folâtrer leurs doigts sans manquer le demi-tour qui mène au point G de la femme.

C'est du matériel important, *très* important. Mais quand il s'agit de séduire, cela ne souffre pas la comparaison avec ce que j'appelle la fellation cérébrale, soit sucer les rêves, les attentes et les fantasmes de l'être à conquérir, puis créer une aura érotique pour la vie dans laquelle vous vous abandonnerez avec délices.

Messieurs, vos performances au lit, par semaine ou par nuit, ne sont pas ce qui importe le plus aux yeux des femmes. Le plus important pour elles est la sensualité et la passion que vous donnez à chaque aspect de votre relation, les *sensations* que vous leur procurez chaque fois que vous les regardez.

Mesdames, la taille de votre soutien-gorge ou la courbe de vos hanches n'est pas ce qui importe le plus aux yeux de l'homme. Le plus important pour lui est l'ouverture et la courbe de votre *attitude sexuelle,* votre perception de la sexualité masculine.

Il n'y a pas deux flocons de neige pareils. De même, il n'y a pas deux sexualités pareilles. Vous trouverez dans cet ouvrage des techniques qui vous permettront de découvrir la sexualité unique de l'Autre afin de l'aimer comme il ou elle veut être aimé. C'est dans la sixième partie que nous étudierons les différents aspects des techniques sexuelles au pouvoir séducteur infaillible.

Embarquons à présent pour traverser les six étapes de ce voyage. La première destination nous fera découvrir les changements physiques qui se manifestent au moment où l'amour nous étreint.

# CHAPITRE 3

# L'amour, ses manifestations physiques

## Qu'est-ce qui se passe en moi ? Je me sens tout drôle !

Tomber amoureux est un processus à la fois mental et physique. Les premières techniques servent à stimuler les réactions physiques avant que les réactions cérébrales ne rattrapent le pas. Une scannographie et une radioscopie de la maladie d'amour permettront de déterminer ses effets physiques sur ceux et celles qui en sont atteints.

## Est-ce la phényléthylamine qui fait naître le sentiment amoureux ?

Les scientifiques ont prouvé que, lorsqu'on est amoureux, le cerveau libère de la phényléthylamine, une substance chimique apparentée à l'amphétamine, et qui produit la même « excitation ». C'est elle qui fait naître l'amour.

La phényléthylamine sécrétée à travers le système nerveux et le système sanguin provoque une réaction émotionnelle pareille à l'effet d'une drogue puissante. C'est cette substance chimique qui fait palpiter le cœur, rend les mains moites et bouleverse les entrailles des êtres amoureux. (C'est la phényléthylamine qui, selon la rumeur, pousse à vouloir arracher les vêtements de l'Autre à la première occasion.)

Aux dires des scientifiques, au cours de la phase d'attirance d'une relation amoureuse, le cerveau libère de la phényléthylamine, de la dopamine et de la norépinéphrine, trois des nombreux

neurotransmetteurs de l'organisme, qui agissent comme des narco-
tiques naturels puissants.

La mauvaise nouvelle est que le sentiment d'exaltation est
éphémère. C'est ce qui s'ajoute à la preuve scientifique déjà abon-
dante que l'amour romantique est relativement de courte durée.
C'est la raison pour laquelle il y a des «drogués de l'amour». La
bonne nouvelle est *qu'il dure* suffisamment longtemps pour permettre le déclenchement de grandes histoires d'amour. Sa durée
moyenne allant d'une année et demie à trois années, cela laisse
amplement le temps de vivre de merveilleuses folies et, éventuellement, de se retrouver au pied de l'autel au bras de l'élu(e) et/ou
de favoriser la survie de l'espèce.

Mais, comme on ne peut se promener toute la journée muni
d'une seringue remplie de phényléthylamine, à l'affût de l'être
à conquérir pour la lui injecter, le mieux est d'acquérir les techniques qui provoquent la libération de cette substance chimique qui
aiguise les facultés perceptives et la *sensation* d'être amoureux.

## Pourquoi tombe-t-on amoureux d'une personne et pas d'une autre ?

On ne se réveille pas un bon matin avec une dose supplémentaire
de phényléthylamine qui nous fait tomber amoureux fou de la
première personne qui entre dans notre champ de vision. La phényléthylamine et les substances chimiques similaires sont précipi-
tées par des réactions émotionnelles et viscérales en réponse à un
stimulus spécifique.

Quel stimulus ? Un parfum, une manière exquise de dire bonjour, une adorable façon de froncer le nez en riant, un vêtement
qui n'a l'air de rien et qui nous «tourneboule». En 1924, Conrad
Hilton, le fondateur de la chaîne des hôtels Hilton, a vibré en aper-
cevant un chapeau rouge à cinq bancs devant lui, à l'église. Après
la messe, il a suivi le chapeau rouge, et la femme qui le portait est
peu après devenue sa conjointe.

## Comment les petits riens déclenchent-ils l'amour?

Comment de petits riens apparemment insignifiants peuvent-ils embraser les cœurs? D'où provient l'émoi qu'ils causent? Est-ce génétique?

Non, les gènes n'ont rien à voir avec l'amour. C'est dans les tréfonds du psychisme que ça se déclenche. Les munitions qui prennent feu quand on aperçoit, quand on entend, quand on sent quelque chose qui nous procure du plaisir, sont enfouies dans notre subconscient, un puits apparemment sans fond qui recèle une grande partie des éléments de notre personnalité, soit les expériences vécues dans l'enfance ou celles, plus importantes, vécues entre cinq et huit ans. Très jeunes, nous sommes marqués d'une *empreinte* subconsciente comme certaines espèces animales.

Au cours des années trente, un éminent éthologiste australien, le D^r Konrad Lorenz, a amené une couvée d'oisons à s'attacher désespérément à ses pas. Après avoir observé la manière dont les oisons, peu après l'éclosion des œufs, se dandinent en file indienne derrière leur mère, et continuent à le faire même après avoir atteint leur maturité, le D^r Lorenz a décidé de les marquer de sa *propre* empreinte perceptive.

Il a opéré l'incubation d'une couvée d'oisons. À l'instant où il a aperçu leurs petits becs transpercer les coquilles, il s'est accroupi, le plus bas possible, comme s'il était la maman oie, puis il s'est mis à se dandiner devant la couvée. Les oisons ont aussitôt quitté leurs coquilles et l'ont suivi à la queue leu leu à travers le laboratoire. Par la suite, et malgré la présence de vraies oies, les oisons marqués de son empreinte perceptive ont continué à se dandiner derrière lui en toute occasion.

Les chercheurs ont démontré que le phénomène de l'empreinte perceptive ne se limite pas aux oiseaux. Des formes variées existent chez les poissons, les cochons d'Inde, les moutons, les cerfs, les bisons et autres mammifères. Les humains sont-ils à l'abri de l'empreinte perceptive? Non, mais à la différence des oisons, nous ne continuons pas à ramper jusqu'à l'âge adulte derrière le médecin qui nous sort du ventre de notre mère. Il y a des preuves solides à l'effet que nous sommes marqués d'une empreinte perceptive *sexuelle* précoce.

Un sexologue de grande renommée, le D^r John Money, parle du *tracé amoureux* pour décrire cette empreinte. Le tracé amoureux est le schéma, incrusté dans le cerveau, de l'ensemble des joies et des peines ressenties à travers les années à l'égard des membres de la famille, des amis d'enfance et des rencontres dues au hasard. Les entailles sont si profondes qu'elles restent à jamais imprimées dans un recoin ou une faille quelconque du psychisme humain, prêtes à saigner à nouveau dès que frappe le bon stimulus.

Selon le D^r Money, « le tracé amoureux est aussi réel qu'un visage, un corps ou un cerveau. Chacun a le sien. Nul ne saurait tomber amoureux, s'accoupler ou procréer sans un tracé amoureux[7] ». L'être à conquérir a le sien et vous avez le vôtre qui est gravé de manière indélébile dans l'ego, le Ça, le psychisme, le subconscient. Il y a des empreintes positives comme, par exemple, un parfum que portait votre mère, la grimace amusante de votre père bien-aimé, le nez que votre professeur préférée retroussait en riant. Une dame au chapeau rouge s'est peut-être montrée bien-veillante à l'égard de Conrad Hilton quand il était enfant.

Il y a aussi les empreintes négatives. Une femme victime d'abus sexuels dans son enfance ne pourra jamais tomber amoureuse d'un homme au sourire concupiscent. Un homme qui a subi dans son enfance la méchanceté et la cruauté d'une tante qui s'arrosait du parfum Joy fuira comme un animal piqué par un moustique toute femme de laquelle émanent ces effluves.

Les tracés amoureux présentent souvent des circonvolutions. Les expériences négatives précoces y impriment d'étranges courbes. Une femme abandonnée dans son enfance par un père parti vivre avec une autre femme montera sur ses grands chevaux à l'instant même où son compagnon aura le malencontreux réflexe de regarder une passante. Un homme qui, à l'âge de cinq ans, éprouvait du plaisir à laisser une jolie gardienne lui tapoter les fesses tombera amoureux d'une femme qui lui accordera un traitement semblable.

Les expériences passées, positives et négatives, sont enregistrées dans le subconscient sexuel. Il suffit d'appuyer sur la détente au bon moment et, BOUM! une décharge de phényléthylamine traverse les veines, foudroie le cerveau, aveugle la raison et déclenche le sentiment amoureux. C'est l'étincelle qui fait jaillir le feu de l'amour.

Il ne s'agit encore que des démarreurs qui mettent la voiture en marche, ensuite c'est la batterie qui prend la relève. De la même façon, après que le cerveau s'est remis du choc de la première décharge de phényléthylamine, un peu de raison (il faut l'espérer) commence à émerger de la matière grise. Au fur et à mesure qu'ils apprennent à se connaître, les partenaires déterminent leurs similarités et leurs différences (à voir dans la deuxième partie), puis, tous les deux se posent la question «Que vais-je retirer de cette relation?» (à voir dans la troisième partie). Ensuite, ils établissent le bilan des acquis en fonction de leur ego (à voir dans la quatrième partie). Au commencement, l'amour est très fragile. Il arrive souvent que l'un des partenaires éteigne la flamme par inadvertance dès les premiers rendez-vous (à voir dans la cinquième partie). Cette étape traversée, c'est ce qui se passe ou ne se passe pas dans l'intimité qui jouera un rôle très important (à voir dans la sixième partie). Tous ces éléments sont analysés d'un point de vue scientifique.

Revenons à présent à la case départ. Où trouver le partenaire amoureux potentiel? Comment lui envoyer cette décharge de phényléthylamine à travers les veines?

# CHAPITRE 4

# Où sont-ils, ces hommes
# et ces femmes que l'on recherche ?

## Chercher l'amour à la mauvaise place

Les célibataires ou les divorcés, jeunes et moins jeunes, se demandent, en se brossant les dents le matin, en se rasant la barbe, en se maquillant, en dissimulant leurs premiers cheveux gris, «Où sont-ils ces hommes que l'on recherche? Où sont-elles ces femmes que l'on recherche?»

Selon un sondage effectué par le magazine *American Demographics*, un Américain sur cinq est célibataire[8]. Par conséquent, il y a quarante-neuf millions d'Américains âgés de vingt-cinq ans et plus qui sont célibataires, veufs ou divorcés. Et leur nombre ne fait que croître.

«Bien, dites-vous, mais s'il y a autant de partenaires amoureux potentiels, où sont-ils terrés?» La réponse est qu'«ils sont partout, comme vous, à la recherche de l'amour». Ils se promènent dans le parc en grignotant des biscuits, ils assistent à des concerts, ils promènent leur chien, ils prennent le métro, ils vont dans les restaurants, ils sont partout autour de vous.

Aujourd'hui, malgré les voyages en jet, les amours successives et un univers qui se rétrécit, la plupart des gens cherchent le partenaire potentiel dans le périmètre qui entoure leur lieu de résidence. Des études menées sur ce que les sociologues appellent la *proximité résidentielle* montrent que les flèches de Cupidon n'ont pas une longue portée. En fait, selon une étude, la distance moyenne que traverse un ouvrier non spécialisé pour trouver une conjointe ne dépasse pas mille mètres[9]. À moins d'avoir planté sa tente au milieu du Sahara, il n'y a pas lieu de s'aventurer très loin pour aller à la chasse. Il faut par contre s'équiper de nouvelles connaissances. Armez-vous des techniques présentées dans cet ouvrage et vous n'aurez pas à aller bien loin pour trouver l'être à conquérir.

On entend souvent la triste plainte des amoureux transis : « Je cherche l'amour à la mauvaise place, je cherche l'amour auprès de la mauvaise personne. » Or, le vrai problème n'est pas là. Le fait est que la plupart des gens cherchent l'amour sans posséder les bons *moyens*.

Les acteurs de théâtre savent que les compétences requises pour passer une audition et celles requises pour jouer sur la scène ne sont pas les mêmes. Pour une audition, leur talent doit immédiatement frapper le producteur, souvent en moins d'une minute. De même, vous avez besoin de compétences différentes pour conquérir puis pour entretenir la flamme. Il faut d'abord subjuguer l'Autre, parfois en moins d'une minute. Si vous ratez le premier coup, la rencontre risque de ne jamais avoir lieu et l'étincelle d'amour risque de ne jamais s'enflammer.

# CHAPITRE 5

## Le coup de foudre existe-t-il ?

Supposons que la chance vous sourit et que vous repérez votre proie. Il est assis sur les marches lisant un livre ; elle est debout étudiant une peinture au musée ; il s'apprête à monter en autobus ; elle attend devant le guichet automatique d'une banque.

Vous jetez un deuxième regard. Cette personne étrangère a quelque chose qui emballe le moteur de votre usine interne de phényléthylamine dont une goutte ruisselle déjà dans vos veines. C'est peut-être quelque chose dans son regard. Sa façon de marcher. Son vêtement. Son aura. Est-ce le coup de foudre ? Est-ce que cela existe ?

C'est une question de sémantique. Le désir instantané, le coup de foudre, existe certainement. Cependant, le monde scientifique s'accorde pour dire que le coup de foudre est simplement du je-vous-l'avais-bien-dit.

> Une histoire d'amour réussie qui, éventuellement, aboutit au mariage, est perçue, en rétrospective, comme une vraie histoire d'amour ; alors que si l'un ou l'autre est repoussé, elle est jugée... comme un « engouement ».
>
> *Medical Aspects of Human Sexuality*[10]

La sémantique mise de côté, un fait demeure. Le moindre stimulus déclenche l'amour. Les premières manœuvres sont cruciales au moment où le partenaire amoureux potentiel est repéré. Si, par la suite, l'amour se développe, c'est incontestablement un coup de foudre.

La notion de coup de foudre a survécu parce qu'elle fait partie intégrale des nombreuses croyances populaires au sujet de l'amour romantique. L'amour romantique est une valeur culturelle importante chez les Américains[11]. Toutefois, le coup de foudre existe pour les personnes qui y croient, comme les imprécations vaudoues qui ne causent la mort que des personnes qui croient en leur pouvoir fatal.

# PREMIÈRE PARTIE
## La première impression

*Le coup de foudre ne donne jamais*
*une deuxième chance*

# CHAPITRE 6
# Comment faire une première impression du tonnerre

## La première impression est indélébile

Le premier coup d'œil a un impact impressionnant. L'image qui pénètre est d'une telle intensité qu'elle restera à jamais imprimée dans la mémoire de l'être à conquérir.

Gérald, un ami cher, est un homme âgé dont la compagnie est recherchée dans sa ville natale. Gérald est le charmant compagnon de femmes âgées, veuves depuis de nombreuses années, qu'il a connues lorsqu'elles étaient jeunes filles à l'école, vers la fin des années quarante. Elles ont physiquement changé, plusieurs ont pris du poids et perdu les attraits de leur jeunesse, mais leur beauté intérieure est demeurée intacte.

Au cours d'une soirée, j'ai entendu un homme se moquer des conquêtes de Gérald. La remarque de mauvais goût a quelque peu blessé mon ami.

« Mais elles sont toutes belles ! » s'est-il exclamé, puis il a tiré de son portefeuille une vieille photo en noir et blanc, aux bords écornés, où l'on voyait une jeune fille couronnée reine de la fête scolaire annuelle, entourée de sa cour.

« Regardez cette photo », dit Gérald à l'insolent. Deux des trois dames qu'il escortait ce soir-là étaient sur la photo. L'une d'entre elles était la reine sur la photo. Jusqu'à ce jour, Gérald voit ses amies aussi belles qu'elles l'étaient en 1948. Tel est le pouvoir de la première impression.

Des experts-conseillers de l'image sont payés des milliers de dollars pour pontifier dans les salles de conseil, à travers les États-

Unis, «vous n'aurez jamais une seconde chance de faire une première impression». «C'est la première impression qui compte» est un adage célèbre. Alors, quoi de neuf?

Le nouvel élément est que, même au seuil du vingt et unième siècle, nous ne comprenons pas réellement la portée et les conséquences de la première impression ni sur quels détails lilliputiens elle se fonde parfois.

Messieurs, il suffit d'une casquette portée de travers ou d'une chaîne en or scintillant à travers les poils de votre torse pour attiser ou rompre une passion naissante avant même que vous ne puissiez prononcer un simple: «Allo!»

Mesdames, il suffit d'un quart de tour au moment où il s'enhardit pour vous dire bonjour pour transformer le beau prince en crapaud effaré.

## Il faut toujours être prêt!

Si la première impression est aussi cruciale et si la décision de «charger ou non» est prise dans les secondes qui suivent l'instant où l'on est repéré, la grande question qui se pose est de savoir pourquoi les personnes qui cherchent l'amour passent autant de temps à se pomponner avant un rendez-vous galant et prennent à peine le temps de se poudrer le nez pour emmener leur chien chez le vétérinaire. Or, au rendez-vous galant, la première impression est déjà faite. Votre apparence est certes importante, mais elle n'est pas aussi décisive qu'à l'instant où l'Autre vous aperçoit pour la première fois.

La triste vérité dont vous ne vous rendez pas compte est que vous avez probablement laissé échapper des dizaines de partenaires potentiels au cours des derniers mois, simplement parce que vos collets n'étaient pas en place. Vous n'étiez pas préparé pour la chasse. Chasseurs, cela signifie que vous n'étiez pas proprement vêtus. Chasseresses, cela signifie que votre attirail n'était pas soigné. Les recherches montrent que la première impression est fonction de l'habit pour les hommes et fonction du corps et du visage pour les femmes.

Chasseresses, vous pouvez vous demander: «Est-ce que le maquillage est important?» Une recherche intitulée «Le rouge à lèvres est-il un facteur déterminant?» a mis un groupe d'hommes en présence de six femmes, d'abord maquillées puis non maquillées, pour connaître leur opinion. L'analyse des réactions a révélé que l'opinion masculine est *très* différente selon que la femme porte ou non du rouge à lèvres[12].

Mesdames, combien de fois vous est-il arrivé d'être négligée au moment où vous repérez dans la rue le bel étranger qui vous dépasse sans même vous jeter un simple regard? Si c'est le type mâle par excellence attiré par des lèvres rosées et de beaux grands yeux, à quoi pouvez-vous vous attendre? Messieurs, combien de fois vous est-il arrivé de vouloir entamer une conversation avec une belle assise à vos côtés dans l'autobus qui, en voyant votre allure débraillée, vous a répondu laconiquement et a détourné la tête? Si c'est le type féminin par excellence attiré par un aspect qui reflète la compétence et le succès, à quoi pouvez-vous vous attendre?

---

### PREMIÈRE TECHNIQUE

#### EN TENUE «D'ASSAUT», PARTOUT ET EN TOUT LIEU

Messieurs, cela ne signifie pas que vous devez endosser votre complet trois pièces pour aller acheter le journal. Mesdames, cela ne signifie pas que vous devez mettre trois couches de mascara pour aller promener votre chien. Mais chaque fois que vous franchissez le seuil de la porte, vous devez être en tenue «d'assaut» pour aller à la conquête de votre proie!

---

Selon la théorie du «renforcement», nous sommes portés à nous laisser aller lorsque l'assaut échoue à quelques reprises. Disons que, en tenue d'assaut et à l'affût de l'être à conquérir, vous sortez promener votre chien trois ou quatre fois par jour, et jamais personne à l'horizon. Vous finissez par vous dire: «Ça ne marche pas!»

Au cours de mes séminaires sur la vente, je dis aux participants qu'il faut, en moyenne, cinq tentatives de vente pour en réaliser une. Il faut se donner du temps. Pourquoi ne pas attendre cinq autres promenades pour voir arriver l'Autre qui vous dira : « Vous avez un beau chien, comment s'appelle-t-il ? Et vous, comment vous appelez-vous ? »

## Il faut toujours être psychologiquement « prêt à l'assaut »

Il ne suffit pas d'être physiquement prêt, vous devez également garder les portes de l'*esprit* ouvertes pour laisser l'amour entrer… où que vous soyez. Le partenaire amoureux potentiel peut apparaître à n'importe quel moment dans votre vie et pas seulement dans le cadre de soirées dansantes ou de rencontres dans des clubs de célibataires.

Cindy est une manucure qui me soigne les ongles depuis plusieurs années. (Le dissolvant doit contenir une drogue qui dissout les inhibitions des femmes et les amène à raconter les moindres détails de leur vie.) Depuis des mois, Cindy ne cessait de maugréer que son travail ne lui permettait de rencontrer que des femmes.

Un jour, j'avais pris mon rendez-vous tard en fin de journée, vers 18 heures. Cindy me racontait qu'elle était trop épuisée après une journée passée à couper, limer et vernir les ongles pour aller dans les clubs de célibataires à la recherche de l'âme sœur. Vers 18 heures 45, quelqu'un est entré et nous avons entendu une voix masculine demander s'il était encore possible de se faire faire les ongles malgré l'heure tardive. Cindy avait le dos tourné à la porte. En regardant par-dessus son épaule, j'ai aperçu un bel Apollon, debout dans l'embrasure. (J'ignorais que de telles créatures avaient besoin d'une manucure !) Encore saisie, j'ai entendu Cindy répondre sans même tourner la tête : « Non, nous fermons dans dix minutes. »

« Qu'est-ce que vous en pensez ? », maugréa-t-elle sans même lever les yeux, alors que le dieu grec s'en allait. « Pour qui se prend-il pour arriver à cette heure ? »

C'est alors que Cindy, l'ouïe sensible aux belles voitures de sport, a perçu les emballées d'une Jaguar qui démarrait devant la porte. Elle s'est aussitôt dressée pour regarder à l'extérieur. Son Adonis sortait du stationnement, et de sa vie, à jamais, à bord de sa voiture rutilante. Elle n'a plus cessé de s'en vouloir jusqu'au moment où, sans l'offenser, je lui ai dit qu'il faut garder les yeux ouverts, en tout temps pour saisir de telles occasions.

Les bons vendeurs ne cessent jamais de prospecter pour trouver leurs clients, que ce soit dans le cabinet du dentiste, dans la boutique de photocopies, à la pizzeria. Un ami qui travaille dans la vente a conclu un contrat d'assurance de plusieurs millions de dollars avec l'homme nu assis à ses côtés dans le jacuzzi du centre de conditionnement physique. Comme le dit une vieille chanson, «vous pouvez trouver un homme qui vaut des millions chez le boutiquier du coin qui vend des petits bonbons».

---

**DEUXIÈME TECHNIQUE**
IL FAUT TOUJOURS ÊTRE PSYCHOLOGIQUEMENT
«PRÊT À L'ASSAUT»

Les chasseurs d'ours posent leurs pièges avant même d'en apercevoir un. Les pêcheurs lancent leurs filets dans l'eau bien avant que les poissons n'arrivent. Si vous posez votre collet psychologique dès l'instant où vous quittez votre lit le matin, il y a de fortes chances que la prochaine grande prise ne vous échappe pas.

---

Vous êtes maintenant physiquement et mentalement prêt pour l'amour. La question suivante est «Comment *provoquer des secousses sismiques* chez l'Autre au moment de la rencontre?»

Les deux armes les plus puissantes dont vous avez besoin pour déclencher le coup de foudre sont situées juste au-dessus de votre nez. Un grand nombre de personnes jurent qu'elles sont tombées amoureuses «à l'instant même où j'ai vu ses yeux».

# CHAPITRE 7
## Comment tomber amoureux
## au premier regard

L'homme est généralement évalué en fonction de son torse, de ses fesses ou de ses jambes. Et, bien qu'elles insistent pour dire qu'il n'en est rien, les femmes sont, pour la plupart, des amatrices d'arrière-train. (Il ne s'agit pas de simples conjectures. Une étude britannique a établi que c'est le point de mire favori des dames[13].)

Les recherches ont prouvé que *tout le monde* est visuel. Lorsque, adolescent, vous étiez présenté à des gens, vos parents vous recommandaient de «regarder la personne droit dans les yeux». Ils vous ont aussi fait clairement comprendre que les parties du corps mentionnées plus haut ne devaient pas être l'objet de votre champ de vision.

Un regard puissant stimule immédiatement des sentiments affectifs forts. Une étude intitulée «Les effets de l'échange visuel sur l'amour romantique» l'a clairement prouvé[14]. Les chercheurs ont réuni dans une grande salle quarante-huit hommes et femmes qui ne se connaissaient pas. Après leur avoir donné des instructions relativement à l'intensité du regard à établir avec l'interlocuteur et leur avoir laissé le temps de faire connaissance, les chercheurs ont demandé à chaque participant de décrire les émotions ressenties à l'égard de l'autre. Les résultats?

> Les sujets qui se sont regardés droit dans les yeux ont éprouvé des émotions beaucoup plus fortes que ceux qui ne l'ont pas fait... Les sujets dont les regards se sont longuement croisés ont senti naître en eux une passion... et une vive sympathie pour leur partenaire.
>
> *Journal of Research in Personality*[15]

En termes moins techniques, regarder l'Autre droit dans les yeux attise les flammes de l'amour.

Pourquoi le regard a-t-il des conséquences aussi ardentes? Selon l'anthropologue Helen Fisher, c'est un instinct animal. Un regard direct anime « une partie primitive du cerveau qui provoque une des deux émotions de base, l'approche ou la retraite » [16].

Un regard soutenu crée un grand émoi comme celui que provoque la peur. Un regard direct stimule l'organisme à sécréter des substances chimiques, telles que la phényléthylamine, qui donnent la *sensation* d'être amoureux. Ainsi, un regard puissant, intense, presque agressif, est l'une des premières techniques à adopter pour amener l'Autre à tomber amoureux de vous.

Je suis profondément consciente de ce phénomène au cours de mes conférences. Lorsque mon discours se prolonge sur un point particulier, certains auditeurs tendent à enfouir leur nez dans leurs feuilles de notes, à examiner leurs ongles ou même à s'endormir. Et, quand je reviens au sujet qui les intéresse, je vois leurs cils battre comme les ailes des papillons qui retrouvent le soleil après un orage.

L'autre facteur qui empêche d'établir un bon contact visuel, c'est la timidité. Plus une personne accapare notre esprit, plus on a tendance à éviter son regard. Les employés évitent souvent de regarder le grand patron dans les yeux. Quand nous nous retrouvons en présence d'une personne extraordinairement belle, séduisante ou parfaite, nous avons tendance à faire de même.

Je me suis toujours efforcée, au cours de mes séminaires, de regarder chacun dans la salle. Toutefois, j'ai constaté que lorsqu'il y a un homme particulièrement séduisant dans la marée des visages qui me fait face, je me retrouve souvent évitant son regard. Je regarde tout le monde droit dans les yeux *sauf* lui. Finalement, jugeant mon attitude absurde, j'ai décidé de ne plus éviter un tel regard et BOUM! J'ai senti la première fois mon cœur battre la chamade et, à d'autres occasions, j'ai quelque peu perdu le fil de mes idées et j'ai même bégayé. Un regard, c'est réellement puissant.

## Le regard langoureux

Selon un scientifique britannique, les gens, en moyenne, se regardent dans les yeux pendant 30 à 60 p. 100 du temps qu'ils se parlent. Ce n'est pas suffisant pour faire démarrer les moteurs du coup de foudre.

Alors qu'il était étudiant à l'université du Michigan, un éminent psychologue, Zick Rubin, a voulu définir une manière de mesurer l'amour. Quelques années plus tard, à Harvard et à Brandeis, où il avait poursuivi ses études, le jeune chercheur romantique a produit la première échelle psychométrique qui permet de déterminer l'intensité de l'affection chez un couple. Connue sous le nom d'«*échelle de Rubin*», elle est encore utilisée par un grand nombre de psychologues sociaux pour mesurer l'intensité des sentiments que les gens partagent.

Dans son étude intitulée «Comment mesurer l'amour romantique», Zick Rubin a constaté que deux personnes profondément amoureuses se regardent longuement les yeux dans les yeux et que, si l'intervention d'un tiers les force à détacher leurs regards l'un de l'autre, c'est avec beaucoup de lenteur qu'elles le font[17]. Pour appuyer ses résultats, Rubin a mené une expérience-piège en demandant à des couples en première phase d'attirance de répondre à un long questionnaire afin d'évaluer l'intensité de leurs sentiments. Les couples ont été invités à remplir le questionnaire en attendant l'arrivée de la personne en charge de l'expérience. Les sujets ignoraient que l'expérience *se déroulait* déjà. Des caméras cachées enregistraient les regards échangés. On a découvert que plus le résultat des réponses au questionnaire était élevé, plus la durée des regards échangés était longue. Une intensité amoureuse moindre entraînait une durée moindre des regards échangés.

Pour donner à l'Autre le sentiment subliminal que vous êtes *déjà* amoureux l'un de l'autre (une prophétie profondément satisfaisante par elle-même), le regard doit être considérablement intense au cours de la conversation, soit environ 75 p. 100 du temps ou plus, si vous voulez augmenter le taux de phényléthylamine de votre partenaire.

Un regard qui s'attarde quelques instants est significatif. Celui de l'homme signifie pour la femme : « Vous êtes belle. Vous m'intriguez. Vos paroles me fascinent. » Celui de la femme signifie pour l'homme : « J'ai une envie folle de vous. Il me tarde de vous arracher vos vêtements et de vous laisser me faire l'amour passionnément. »

Vous *devez* cependant regarder votre partenaire dans les yeux et non fixer l'arc de ses sourcils ou l'arête de ses narines. Il faut plonger votre regard dans ces beaux yeux bleus, bruns, gris ou verts, prétendre admirer le nerf optique derrière le globe oculaire.

Il est dit dans *The King and I* : « Sifflotez un air joyeux et vous serez heureux. » De même, envoyez-lui des signaux d'amour et il en éprouvera les sensations.

---

**TROISIÈME TECHNIQUE**
LE REGARD INTENSE

Il faut donner au regard une profonde intensité au cours des premières conversations. Il faut plonger votre regard dans le sien comme à la recherche de son nerf optique. Il faut emprisonner son regard pour lui donner la sensation que vous êtes déjà amoureux l'un de l'autre.

---

Il ne suffit pas de se regarder. Il faut que le regard soit chaleureux, invitant. Fixer les yeux vitreux d'un poisson mort ne saurait éveiller l'amour.


## Le regard langoureux

Le *regard langoureux* n'est pas l'apanage des stars de cinéma. Ni Bette Davis ni Clark Gable n'en détenaient le brevet. Nous avons tous ce regard suggestif profondément enfoui dans notre psyché évolutive. Les ethnologues l'ont même appelé le *regard copulatoire*. Ce regard joue un rôle important en amour. Ainsi, par exemple, les chimpanzés pygmés, dont l'espèce est celle qui se rapproche le plus de l'espèce humaine, passent un long moment à se regarder profondément dans les yeux.

Certains primates ont de la difficulté à entreprendre une relation sexuelle sans se regarder. Des chercheurs finlandais ont mis des babouins mâles en présence de babouins femelles. Puis, à l'aide de mécanismes à œillères, ils ont amené le mâle à regarder telle ou telle partie de l'anatomie de la femelle. Lorsque le regard du mâle était dirigé vers les organes génitaux de la femelle, il avait cinq éjaculations. Mais lorsque son regard était dirigé vers les yeux de la femelle, *avant le coup d'œil furtif vers les parties intimes*, il avait vingt et une éjaculations[18]. (Messieurs, un regard plus intense au cours de la phase d'attirance ne vous garantit pas vingt et une éjaculations, mais il va certes attiser les sentiments amoureux de votre compagne.) L'anthropologue Helen Fisher va même jusqu'à dire : « Les organes déclencheurs de l'amour sont les yeux et non le cœur, les organes génitaux ou le cerveau »[19].

Qu'est-ce qui donne un regard langoureux, invitant ? C'est très simple, *les grandes pupilles*. Si vous revoyez des photos de Bette Davis ou Clark Gable, vous remarquerez leurs pupilles dilatées. Des retouches ont certes été faites. Mais… !

Le père d'une science qui a plus tard été appelée la *pupillométrie*, le D^r Eckhard Hess, a démontré que les pupilles dilatées ont un attrait plus grand. Il a montré à un groupe d'hommes deux photos d'un même visage de femme, l'un au naturel et l'autre aux pupilles agrandies. Les hommes ont été beaucoup plus impressionnés par le deuxième. Hess a repris la même expérience en inversant les données, et les femmes, elles aussi, ont été beaucoup plus impressionnées par le regard masculin retouché.

Selon le D^r Hess, la taille des pupilles ne peut être consciemment modifiée, mais, au début des années soixante, il a prouvé qu'elle pouvait être manipulée. Après avoir relié ses sujets au dispositif de Rube Goldberg pour mesurer les variations pupillaires, le D^r Hess leur a montré des photos de paysages, de bébés ou de membres de leur famille. Le plaisir ressenti a légèrement dilaté leurs pupilles. Il a ensuite inséré dans le tas la photo d'une femme nue. Leurs pupilles se sont dilatées au maximum. Ce qui prouve que, en présence d'un stimulus captivant, les pupilles se dilatent. Voilà comment dilater les pupilles et transformer les yeux en étangs merveilleux, aux eaux profondes fascinantes, ensorcelantes. Lors de la conversation, laissez votre regard se poser sur le trait le plus séduisant de son visage. A-t-elle un beau petit nez? A-t-il une adorable fossette? Au fur et à mesure que vos yeux se plaisent à cette vue, vos pupilles vont graduellement s'élargir. Évitez surtout de fixer le malheureux grain de beauté orné de poils noirs, sinon vos pupilles se refermeront comme des huîtres!

---

### QUATRIÈME TECHNIQUE
#### LE REGARD LANGOUREUX

Il faut fixer le trait le plus séduisant de son visage. Les pupilles se dilatent automatiquement et donnent un regard langoureux.

Il faut aussi avoir des pensées amoureuses, centrer son attention sur ses traits séduisants, sur le bien-être éprouvé en sa présence et sur le plaisir de se retrouver éventuellement ensemble sous la douche.

---

Vous devez bannir de votre esprit la timidité, la méfiance, la nervosité ou toute autre idée négative qui rétrécit les pupilles. Il faut avoir des idées chaudes et grisantes pour adoucir le regard.


## Le regard soutenu

Nous allons maintenant aborder la troisième technique visuelle pour éveiller ce sentiment primitif et perturbateur qui envahit les êtres aux prémices de l'amour.

En règle générale, lors de la conversation, les personnes vont légèrement détourner leur regard à la fin d'une phrase ou quand il y a un silence, *sauf* quand l'Autre est captivant ou quand elles sont éperdument amoureuses. La phrase *il ne peut détacher d'elle son regard* n'est pas une simple allégorie. Les tourtereaux se regardent amoureusement les yeux dans les yeux *même quand ils ont fini* de se dire des mots tendres. Il n'y a rien de plus électrisant que le regard de l'Autre qui s'attarde sur vous durant le silence qui suit vos paroles.

Il y a quelques années, j'avais embauché un menuisier pour installer une nouvelle fenêtre dans mon bureau. Jerry n'était pas vraiment beau et il n'était certainement pas très vif d'esprit, mais pour une raison inexplicable, je l'avais trouvé très séduisant. Il y avait en lui un attrait indéfinissable, mystérieux. C'était un sentiment primitif, perturbateur, excitant.

Je ne me suis pas laissée aller à ce béguin. Peut-être m'étais-je dit qu'il n'était pas politiquement correct de séduire un menuisier, que ce n'était pas une chose souhaitable dans les circonstances ou que les autres attraits de Jerry ne correspondaient pas aux données de mon tracé amoureux. Il n'empêche que Jerry a été l'objet de mes fantasmes pendant quelques semaines.

Je ne l'ai plus revu pendant quelques années. Récemment, alors que je travaillais à la rédaction de cet ouvrage, j'ai eu besoin de quelques étagères pour ranger mon matériel de recherche. J'ai naturellement téléphoné à Jerry. Il est arrivé avec six kilos et trois années de plus, mais tout aussi séduisant à mes yeux. Mais, cette fois-là, les recherches que je venais de faire m'ont permis, après cinq minutes de conversation, de saisir ce qui en lui me «tourneboulait» ainsi.

Chaque fois que je proférais une parole, le regard de Jerry plongeait droit dans le mien. Ses yeux restaient fixés aux miens même quand j'avais fini de lui parler et même quand le silence planait entre nous. C'est ce qui avait déclenché en moi ce sentiment primitif, perturbateur, *excitant*.

Au fur et à mesure que notre discussion au sujet des étagères avançait, j'ai également réalisé *pourquoi* Jerry me regardait avec autant d'insistance. Il n'essayait pas de me séduire. Je ne le fascinais point. Il ne pouvait pas me quitter des yeux simplement parce qu'il n'était pas très vif d'esprit et qu'il lui fallait du temps pour assimiler mes instructions, telles que «les étagères doivent avoir vingt-cinq centimètres de largeur».

Nous allons, à partir de cet exemple, définir la technique qui éveille chez votre proie ce sentiment primitif, perturbateur, excitant.

---

**CINQUIÈME TECHNIQUE**
LE REGARD SOUTENU

Il faut toujours soutenir son regard quelques minutes de plus, même au cours des moments de silence.

Un regard qui s'attarde éveille des sentiments primitifs, perturbateurs, qui provoquent le désir de «combattre ou fuir» lorsque l'amour nous surprend.

Il faut détacher le regard lentement, comme à regret.

---

## Le regard grivois

C'est la dernière technique visuelle qui fait jaillir la chimie amoureuse dans les veines de l'être à conquérir. L'homme et la femme qui se rencontrent doivent suivre une chorégraphie précise lorsqu'il y a de l'amour dans l'air.

Un des pas incontournables implique le regard. Un phénomène curieux se manifeste lorsqu'un homme et une femme sont heureux en présence l'un de l'autre et que l'amour gronde en eux. Les amoureux alanguis par un sentiment de bien-être laissent leur regard errer amoureusement sur le visage, les cheveux, les yeux de l'autre. Puis, ils gagnent de l'audace et s'aventurent vers les épaules, le cou, la poitrine. L'atmosphère devient rêveuse.

Pour atteindre cette étape plus intime, il faut adopter la technique du *voyage visuel*. Au fur et à mesure que la conversation avance, laissez votre regard glisser lentement du nez vers les lèvres que vous caressez des yeux pendant quelques instants.

Puis, lentement, aventurez-vous vers le cou et, si tout va bien, avancez plus loin encore.

---

**SIXIÈME TECHNIQUE**
LE VOYAGE VISUEL

Il faut d'abord laisser errer le regard vers des territoires sûrs. Faites un voyage visuel à travers son visage en vous concentrant sur les yeux. Si l'expédition est appréciée, aventurez-vous vers les chemins qui mènent au cou, aux épaules et à la poitrine.

Mesdames, vous avez un passeport ouvert pour ce voyage. Messieurs, vous devez être plus prudents. Vous naviguez dans des eaux dangereuses et vous risquez de faire naufrage si vous vous aventurez un peu trop loin, trop vite, vers le Sud, et si vous y prenez des vacances trop prolongées.

---

Ces quatre techniques, *le regard intense, le regard langoureux, le regard soutenu et le voyage visuel,* sont des aphrodisiaques, c'est scientifiquement prouvé. Vous en sentirez les effets dès que vous commencerez à les mettre en pratique. Cependant, il n'est pas besoin de données scientifiques pour savoir que l'Autre ne peut tomber amoureux de vous si vous n'êtes pas présentés l'un à l'autre, à moins, bien sûr, que vous ne concoctiez une rencontre fortuite que l'on désigne en jargon par «aller à la cueillette». Cette expression risque de choquer les esprits bienséants. Mais, pour une fois, je n'ai personnellement rien contre le concept si la «cueillette» est effectuée d'une manière qui, disons-le, convient à la situation et aux personnes concernées.

Nous allons maintenant voir quelles sont les données de base pour favoriser une rencontre sans l'intermédiaire d'une tierce personne.

# CHAPITRE 8
# Les premiers pas

## L'art de choisir (qui n'est point l'apanage des hommes)

Les biologistes qui observent comment les animaux se repèrent, se reniflent, grondent, sifflent, se flairent et finalement copulent ont noté que ce rituel de séduction se répète sans cesse. Les modèles de proceptivité et d'agression sont continuellement les mêmes. Lorsque le modèle est brisé, la copulation échoue.

Il en est de même pour l'*Homo sapiens* qui, cependant, opère avec un handicap sérieux. À la différence des animaux de degré inférieur, nos instincts sont contrôlés par notre esprit. En d'autres termes, nous réfléchissons trop. Nous nous posons et nous posons aux autres trop de questions. «Va-t-il s'imaginer que je suis trop directe?» «Devrais-je me laisser désirer?» «Est-ce que je parais bien?» «Est-ce que ma cravate est bien nouée?» «Je devrais peut-être me remettre du rouge à lèvres.» La timidité, souvent, va l'emporter et nous paralyser comme le cerf ébloui par les phares d'une voiture.

Les lapins ne se font pas de telles réflexions. Et nous ne devons pas nous les faire lorsque nous repérons notre proie. Nous devons simplement suivre les bonnes démarches scientifiquement établies.

## Chasseurs, faites le premier pas... vite

Messieurs, quelles sont les démarches à suivre lorsque vous repérez celle sans qui l'avenir n'aura plus de goût? Pas de discussion.

Vous devez faire le premier pas et sans tarder. Le vieux proverbe «trop de précaution nuit» est dur à briser dans la jungle des célibataires.

Un soir, je dînais avec un copain de classe (c'est ainsi qu'on appelle à l'école et à l'université les amitiés non romantiques) dans un restaurant. En se tournant, Phil aperçut une jeune fille très séduisante, assise au bar, seule, derrière lui. Il se retourna pour me dire:

— C'est la femme de ma vie, je vais l'épouser!

— Toutes mes félicitations, mais comment as-tu l'intention de faire sa connaissance? lui ai-je répondu.

— Voyons, dit-il, je vais simplement aller la retrouver et lui dire bonjour. Non, poursuivit-il après quelques instants de réflexion, c'est trop banal pour celle qui va être ma future femme. Je vais lui proposer de lui offrir un verre. Non, c'est un manège trop usé. Je devrais peut-être, dit-il en riant, aller simplement lui dire que je suis amoureux fou d'elle. Non, c'est trop direct. Devrais-je lui dire que je souhaite qu'elle soit la mère de mes enfants? Non, c'est aller trop vite.

Pendant que Phil cherchait à résoudre ses tergiversations sur le moyen d'aborder la belle jeune fille, j'ai vu, par-dessus son épaule, un bel homme s'avancer tout droit vers sa dulcinée de rêve et s'asseoir sur le tabouret vide à côté du sien. Le temps que mon ami se décide et se retourne, la belle et le nouveau venu conversaient déjà ensemble. «Je l'ai aimée au premier coup d'œil» est devenu pour Phil «je l'ai perdue au premier coup d'œil». C'est le sort de tout chasseur qui a un bref moment d'hésitation.

Quelle est la meilleure stratégie lorsque vous repérez une dame séduisante? Laissez parler votre corps. Premièrement, regardez-la et soutenez son regard quelques instants. Préparez-vous à ce qu'elle détourne les yeux. La femme est habituée à baisser les yeux quand un homme la regarde. *Cela ne signifie pas qu'elle n'est pas intéressée.* Une analyse des mécanismes du flirt nous indique que si, après avoir détourné son regard, la femme le reporte vers vous en moins de quarante-cinq secondes, cela signifie qu'elle apprécie l'attention que vous lui portez.

Messieurs, ajustez votre chronomètre. Lorsqu'elle feint de s'intéresser à autre chose dans la salle, chronométrez le temps qu'elle met avant de reporter son regard vers vous. S'il lui faut moins de quarante-cinq secondes, procédez alors comme suit.

Faites-lui un petit sourire accompagné d'un léger hochement de tête, comme pour faire une réservation dans un restaurant ultra-chic. En attirant son attention, vous faites une réservation pour lui parler. Il faut abolir des pensées telles que «Que va-t-elle penser de moi si je suis trop entreprenant ou trop direct?» Elle *ne vous jugera ni en bien ni en mal* tant qu'elle n'aura pas fait votre connaissance. Si vous ne réagissez pas *promptement, toute femme* sera une autre de perdue.

---

### SEPTIÈME TECHNIQUE (pour les chasseurs)
### PAS D'HÉSITATION!

«Pas d'hésitation» ne signifie pas se ruer sur sa proie et lui sauter dessus. Il s'agit simplement de vous porter immédiatement à son attention en lui signalant votre intérêt. Voici la méthode qui a fait ses preuves.

**Un regard:** Laissez vos regards s'entrecroiser quelques secondes de plus.

**Un sourire:** Léger, amical, respectueux, sans concupiscence ni lubricité.

**Un hochement de tête:** Si elle reporte son regard vers vous dans les quarante-cinq secondes décisives, répondez par un léger hochement de tête qui signifie: «Vous me plaisez, puis-je obtenir une réservation pour bavarder avec vous?»

**Un mouvement d'approche:** Le dernier pas consiste à vous rapprocher d'elle suffisamment pour lui parler.

---

Vous êtes maintenant en position pour entrer en conversation. Que devez-vous lui dire en premier? Il faut abolir les phrases d'introduction. Les lignes génériques doivent être simples et spontanées. Après mes séminaires sur l'amour, un grand nombre de chasseurs timides viennent me demander: «Qu'est-ce qu'une bonne phrase d'introduction?» Je trouve charmants les hommes aux prises avec un tel problème.

Un jour, un homme extrêmement timide qui assistait au colloque a sorti de sa poche un livret écorné intitulé *Comment aborder les filles*. Le livret avait été publié vingt-cinq ans plus tôt et s'était vendu à plus de deux millions d'exemplaires, surtout grâce à la publicité faite dans les magazines pour hommes. Il suggérait des joyaux antiques tels que «Ne me dites pas qu'une belle fille comme vous n'a pas un rendez-vous galant ce soir!» ou «Êtes-vous mannequin?» Ces phrases clichées éblouissantes ont pu servir du temps où votre père a rencontré votre mère, mais à notre époque éclairée, les femmes les abhorrent. Ce qui est beaucoup plus important que le contenu de *n'importe quelle phrase*, c'est l'attitude et la manière de la dire.

Messieurs, vos mots d'introduction doivent avoir un lien avec la femme que vous abordez ou avec la situation. Demandez-lui l'heure. Faites-lui un compliment sur sa montre ou sa tenue vestimentaire. Demandez-lui de vous indiquer le chemin. Demandez-lui comment elle a fait la connaissance de vos hôtes. En fait, plus votre phrase d'introduction est anodine mieux c'est, parce que, à ce très jeune stade, elle ne métabolise pas encore vos paroles, elle amasse des renseignements sur vous. Son esprit travaille pour jauger vos manières et vos paroles. Quoi que vous dites, elle *sait* que c'est une simple excuse pour lui parler. Si vous lui plaisez, elle ne s'en plaindra pas.

Vous n'avez pas à mémoriser des phrases toutes faites, mais vous devez prêter attention aux premiers mots que vous prononcerez. Le premier coup d'œil doit réjouir les yeux de votre proie et vos premières paroles doivent réjouir son ouïe. Vous ne devez pas oublier que la première phrase représente

100 p. 100 de l'échantillonnage dans lequel elle vous place jusque-là. Si vous entreprenez la conversation par une plainte, vous serez enregistré comme une personne grincheuse. Si vous la commencez par une phrase prétentieuse, vous serez catalogué comme une personne vantarde. Si vos premières paroles la charment, vous serez une personne séduisante à ses yeux.

Messieurs, vous vous demandez peut-être pourquoi vous ne devez pas vous emballer et pourquoi votre approche doit être subtile, contrôlée et précise. Tout revient à la nature. Dans les profondeurs de l'instinct féminin, il y a un jugement subconscient à l'effet que vous êtes un partenaire potentiel. Elle veut sentir qu'elle vous captive. Mais elle veut aussi savoir que vous pouvez contrôler votre passion animale et être dans la vie un partenaire persuasif et efficace.

## Chasseresses, soyez promptes à agir... en premier

Chasseresses, vous pouvez penser que c'est à l'homme que revient la responsabilité de faire le premier pas. Les recherches montrent cependant que ce sont les femmes qui prennent l'initiative les deux tiers du temps.

Cela aussi fait partie du grand plan de dame Nature. Dans le royaume animal, le mâle et la femelle s'attirent en hululant, en poussant des cris de triomphe ou en martelant le sol. Ils sont plus directs que les *Homo sapiens*. Une femelle chimpanzé en rut va repérer son mâle, « s'avancer vers lui nonchalamment et lui planter sa croupe sous les narines pour attirer son attention. Elle va ensuite le relever sur ses pattes pour copuler » [20]. On appelle ce comportement la *proceptivité femelle* par opposition à la *réceptivité*. C'est un comportement qui n'est pas inconnu à notre espèce mais qui est, je l'espère, un peu moins manifeste.

Comment les femmes prennent-elles l'initiative de la rencontre ? Comme les enfants le font, comme les oiseaux le font, comme les abeilles et tous les animaux merveilleux du Créateur le font, soit en cherchant à attirer l'attention.

Mesdames, disons que vous apercevez un bel étranger sur la piste de danse, ou assis en face de vous lors d'une rencontre de professionnels, ou soufflant et suant sur le tapis roulant avoisinant le vôtre au gym. Que devez-vous faire? Le scénario habituel consiste à croiser son regard puis à se détourner. Les plus audacieuses ébaucheront un sourire, *puis* regarderont ailleurs espérant qu'il prendra l'initiative de poursuivre (car, après tout, elles ne voudraient pas paraître trop directes).

Des cinquante mille graines qui tombent d'une fleur, une seule va prendre racine et germer. De même, vos chances en amour peuvent aussi bien être d'une sur cinquante mille si votre tactique d'assaut se limite à ébaucher un petit sourire et à laisser dame Nature faire le reste.

## Les premières manœuvres qui conviennent aux femmes

Nous allons procéder à l'examen des différentes études portant sur le sujet et des manœuvres qui fonctionnent. Monica Moore, chercheur, ayant entendu que ce sont les femmes qui entreprennent les deux tiers des démarches d'approche, a voulu déterminer leur mode d'action. Dans le cadre de son étude, elle a observé le comportement social de plus de deux cents femmes et a noté ce qu'on appelle scientifiquement les *signaux de sollicitation non verbaux.*

Voici, par ordre décroissant, les résultats de ses observations. Le chiffre qui accompagne chaque manœuvre indique le nombre de fois où Monica Moore en a observé la réussite au cours de l'étude[21]. Faut-il vous mettre les points sur les i? Chasseresses, voilà les manœuvres qui amènent un homme à s'approcher de vous et à vous adresser la parole au cours d'une soirée.

## Les manœuvres d'approche qui réussissent aux femmes

| | |
|---|---|
| Un grand sourire | 511 |
| Un regard vif et perçant | 253 |
| Danser seule au son de la musique | 253 |
| Rejeter une mèche de cheveux d'un geste désinvolte en le regardant droit dans les yeux | 139 |
| Un regard soutenu | 117 |
| Le regarder, rejeter la tête vers l'arrière, puis le regarder à nouveau | 102 |
| Le frôler «par inadvertance» | 96 |
| Lui envoyer un léger signe de tête | 66 |
| Lui indiquer une place libre et l'inviter à s'asseoir | 62 |
| Pencher la tête avec grâce en se caressant la nuque | 58 |
| Passer la langue sur les lèvres au cours du contact visuel | 48 |
| Rafraîchir le maquillage en maintenant le contact visuel | 46 |
| Se déhancher en passant devant lui | 41 |
| Lui demander de l'aide | 34 |
| Pianoter pour attirer son attention | 8 |
| Lui tapoter les fesses (je vous le déconseille fortement) | 8 |

Chasseresses, *n'hésitez pas* à faire le premier pas. Pour vous donner du courage, si nécessaire, considérez la situation comme un mandat évolutif confié à la femme pour se trouver le meilleur conjoint et assurer la survie de l'espèce. En prenant l'initiative de séduire le bel inconnu, vous ne faites que suivre votre destinée instinctive, ce que dame Nature ne peut qu'approuver.

Vous avez encore quelque réserve? Vous craignez qu'il vous juge trop directe si vous lui envoyez un grand sourire ou si vous le frôlez «par inadvertance»? Il n'en sera rien, parce que, heureusement, l'ego mâle prend la relève... rétroactivement. Il suffit de dix minutes pour qu'il s'imagine être l'initiateur de l'approche. Selon Monica Moore, les hommes croient avoir fait le premier pas quand ils n'ont fait que répondre aux avances non verbales des femmes.

J'ai décidé d'ajouter mes propres conclusions à celles de Monica Moore. Je dînais, un soir, seule dans un restaurant d'Albany, dans l'État de New York. Le lendemain, j'avais une conférence à donner devant un groupe de célibataires. À la fin du repas, je révisais dans ma tête le plan de la conférence. J'avais consacré une partie au « sourire » pour informer les femmes de son importance dans l'art de la séduction.

Je me suis alors dit : « Leil, tu es une hypocrite, tu vas encourager les femmes à sourire à des étrangers alors que tu n'as pas le courage de le faire toi-même. » Alors que je ruminais cette pensée, j'ai remarqué un homme séduisant attablé non loin de moi, lisant le journal. Je me suis aussitôt dit : « Leil, à toi de jouer, tu dois mettre tes belles théories en pratique. » Et me voilà souriant à ce bel inconnu.

Le pauvre homme, stupéfait, a aussitôt plongé le nez dans son journal. Peu après, il a relevé la tête et je lui ai souri à nouveau. Il a vite repris sa lecture. Quelques minutes plus tard, il s'est levé pour aller aux toilettes. Il devait passer devant ma table. Je me suis armée de mon plus beau sourire. Perplexe, le bel inconnu a poursuivi son chemin en se grattant la tête.

Au retour, les choses ont changé. Arrivé à ma hauteur, il a ralenti. Je l'ai regardé à nouveau et, devinez quoi, je lui ai souri. Submergé par ce déluge de sourires, il ne pouvait plus rien faire d'autre que de s'arrêter et d'entamer une conversation comme si nous avions été formellement présentés l'un à l'autre. Nous avons pris le café ensemble.

J'ai invité Pierre à venir assister à ma conférence du lendemain matin. Pour illustrer la partie consacrée au « sourire », j'ai raconté à mon auditoire l'histoire de la veille sans dévoiler l'identité du bel étranger. J'ai expliqué comment, grâce au sourire, j'avais établi le contact avec un dîneur solitaire.

Après la conférence, Pierre est venu me dire : « Vous savez, Leil, c'est de moi que vous parliez dans votre exemple, mais, a-t-il ajouté l'air réellement confus et sincère, je croyais que c'était *moi* qui avais pris l'initiative de *vous* parler. » Oui, Pierre, bien sûr !

Mes sœurs, sachez que l'ego mâle est une chose merveilleuse. Il faut oser lui sourire, lui envoyer un petit signe de tête, lui indiquer une place libre et l'inviter à s'asseoir, ou toute autre manœuvre définie par Monica Moore. Il ne se souviendra pas que ce n'est pas lui l'initiateur de l'approche.

---

### HUITIÈME TECHNIQUE (pour les chasseresses)
### SOYEZ PROMPTES À RÉAGIR

Chasseresses, lorsque vous repérez un partenaire potentiel, n'attendez pas qu'il fasse le premier pas. Selon dame Nature, vous devez prendre l'initiative. Il ne faut pas hésiter à recourir à l'une ou l'autre des manœuvres qui ont fait leurs preuves et qui lui donneront l'impression d'avoir reçu une injection de phényléthylamine.

---

# CHAPITRE 9

# Le langage corporel

## Laisser parler votre corps

Selon des documents scientifiques, le langage corporel joue un rôle crucial dans les premiers moments de la rencontre. C'est ce qui détermine l'embrasement ou l'extinction de l'étincelle amoureuse. Le chercheur le plus infatigable du laboratoire de l'amour est le Dr Timothy Perper, qui a passé plus de deux mille heures épuisantes, perché sur les tabourets des bars de célibataires, à scruter les manœuvres d'approche des hommes et des femmes.

Comme les chercheurs qui observent le mode d'accouplement des hamsters, le Dr Perper a noté que les célibataires, dans les bars, adoptent très souvent le même mode de séduction. Il est resté résolument, nuit après nuit, à son poste dans ses laboratoires (les bars), prenant des notes, traçant des graphiques, formulant des hypothèses, en observant les stratégies d'approche féminines et masculines. Puis, dans la plus pure tradition scientifique, il a établi le schéma du langage corporel type dans les manœuvres d'approche qui, selon ses conclusions, comprend cinq étapes précises.

Le Dr Perper a également constaté que, lorsque les deux partenaires suivent à la lettre l'ordre des manœuvres, il y a de très fortes chances qu'ils terminent la soirée ensemble ou qu'ils se donnent rendez-vous pour se revoir. Mais, si l'un des partenaires brise l'ordre établi, même accidentellement, le couple ne se forme pas.

Il y a des personnes qui s'inscrivent à des cours de danse sociale dans l'espoir de rencontrer un partenaire amoureux. Ils apprennent avec soin les pas du fox-trot, de la valse, du cha-cha et de la rumba, mais ils se retrouvent à plat ventre lors de la plus importante des danses, celle que le D<sup>r</sup> Perper surnomme la *danse de l'intimité*.

Quels sont les pas de cette danse ? Ils sont aussi soigneusement chorégraphiés que ceux de la valse. Ce sont les mouvements séquentiels que vous *devez* suivre si une intimité doit se développer entre vous et votre partenaire amoureux potentiel. Vous devez suivre scrupuleusement les cinq pas du langage corporel subconscient parce que, si vous en manquez un, l'Autre risque de se désintéresser et de retourner dans la jungle des célibataires.

## La danse de l'intimité

### Premier pas : le signal non verbal
Lorsque les deux partenaires se retrouvent face à face, l'un ou l'autre doit se faire remarquer, tel que décrit au chapitre précédent, par un sourire, un léger mouvement de la tête ou un coup d'œil.

### Deuxième pas : la parole
Ensuite, l'un des deux doit parler, soit faire un commentaire ou poser une question. Même un simple «Salut!» suffit. L'essentiel est d'établir un contact verbal.

### Troisième pas : le mouvement
Les choses deviennent plus intéressantes. Lorsque l'un donne le signal verbal, l'autre *doit* au moins tourner la tête dans sa direction pour accuser réception des paroles. En l'absence de réaction, le chasseur va rarement essayer de nouveau.

Toutefois, si l'autre *se retourne* cordialement, la conversation va se poursuivre. C'est alors que débute un pivotement important. Le chasseur et sa proie vont graduellement tourner les épaules l'un vers l'autre, puis, s'ils se plaisent, c'est tout le haut du corps qui pivote, les genoux suivent, jusqu'à ce qu'ils se retrouvent finalement face à face.

Ce pivotement graduel des têtes, des épaules et des genoux peut durer des minutes ou des heures. L'intimité croît au fur et à mesure que le pivotement avance et elle décroît à chaque mouvement inverse.

### Quatrième pas : le toucher

En concomitance avec la parole et le mouvement vient un puissant aphrodisiaque, le toucher. Un léger frôlement de la main au moment où il vous offre un bretzel. Un effleurement en lui ôtant une poussière sur sa veste. Le toucher est fugitif, presque imperceptible. Votre réaction à ce premier contact tactile est un facteur important dans la suite que prendra la rencontre. Si vous raidissez les épaules au moment où l'Autre essaie d'ôter la petite poussière, il ou elle risque, de manière subliminale, de l'interpréter comme un rejet, souvent à tort, mais c'est déjà trop tard.

À ce stade de la progression, le D^r Perper nous dit qu'il devient impossible de distinguer le chasseur de la proie. Lorsque le premier contact tactile a eu lieu, qu'il est bien reçu et même retourné, l'homme et la femme sont sur la voie de former un couple, du moins pour une soirée.

Un autre phénomène se manifeste aussi. Il s'agit de la métamorphose du contact visuel. Dès 1977, un chercheur a observé une intensification graduelle du contact visuel qui passe du regard formel à la contemplation amoureuse et qui, peu à peu, se déplace des traits du visage vers les cheveux, le cou, les épaules, puis la poitrine[22]. C'est le voyage visuel dont nous avons parlé plus tôt.

### Cinquième pas : la synchronisation

C'est le plus fascinant à observer. La synchronisation des mouvements du couple est associée à l'épanouissement du sentiment amoureux. Ainsi, par exemple, l'homme et la femme vont au même moment tendre la main pour prendre leur verre, puis ils vont le reposer au même moment sur la table. Ils vont, inconsciemment, changer de position en même temps, suivre le rythme de la musique au même moment, tourner la tête à l'unisson vers une interruption extérieure quelconque, puis se retourner simultanément l'un vers l'autre.

Le D$^r$ Perper écrit que «les couples qui atteignent une synchronisation parfaite demeurent sous son charme jusqu'à ce que le bar ferme ses portes, jusqu'à ce qu'ils aient terminé leur repas et qu'ils doivent partir ou jusqu'à ce que leur train arrive à destination... En d'autres termes, la synchronisation dure jusqu'à ce que le monde extérieur intervienne pour interrompre leur interaction» [23]. Cependant, un seul faux pas, un seul accroc dans la synchronisation, et Timothy Perper et ses collègues savent qu'ils doivent entonner le chant du cygne.

J'ai eu récemment l'occasion d'observer un couple manifestement amoureux fou. Je dînais dans un restaurant, attablée face au bar où se trouvaient deux jeunes personnes en conversation. Ils étaient face à face, penchés l'un vers l'autre, sur le point de tomber de leur tabouret. Ils se parlaient en échangeant des sourires et des hochements de tête. Leurs mains s'effleuraient de temps à autre. Ils prenaient leur verre pour boire puis le reposaient en même temps sur le comptoir. Ils riaient ou fronçaient les sourcils au même moment. Ils ne se quittaient pas des yeux sauf lorsqu'un bruit extérieur envahissait leur monde. Même alors, ils tournaient la tête en direction du bruit puis se retournaient l'un vers l'autre dans une parfaite synchronisation. Leur amour ne pouvait être plus évident.

Au moment où je payais ma facture, la serveuse qui m'a vue observer le couple, m'a dit avec un grand sourire:

— Ils sont si mignons, n'est-ce pas?

— Oui, lui ai-je répondu, ils ont l'air de vivre un grand amour.

— Oh! a-t-elle répliqué, ils se sont rencontrés il y a à peine dix minutes!

Je me suis dit que ces tourtereaux avaient sûrement lu les principes de Perper ou, comme le dit Annie Oakley dans *Annie Get Your Gun,* que «c'est le cours naturel des choses».

## Si vous êtes l'être à conquérir

Il faut être deux pour danser la danse de l'intimité. Même si vous êtes l'être à conquérir, vous devez connaître les pas. Il est triste de constater qu'un grand nombre de relations potentielles avortent avant même de décoller parce que, accidentellement, le langage corporel de l'être à conquérir rebute le chasseur.

À la différence des chasseurs de cerfs ou d'ours, les chasseurs et les chasseresses à l'affût de leur proie souffrent d'une maladie appelée l'insécurité ou la timidité. Quand un chasseur ou une chasseresse lance son coup d'œil, l'être à conquérir doit manifester son consentement et montrer qu'il ou elle connaît les pas de la danse de l'intimité.

Lors d'une soirée à laquelle j'assistais avec mon amie Monique, un homme séduisant lui a souri. Elle a détourné la tête en me disant :

— Le bel homme là-bas m'a souri.

— Merveilleux, lui ai-je dit, rends-lui son sourire.

Peu après, l'individu s'est rapproché de nous. Je ne sais pas si c'est par timidité ou pour le plaisir de paraître indifférente, mais le fait est que Monique, au lieu de se tourner vers lui et de lui sourire, a continué à bavarder avec moi comme si de rien n'était. Quelques minutes plus tard, le séduisant étranger était en tête-à-tête chaleureux avec une autre femme. Monique, au désespoir, m'a dit :

— J'imagine que quand il m'a vue de près, il a changé d'avis.

— Non, Monique, lui ai-je répondu sans chercher à la ménager, c'est toi qui n'as pas répondu à son avance.

Elle avait manqué le premier pas en ne se tournant pas vers lui pour lui montrer sa réceptivité.

Des occasions manquées comme celle-là surviennent à longueur de jour et partout à travers le monde. Il arrive souvent que ce soit l'être à conquérir tout à fait consentant, cherchant désespérément à se laisser prendre, qui s'éloigne de la ligne de tir.

## Le mot qui peut sauver la relation

En bavardant avec l'être à conquérir fraîchement rencontré, vous éprouvez la sensation que «cette personne ne vous laisse pas indifférent, qu'il ne s'agit pas d'une simple attraction physique et que la relation a du *potentiel*». En moins de trente secondes, les battements de votre cœur s'accélèrent et vous sentez votre gorge de plus en plus sèche. Est-il possible que cela soit le début de quelque chose de grand?

À ce moment, au lieu d'agir en centre de contrôle et de guider judicieusement votre corps et vos mouvements, votre cerveau est pétrifié par l'impression que vous faites. Vous éprouvez de la difficulté à respirer et la sensation délirante de vous noyer. C'est, malheureusement, l'effet secondaire de la sécrétion de phényléthylamine dans le cerveau.

Méfiez-vous! Vous ne pouvez pas être ce moi engageant et rayonnant si vous laissez la nervosité vous envahir et si vous vous mettez à analyser le moindre de vos mouvements. Ce n'est plus le moment de vous concentrer sur les principes de Perper et d'essayer de vous remémorer si le *toucher* précède la *synchronisation* ou suit le *pivotement*. Dans les moments de grande nervosité, il suffit d'une simple technique pour amener votre corps à suivre spontanément les conseils du D$^r$ Perper afin que vous puissiez vous concentrer sur ce que vous raconte cet Autre fabuleux.

Chasseurs, ce qui suit est particulièrement important pour vous, parce que les hommes oublient souvent que les temps ont changé. Autrefois, la femme était impressionnée par vos muscles, votre agilité et votre capacité d'aller au fond des bois et de ramener un sanglier ou un lièvre pour le souper. Mais, de nos jours, bien des femmes peuvent s'offrir le luxe de se faire servir un pâté de foie ou un lapin chasseur dans un bon restaurant. Le jeu de la séduction ne consiste plus à *impressionner les femmes* mais à *leur montrer à quel point elles vous impressionnent*.

Chasseresses, nous avons été habituées à flatter l'ego mâle. Certaines substances chimiques contenues dans le lait maternel nous avaient amenées à faire des courbettes devant les hommes. À cinq ans, nous savions déjà quoi faire pour obtenir quelque chose d'eux. Ainsi, par exemple, quand on voulait une poupée, il suffisait de dire: «Oh! mon petit papa chéri, tu es merveilleux. Je sais que tu vas m'acheter une poupée Barbie.» Puis, quelque chose est survenu et nous avons mûri. Certaines femmes sont devenues des féministes. Un grand nombre ont rejeté à la fois les courbettes et leurs poupées Barbie dépenaillées.

La femme moderne éprouve le besoin de montrer sur-le-champ ses capacités, son indépendance et son intelligence supérieure. *Ce n'est pas conseillé!* Vous aurez amplement le temps de le faire plus tard, et vous allez *devoir* le faire pour établir une bonne relation dans un respect mutuel. *Il faut toutefois attendre le moment opportun!* Au commencement, il faut montrer à l'homme que vous le trouvez absolument «merveilleux».

Les hommes et les femmes sont définitivement plus attirés par quiconque les apprécie sur-le-champ. Dans le cadre de diverses études, les chercheurs ont mis en présence des hommes et des femmes qui ne se connaissaient pas et ils ont lancé la rumeur que tel ou tel plaisait à tel ou tel autre. Ils leur ont ensuite demandé de nommer la personne qui avait attisé leur sympathie et presque tous ont choisi le participant du sexe opposé à qui, soi-disant, «il ou elle plaisait». Malheureusement, vous n'avez pas un chercheur qui va souffler à l'oreille de l'être à conquérir qu'il vous plaît énormément, c'est pourquoi vous devez le lui dire vous-même. Étant donné que l'expression «vous me plaisez» est plutôt brusque, vous devez laisser à votre corps le soin de l'exprimer à sa façon.

Au cours de la conversation, pensez à l'acronyme *capots* et harmonisez votre langage corporel en fonction de la neuvième technique. Vous êtes alors sûr de ne pas faire de faux pas en dansant la danse de l'intimité.

## C'est élémentaire !

Après avoir lu cette partie, vous pourriez vous demander que viennent faire ces banalités dans une étude minutieuse des complexités de l'amour et comment on ose qualifier ces évidences de techniques.

Mes amis, il y a deux raisons justificatives. La première est que beaucoup de gens des plus cosmopolites et des plus citadins ont encore de la difficulté à assimiler ces pas très simples. La deuxième est que, tel que les recherches l'ont prouvé, ces pas ont un impact crucial sur l'évolution de la première rencontre.

Nous allons dans les chapitres suivants étudier deux autres champs où les femmes et les hommes éprouvent encore quelques difficultés malgré toute leur intelligence. Il s'agit de la première conversation et du premier rendez-vous.

# CHAPITRE 10

# La première conversation

## Faire la conversation, c'est composer ensemble une belle mélodie

La conversation, c'est une symphonie. La première peut être un beau concert où toutes les notes tombent en place et sèment la joie et l'harmonie dans le cœur de l'être à conquérir. Vous pourriez cependant par inadvertance émettre de fausses notes qui ôteraient toute pensée d'amour de son cœur.

Nous avons parlé jusque-là de la *danse* (les mouvements du corps et la chorégraphie) qui attise l'intérêt de l'être à conquérir. Nous allons maintenant explorer la *musique* (les paroles) de votre ouverture d'amour, soit votre première conversation. Elle doit être considérée comme une pièce d'audition qui décidera du rôle que vous aurez à jouer, s'il y a lieu, dans la vie de l'être à conquérir. Vous pourrez, plus tard dans la relation, vous permettre des interludes ennuyeux, mais pas pour le moment. La première conversation doit être un flot d'électricité pour embraser la relation.

Qu'est-ce qu'une conversation stimulante ? Il s'agit pour l'un de parler de sport, de théâtre ou de ballet et pour l'autre, de discuter de philosophie, de psychologie ou de fission nucléaire. Il y en a qui jugent captivant de parler de leur maison, de leur voiture, de leur chien ou de leur perroquet. Il faut acquérir certaines techniques pour réussir à déterminer les sujets qui intéressent l'Autre et vous assurent une première conversation mémorable.

## La conversation, c'est comme faire l'amour

Quand vous faites l'amour avec un nouveau partenaire, vous pouvez tendrement lui demander : « Est-ce que ça te plaît ainsi ? Y a-t-il autre chose que tu aimerais ? » Mais vous ne pouvez pas demander à un partenaire amoureux potentiel : « Est-ce que la conversation te plaît à toi aussi, mon chéri ? »

Quand vous faites l'amour avec un nouveau partenaire, vous ne savez pas exactement où elle aime être caressée, où il aime être touché, s'il aime les gestes tendres, si elle préfère la force. Vous allez à la découverte. Vous observez son corps et les expressions de son visage. Vous êtes attentif à ses petits gémissements, à ses halètements involontaires. Elle s'affole quand vous lui embrassez le bout des seins, vous allez bien sûr les lui embrasser encore et encore. Il se raidit quand vous lui mordillez les fesses, vous évitez par la suite de vous attaquer à cette chair tendre.

Vous devez faire preuve d'une sensibilité analogue au cours de votre première conversation. Le premier échange verbal est tout aussi important que la première relation sexuelle, voire plus important, car le deuxième acte ne peut avoir lieu si le premier n'est pas réussi.

## La conversation, c'est comme la vente

Il faut observer au cours de la conversation les réactions de l'Autre à ce que vous dites. Il faut être attentif aux expressions de son visage, aux mouvements de sa tête, aux rotations de son corps, à ses gestes et même aux fluctuations de son regard. Il faut apprendre, comme les vendeurs professionnels, à interpréter tous ces signes et à planifier votre baratin en conséquence. À l'exception des rares personnes qui ont acquis l'art très complexe de l'illusion, nul ne peut *ne pas* exprimer ses émotions. Vos paroles amènent l'Autre à réagir et, s'il ne s'exprime pas verbalement, il y a des signes qui ne trompent pas.

Au cours de mes séminaires sur la vente, j'enseigne la technique de la *vente oculaire*. Connaître ce qui séduit le client, ce qui le rebute ou ce qui le laisse indifférent peut faire ou défaire la vente. De même, connaître ce qui séduit l'Autre, ce qui le rebute ou ce qui le laisse indifférent peut faire ou défaire la relation amoureuse.

Considérons que, au cours d'une soirée, vous êtes présenté à une personne saisissante et vous entrez en conversation.

*Il faut surveiller les expressions de son visage* qui changent au cours de la conversation. Vous pourriez voir son visage s'illuminer alors que vous discutez de quelque chose qui, pour vous, est insignifiant ou ennuyeux, ou prendre une expression ennuyée alors que vous discutez de quelque chose qui, pour vous, est passionnant. Il faut surveiller ces signes révélateurs et ajuster votre tir en conséquence. Lorsque son visage s'anime, posez des questions sur le sujet qui éveille son intérêt. Donnez de la voile tant que vous avez le vent en poupe.

Lorsque l'expression de son visage tombe, c'est le signal qu'il faut changer de sujet et passer à un autre qui ranimera la flamme de son regard. Il y a des chasseurs insensibles qui vont discourir longuement sur un sujet insignifiant sans prêter attention à l'ennui que l'Autre éprouve en les écoutant, qui l'amènera à s'éclipser à la première occasion.

*Il faut surveiller la position de sa tête* qui, lorsque l'ennui s'installe, se détourne à la moindre interruption extérieure, comme un bruit dans les cuisines, une personne qui entre ou qui sort, quelqu'un qui l'interpelle de l'autre côté de la salle. Toute interruption devient une excuse pour regarder ailleurs.

Cependant, lorsque la conversation est captivante, rien ne saurait vous faire détourner la tête, pas même un plateau rempli de verres qu'un serveur échappe à vos pieds. Il faut être attentif à tous ces mouvements. Lorsqu'il ou elle détourne la tête à la moindre interruption, c'est le signal qu'il faut changer de sujet.

*Il faut étudier la position de son corps* qui, lorsque le dialogue est ennuyeux, prend une position de départ comme en prévision d'une retraite éventuelle. Un pas peut même être amorcé pour s'éloigner.

Lorsque le corps est détourné ou en position de retraite, il faut vous méfier. Dans l'esprit de l'Autre, la relation à peine germée commence à flétrir. Toutefois, vous avez encore la possibilité de viser à nouveau avec plus de précision. Il suffit de couper court aux bavardages inutiles et aux monologues interminables. Interpellez l'Autre tendrement par son prénom, puis posez-lui une question personnelle qui reporte l'attention sur lui et réveille son intérêt. Si la relation n'est pas à terre, il y a espoir de la faire renaître. En revanche, si l'Autre est entièrement tourné vers vous, dans une position d'ouverture et de réceptivité, c'est le temps pour les bons vendeurs de passer à la conclusion du contrat. Il faut faire de même. C'est à vous de jouer. C'est le moment de prendre rendez-vous, de noter son numéro de téléphone ou de suggérer d'aller prendre un café ou un verre ailleurs et de poursuivre la conversation.

*Il faut surveiller ses mains* qui ne peuvent comme les lèvres mentir. Il faut y jeter un coup d'œil au cours de la conversation pour relever les pensées qui absorbent l'Autre.

Cherche-t-il un trombone sur le bureau ou des allumettes sur la cheminée? Laisse-t-elle son doigt glisser sur le rebord de son verre? Ces gestes expriment de la considération ou de la contemplation. L'Autre réfléchit à ce que vous venez de dire. C'est le signal pour vous d'arrêter de parler et de laisser le silence rythmer la cadence de la conversation. Si le silence total vous met mal à l'aise, diminuez votre débit et maintenez un rythme assez pondéré pour donner à l'Autre le loisir de plonger dans ses pensées.

Les paumes ouvertes sont un signe excellent. Chasseurs, lorsque ses paumes sont tournées vers vous, cela signifie qu'elle vous apprécie. Elle se sent vulnérable et elle accueillerait volontiers un peu plus d'intimité. Les paumes ouvertes expriment traditionnellement la «soumission». C'est le moment, s'il y a lieu, d'établir le premier contact tactile comme, par exemple, lui effleurer la main ou le bras.

Chasseresses, surveillez attentivement le mouvement de ses doigts. Va-t-il pointer un doigt dans les airs pour souligner un point? C'est comme une mini-érection qui dévoile l'excitation que lui cause tel ou tel détail particulier, Va-t-il bouger son doigt dans les airs en expliquant tel ou tel point ? C'est que ce point lui tient à cœur. C'est le signal pour vous de l'approuver à fond.

*Il faut surveiller son regard.* Lorsqu'il vous semble que son regard flotte dans le vague, cela ne signifie pas nécessairement qu'il vous rejette. C'est le sujet de la conversation qui l'ennuie. Il faut alors essayer de changer de sujet.

En développant votre sens de l'observation, vous serez à même de juger, par la dilatation des pupilles, si la situation évolue dans le bon sens et si vos avances sont bien accueillies.

Quand les pupilles se rétrécissent, c'est un klaxon involontaire qui hurle: « C'est ennuyeux ! » Quand les pupilles se dilatent, c'est une cloche interne qui sonne: « Je suis intéressée, je veux en savoir plus ! »

---

**DIXIÈME TECHNIQUE**
LA CONVERSATION OCULAIRE

Il ne faut jamais bavarder sans tenir compte des réactions de l'être à conquérir. Il faut, comme les bons vendeurs, soigneusement surveiller votre objectif et établir votre baratin en conséquence. L'être à conquérir devient plus vulnérable.

---

## Comment déterminer les sujets qui éveillent son intérêt

C'est frustrant de bavarder avec un bel étranger et de rester pris à échanger de menus propos. Vous hurlez en silence: « Tu me plais et j'espère que je te plais. Mais nous sommes là à bavarder de tout et de rien alors que je voudrais tant parler de choses plus intéressantes et plus profondes. De quoi aimerais-*tu* réellement parler ? »

Afin de vous permettre de passer aisément des échanges anodins à une conversation plus stimulante, j'ai mis au point la technique de *la cueillette*, soit être attentif aux paroles prononcées et relever toute référence insolite (anomalie, déviation, digression ou toute mention d'un lieu, d'un temps ou d'une personne) qui donne des indices sur les sujets qui l'intéressent *réellement*.

Messieurs, supposons que, en revenant le soir à la maison, vous êtes surpris par un orage soudain. Vous vous engouffrez dans le premier café qui se trouve sur votre chemin. Vous vous débarrassez de votre imperméable mouillé et vous commandez un café. C'est alors que vous remarquez une belle étrangère assise sur le tabouret voisin. Vous vous éclaircissez la gorge et vous jetez à l'eau.

— C'est incroyable! C'est le déluge dehors!

Elle se retourne vers vous. Elle semble réceptive.

— En effet, c'est incroyable.

Vous cherchez quelque chose d'autre à dire.

— Heu! Vous venez souvent ici?

Elle a l'air amusée, mais elle semble toujours intéressée. Elle sourit et dit:

— Non, pas très souvent. Je suis entrée prendre un café en attendant que la pluie cesse.

Vous hasardez une réplique.

— Il y a de quoi se mouiller les os, non?

Ce n'est peut-être pas très brillant mais vous entretenez la conversation.

Elle répond en haussant les épaules:

— Eh bien, il faut croire que c'est bon pour les plantes.

Puis, vous regardez tous les deux par la fenêtre avant de vous retourner à nouveau l'un vers l'autre. Vous lui souriez. Un peu gênée, elle vous rend votre sourire. Puis, aucun de vous ne sait plus quoi dire. Vous vous retrouvez contemplant chacun sa tasse de café. Fin d'une idylle éventuelle.

Zut alors! Tout avait bien commencé. Les propos anodins étaient aisés. Votre conquête souriait et se rapprochait. Elle semblait réceptive. Mais, au moment où il aurait fallu passer des propos anodins à des sujets plus étoffés, vous vous êtes retrouvés muets comme des carpes. Je vais vous poser une question à laquelle vous devez répondre. Dans les menus propos que vous avez échangés, il y avait une issue de secours, un *mot-clé*. La belle inconnue a prononcé un mot qui, l'auriez-vous saisi, vous aurait catapulté hors des menus propos vers un sujet qui l'intéresse. Savez-vous lequel ?

Réponse : C'est le mot *plantes*.

Si nous revenons aux propos échangés sur la pluie et le mauvais temps, juste avant que la conversation ne soit épuisée, la belle inconnue a dit : « Il faut croire que c'est bon pour les *plantes*. »

C'est un signe que tout chasseur averti ne peut laisser échapper. Même si vous êtes incapable de distinguer une jonquille d'un pissenlit, vous devez saisir que les plantes l'intéressent. Sans en avoir conscience, même à son insu, elle cherchait à vous faire comprendre qu'elle aurait en fait préféré parler des plantes.

---

**ONZIÈME TECHNIQUE**
LA CUEILLETTE

Vous ne serez jamais mal pris au cours d'une conversation si vous savez saisir les *mots clés*. Il faut être attentif aux mots insolites qui sont les graines à planter et à entretenir pour les voir fleurir et vous assurer une conversation mémorable.

---

Lorsque la belle inconnue a parlé des plantes, vous auriez dû lui demander si elle avait un jardin. Elle a peut-être un petit potager, un jardin suspendu ou un jardin sur le toit. Elle n'a peut-être pas de jardin mais elle aime les plantes. Vous n'en savez rien encore. Vous savez seulement que les plantes l'intéressent. Autrement, le mot ne lui serait pas venu à la bouche.

Maintenant, supposons que, au lieu de dire « il faut croire que c'est bon pour les plantes », elle ait dit « on dirait un orage tropical, non ? », le terme clé à saisir pour alimenter la conversation aurait été *orage tropical*.

Vous auriez demandé: «Ah! Vous êtes déjà allée sous les tropiques?» Il y a de fortes chances qu'elle y soit allée ou, du moins, qu'elle soit renseignée à ce sujet, sinon le mot n'aurait pas surgi de son subconscient en parlant de la pluie. Le mot *tropical* ne représente pour vous qu'une manière de qualifier l'orage mais, pour la personne qui le prononce, le rapport est plus intense. Il faut apprendre à jouer au détective du vocabulaire.

Aurait-elle dit «avec cette pluie, je ne pourrai pas sortir mon chien» ou «avec cette pluie, ma piscine sera couverte de feuilles», les mots clés pour alimenter la conversation auraient été *chien* et *piscine*.

## Comment le persuader que vous êtes déjà amoureux l'un de l'autre

Si, au cours d'une soirée, vous prêtez attention à la conversation qui a cours entre un homme et une femme, il vous suffirait d'une minute pour savoir s'ils viennent de se rencontrer, s'ils sont simplement amis ou s'ils sont amoureux.

Vous le saurez peu importe s'ils se disent *mon chéri, mon amour* ou *ma biche,* peu importe leur langage corporel, peu importe le *sujet* de leur discussion ou même le ton de leur voix.

Comment? En jaugeant le niveau de la conversation qui suit une progression fascinante en fonction de l'intimité qui s'établit peu à peu entre les partenaires. Les échelons de la progression sont les suivants.

### Premier échelon: les clichés
La conversation entre deux étrangers se base sur des clichés qu'ils vont se renvoyer. Ils vont dire en parlant du temps: «Il fait un temps merveilleux» ou «Il pleut à torrent».

### Deuxième échelon: les faits
Les connaissances discutent entre eux de faits. «Tu sais, Joe, il y a eu deux cent quarante-deux belles journées l'année dernière» ou

«Ouais, nous avons finalement décidé de creuser une piscine pour survivre à la chaleur de l'été».

## Troisième échelon : les sentiments et les impressions personnelles

Les amis expriment entre eux leurs émotions même sur des sujets aussi ennuyeux que le temps. «C'est incroyable, Georges, comme j'aime ces belles journées ensoleillées!» Ils vont échanger des *impressions personnelles* comme, par exemple, «Et toi, qu'en penses-tu? Aimes-tu le soleil?»

## Quatrième échelon : le nous du pluriel

C'est l'échelon de communication des amis intimes et des amoureux. Il ne s'agit pas de clichés et on va au-delà des faits et au-delà des sentiments. Il s'agit de *déclarations au pluriel*. Les amoureux qui parlent du temps disent: «Si le beau temps persiste, *nous* ferons un très beau voyage».

---

**DOUZIÈME TECHNIQUE**

LE *NOUS* ANTICIPÉ

Il faut sans tarder créer une atmosphère d'intimité même si vous vous êtes rencontrés dix minutes plus tôt. Il faut brouiller les signaux de la communication imprimés dans son psychisme en allant directement aux troisième et quatrième échelons sans passer par le premier et le deuxième.

---

La technique à acquérir consiste à donner à l'Autre l'impression subliminale que vous formez déjà un couple, que vous êtes déjà un tout et que vous êtes déjà amoureux. C'est ce que j'appelle le *nous anticipé,* parce que vous passez directement au troisième puis au quatrième échelon. Il faut brouiller les signaux de la communication en interrogeant l'Autre sur ses sentiments comme vous le feriez avec un ami, mais en utilisant le *nous* du pluriel habituellement réservé aux amoureux et aux amis intimes.

Disons que, au cours d'une soirée, vous rencontrez un partenaire amoureux potentiel et vous bavardez ensemble. Il faut l'amener à vous exprimer ses émotions comme le feraient des amis entre eux. Il faut lui demander, par exemple : « Aimes-tu les soupers du temps des fêtes ? »

Puis, il faut passer à l'échelon des amoureux, le *nous* du pluriel. « En effet, *nous devons* être vraiment résistants pour passer au travers de toutes ces soirées, mais *nous* le faisons, non ? »

Dans une relation naissante, on appréhende généralement l'utilisation du *nous* du pluriel. Mais les chasseurs et les chasseresses avertis savent que le nous anticipé rapproche l'Autre sans qu'il en soit conscient.


## Plus proches, plus intimes

C'est une autre astuce verbale pour accroître l'intimité. En règle générale, nous demeurons sur nos gardes en bavardant avec des étrangers. Nous ne nous dévoilons pas aisément.

Mais, graduellement, nous devenons plus intime avec la personne et nous lui « faisons cadeau » de quelques données personnelles. Nous avouerons à un ami ou à un amoureux que nous avons la mauvaise habitude de nous ronger les ongles ou que nous avons les cheveux si gras que nous devons les laver tous les jours.

Quand vous révélez de tels petits soucis à un bon ami, il y a de fortes chances qu'il le prenne avec le sourire et vous réponde quelque chose comme « Oh, tu crois que c'est *si* terrible ? Moi, j'ai un mal fou à me retenir de ne pas gratter mes boutons » ou « Tes cheveux gras ce n'est rien comparé aux miens. Le coiffeur m'a demandé l'autre jour si je voulais une coupe ou un changement d'huile ! » C'est ainsi que les amis bavardent.

De telles reparties révélatrices créent un lien, une certaine intimité entre les amis. En partageant un secret avec l'Autre ou en lui faisant des confidences, vous lui faites savoir que vous n'êtes plus sur vos gardes. Vous vous montrez vulnérable.

Il faut cependant vous assurer que la relation est partie sur un bon pied avant de recourir à la technique des *révélations premières*. Si l'Autre ne vous démontre pas encore suffisamment de respect, la technique risque de se retourner contre vous.

Selon les résultats d'une étude fascinante, une personne hautement compétente qui commet un impair n'en sera que plus appréciée, mais une personne moyennement compétente qui commet un impair sera moins appréciée[24]. Révéler un petit défaut a quelque chose de charmant, mais en révéler un grand c'est une tout autre affaire. Ainsi, par exemple, apprendre à l'Autre, à l'aube d'une relation, que vous êtes deux fois divorcé, que votre permis de conduire vous a été retiré ou que vous n'avez pas été admis dans une grande faculté de droit risque de la faire fuir. «Quel perdant!» se dira-t-elle.

Les faits en eux-mêmes ne sont probablement pas si terribles. Ils ne constituent peut-être que quelques points noirs dans un ensemble de relations solides, de bonnes conduites et de résultats scolaires autrement sans défaut.

Mais l'Autre ne peut pas le savoir à ce jeune stade de la relation. Sa réaction instinctive est de se dire : «Qu'est-ce qui m'attend d'autre? S'il me fait part déjà de tout cela, qu'est-ce qu'il y a encore de caché? Une myriade d'ex-épouses? Un casier judiciaire? Un mur couvert de lettres de rejet?»

Je vous conseille de ne pas dévoiler sur-le-champ vos points négatifs. Il faut d'abord mettre l'accent sur les éléments positifs, ce qui ne doit pas vous empêcher de divulguer un petit défaut par-ci par-là. Vous n'en aurez que plus de charme et d'attrait aux yeux de l'être à conquérir.

---

**TREIZIÈME TECHNIQUE**
LES RÉVÉLATIONS PREMIÈRES

Lorsque la conversation semble s'étioler, il ne faut pas craindre de dévoiler un peu de soi-même pour créer de l'intimité. Il faut relever un petit défaut et le révéler comme à confesse, en étant sûr cependant qu'il s'agit d'un défaut réellement mineur.

---

## Il faut « ajuster » votre mode de vie à son tracé amoureux

On peut débattre de la question à savoir si, comme Shakespeare l'a dit, le monde est une vaste scène. Mais il est incontestable que, lorsque le bel étranger ou la belle étrangère nous demande ce que nous faisons dans la vie (généralement au cours des cinq premières minutes), il ou elle nous fait passer une audition pour une amitié éventuelle. Et c'est de notre réponse que dépendra le rôle qui nous sera assigné. Aurons-nous le rôle étoile ou un rôle secondaire ? Il faut donc être prêt pour l'audition. Les acteurs préparent des monologues et les chanteurs préparent des chansons. Tout acteur ou interprète sait qu'il faut varier les chansons ou les monologues en fonction des auditions à passer. De même, il n'y a pas une réponse standard à la question : « Que faites-vous dans la vie ? » Vous devez jauger l'Autre avant de répondre, puis lui donner ce que j'appelle un *aperçu concis*.

Il faut prendre trois facteurs en considération pour captiver le cœur de l'Autre :

    1 - Correspondre au type d'homme ou de femme qu'il ou elle aime.

    2 - Paraître sûr de soi et enthousiaste.

    3 - Donner une amorce pour la poursuite de la conversation.

## Premier facteur :
### « Je suis votre type d'homme ou de femme »

Il est vrai que, lors de la première rencontre, vous ne connaissez rien ou très peu de chose sur l'Autre. Il faut cependant ajuster votre profession ou votre passe-temps à son tracé amoureux. Ainsi, par exemple, si l'Autre semble attiré par un statut professionnel élevé, vous devez amplifier l'importance de votre travail ou de votre profession.

L'Autre dégage des airs libertaires, accentuez le libre aspect de votre profession. L'Autre semble un maniaque du travail, soulignez les heures que vous aussi consacrez à votre profession.

Vous devez jauger l'Autre et lui donner la réplique qu'il ou elle désire entendre sur ce que vous faites dans la vie!

## Deuxième facteur : « J'aime mon travail »

L'assurance et l'enthousiasme chez une personne ne manquent pas de séduire. Les femmes surtout aiment les hommes sûrs d'eux-mêmes.

Je devais un jour écrire un article pour un magazine masculin sur les qualités que les femmes recherchent chez un homme. Au lieu de prendre l'avis de psychothérapeutes ou de fouiller les études menées sur le sujet, j'ai simplement posé à toutes mes amies la question suivante : «Quelles sont les principales qualités que vous recherchez chez un homme?» Elles ont toutes, d'une même voix, répondu : «La confiance en soi». L'une d'entre elles a même dit : «J'aime que l'homme soit sûr de lui. Il peut être niais, mais si c'est un niais sûr de lui, c'est parfait!»

Les hommes aussi aiment les femmes qui ont de l'assurance. Lorsque mon ami Phil revient d'un rendez-vous galant, je lui demande souvent : «Comment était-elle? Est-ce qu'elle t'a plu?» Phil, le type même du mâle peu enclin à parler des rapports hommes/femmes, marmonne généralement : «Oh! c'était bien.»

— Est-ce *qu'elle t'a plu*, Phil?

— Oui, bien sûr, mais je ne la reverrai probablement pas.

— Pourquoi pas?

— Elle n'a pas l'air de savoir où elle s'en va.

En d'autres termes, elle n'a pas le sentiment clair et net de ce qu'elle veut dans la vie. Les hommes vont souvent faire cette remarque au sujet des femmes.

Mesdames, quand un homme vous demande ce que vous faites dans la vie, vous devez parler de votre travail en dégageant la joie de vivre et la confiance en soi.

## Troisième facteur : « Poursuivons la conversation »

Au moment où la rencontre a lieu, vous vous présentez : «je suis secrétaire», «je suis avocat» ou «je suis physicien nucléaire».

C'est bien et ensuite, quoi dire? Une réponse monolithique à la question: «Quelle est votre profession?» coupe court à la conversation. Que dire à un physicien nucléaire? «Heu! Avez-vous détruit quelque chose à l'arme atomique dernièrement?»

Il ne faut jamais se contenter de donner le titre de sa profession ou de son travail sans ajouter un élément qui permet à l'autre de poursuivre la conversation. Il faut lancer un appât que l'autre peut saisir pour nourrir la conversation.

Vous êtes avocat? Au lieu de répondre laconiquement «je suis avocat», ajoutez «et notre firme se spécialise en droit du travail. En fait je travaille présentement sur le dossier d'une femme qui a été congédiée parce que, enceinte, elle réclamait des journées de congé supplémentaires». Vous lancez ainsi des appâts qui permettent à l'autre de mordre à la conversation. Si vous ne le faites pas, votre poisson se dirigera vers d'autres rives plus éloquentes.

L'autre question qui revient souvent est: «De quel pays ou de quelle ville êtes-vous?» Il ne faut pas se contenter de donner le nom géographique du lieu. Il faut agrémenter la réponse de belles amorces sur votre ville ou votre pays d'origine.

Lorsqu'on me demande, par exemple, d'où je viens, je réponds que je suis née et que j'ai grandi dans le comté de Washington, D.C. où l'on compte sept femmes pour un homme à cause du nombre de femmes parmi les employés du gouvernement. (N'est-ce pas une bonne raison pour déménager?) Si mon compagnon est de caractère artiste, je poursuis en lui disant que les plans de la ville de Washington ont été conçus par l'architecte qui a conçu ceux de Paris. Une telle amorce permet non seulement de poursuivre en parlant de la ville elle-même, mais aussi de parler d'urbanisme, de Paris, de voyages, ainsi de suite. Plus vous entretenez la conversation, plus vous marquez de points.

## QUATORZIÈME TECHNIQUE
### UN APERÇU CONCIS

Quel que soit votre travail ou votre profession, où que vous soyez, vous ne devez pas rater ce qui pourrait être la plus importante audition de votre vie, soit la réponse à la question: «Que faites-vous dans la vie?»

Il faut préparer une réponse qui s'ajuste au tracé amoureux de l'être à conquérir, qui dégage de l'optimisme et de l'assurance et qui offre des amorces saisissables pour entretenir la conversation.

# CHAPITRE 11
# Le premier rendez-vous

## Au commencement, le jeu est sérieux

Quand vous cherchez à obtenir un premier rendez-vous avec votre partenaire amoureux potentiel, le jeu est sérieux. Ensuite, il devient périlleux. Au premier rendez-vous, l'Autre vous observe avec le regard d'un juge olympique. Tout ce que vous dites ou faites vous donne des points ou ruine vos chances de gagner la médaille d'or, soit le cœur de votre conquête. L'amour est même plus hasardeux que les Jeux olympiques puisqu'il suffit d'une simple maladresse pour perdre toute chance de concourir à nouveau.

Les patineurs olympiques s'exercent pendant des années pour réaliser leur rêve et, lors des compétitions, ils évoluent sur la glace avec une souplesse qui semble naturelle et aisée. Vous devez avoir cette allure désinvolte et détendue quand vous cherchez à bâtir une relation. Je vais vous présenter les lignes de conduite qu'il faut adopter lors d'un rendez-vous galant pour remporter la victoire au jeu de l'amour tel que la science les a décrites. Il faut prendre le temps de les assimiler afin que, lorsque vous êtes en présence de l'être à conquérir, elles viennent spontanément et vous donnent une aisance de star.

## Le moment opportun

Chaque fois qu'une amie actrice me dit qu'elle a obtenu un rôle, je peux deviner au timbre de sa voix de quelle manière elle l'a obtenu.

Il y a une pratique courante dans le monde du cinéma qu'on appelle les *stéréotypes* et qui consiste à attribuer un rôle à une personne simplement parce qu'elle a le physique correspondant. La procédure traditionnelle, elle, se base sur les auditions. Si, au cours de la première audition, le producteur vous remarque, vous êtes rappelé pour une deuxième audition. Pour les grands spectacles, il faut passer trois, parfois quatre auditions, avant d'obtenir un rôle.

Les acteurs et les actrices sont heureux lorsqu'ils sont choisis pour leur talent et non pour leur physique. En amour, c'est la même chose, surtout pour les femmes.

*Question*: À quel moment, après la première rencontre, peut-on demander à l'Autre: « Aimerais-tu sortir avec moi? » *Réponse*: Pas avant que l'Autre n'ait senti qu'il ou elle a *mérité* votre intérêt.

Messieurs, il faut laisser votre belle conquête vous parler de sa perspicacité professionnelle *avant* de l'inviter à déjeuner pour discuter d'une éventuelle collaboration (lui proposer, par exemple, une sortie en tête à tête).

Mesdames, il faut le laisser vous raconter comment il s'est frayé un chemin à travers la jungle corporative *avant* de l'inviter à déjeuner pour le présenter à un oncle influent (resquiller, par exemple, un rendez-vous).

Il faut donner à l'Autre l'impression qu'il ou elle a mérité votre intérêt ou votre attention grâce à son intelligence supérieure, à sa personnalité fascinante, à ses talents ou à son caractère exceptionnel. Il ou elle n'en appréciera que plus votre compagnie. Il faut donner à l'Autre la chance de passer une audition *avant* de lui offrir le rôle romantique étoile de la soirée.

Messieurs, l'autre raison pour laquelle vous ne devez pas l'inviter à sortir immédiatement c'est que, avant de vous accorder une soirée de son temps précieux, la belle veut être sûre qu'elle va l'apprécier. Elle a donc besoin de récolter plus de données à votre sujet. Sa décision d'y « aller ou non » n'est pas uniquement fondée sur votre apparence. Elle prend aussi en considération votre personnalité, votre intelligence, votre vivacité d'esprit, soit tout ce qui vous concerne. Vous devez donc vous révéler à elle, lui donner plus de renseignements sur vous afin qu'elle puisse se faire un bon jugement avant de dire oui ou non.

---

**QUINZIÈME TECHNIQUE**
**(plus importante pour les chasseurs)**
L'AUDITION D'ABORD

Chasseurs, il ne faut pas vous hâter d'inviter une femme à sortir avec vous de crainte qu'elle ne s'imagine que c'est uniquement pour son apparence physique que vous le faites. La femme a besoin de se sentir appréciée sur tous les plans pour accorder de la valeur à l'intérêt que vous lui portez.

Chasseresses, vous pouvez agir plus vite. Les hommes sont moins habitués à être traités comme des objets sexuels. En fait, certains peuvent en tirer plaisir !

---

## Se faire désirer, oui ou non ?

Combien de fois vous êtes-vous retrouvée assise près du téléphone, attendant son appel et priant tous les saints pour qu'*il* appelle, ne serait-ce qu'une seule fois, mon Dieu, je vous en supplie. Quand la sonnerie retentit, vous décrochez :

— AllÔ ! (C'est lui, c'est lui ! Dieu, tu es merveilleux.)

— Êtes-vous libre samedi soir ? demande-t-il d'un ton suave.

Vous réprimez un double saut arrière. Vous auriez voulu répondre : «Si je suis libre ? Oh, oui, oui, oui ! J'aimerai beaucoup sortir avec vous !»

Mais vous décidez de taire vos sentiments et de jouer la désinvolture pour vous laisser désirer. Vous le laissez languir quelques instants au bout du fil, faisant mine de réfléchir à son invitation, puis vous lui dites d'un ton léger :

— Oui, je suis libre.

Est-ce une bonne méthode ? Est-il payant de se faire désirer ? La réponse va vous étonner.

Quatre spécialistes des sciences humaines, pionniers dans l'étude de l'amour, comme leurs collègues et le public en général, étaient fermement convaincus que les hommes préfèrent les femmes qui se laissent désirer. En règle générale, le fruit défendu a toujours plus de saveur. Toutefois, afin de ne rien laisser au hasard, ils ont mené une étude approfondie intitulée *Se laisser désirer, compréhension d'un phénomène insaisissable*[25]. Les chercheurs ont interrogé un groupe d'universitaires masculins pour savoir s'ils préfèrent les femmes qui se laissent désirer et pourquoi. Tel que prévu, la majorité a répondu : «Bien sûr, car si la femme se laisse désirer c'est qu'elle est très courtisée. Une jeune femme séduisante peut se permettre de faire la difficile. Par ailleurs, on ferait des envieux parmi les copains, car lorsqu'on réussit à séduire une jeune femme très courtisée, ça donne plus de prestige aux yeux des autres.»

Les chercheurs ont hésité à poursuivre par une étude sur le terrain, considérant qu'elle serait vaine. La règle étant que les femmes qui se laissent désirer ont plus d'attrait. Cependant, la raison scientifique les a poussés à vouloir mettre la théorie en pratique. Ils ont engagé un groupe de jeunes hommes et de jeunes femmes qui s'étaient inscrits à un programme informatisé de rencontres. Les hommes devaient téléphoner aux femmes et les inviter à sortir. Les femmes devaient, à certains moments, se laisser désirer et, à d'autres, accepter l'invitation sans hésitation.

Les chercheurs ont ensuite demandé aux hommes de noter leurs impressions. Les résultats ont été étonnants. Quoique ayant affirmé le contraire en théorie, les hommes ont, en pratique, préféré les femmes qui ont accepté leur invitation sans hésitation.

Les chercheurs ont refait l'expérience de cinq manières différentes et ils ont obtenu, chaque fois, les mêmes résultats. Comme elle a détruit les théories dominantes à l'effet que la terre est plate et que les gros rochers tombent plus vite que les petits, la science a encore détruit un autre mythe : À se laisser désirer, on ne s'attache pas un homme, du moins au départ.

Il y avait cependant une ombre au tableau. Dans une autre partie de l'étude, les hommes avaient la possibilité de choisir entre cinq femmes, en croyant que les autres hommes rivalisaient pour être en compagnie de la femme élue. La ruse a eu de l'effet. Quand l'homme s'imagine qu'il a conquis le cœur d'une femme que d'autres hommes cherchent en vain à conquérir, il l'apprécie *davantage*.

---

**SEIZIÈME TECHNIQUE**
JE ME LAISSE DÉSIRER
(MAIS, POUR TOI, MON CHOU…)

Vous voulez vous faire désirer ? Surtout ne le faites pas… avec lui. Lorsqu'il vous propose de sortir, acceptez immédiatement et avec enthousiasme : « Ça me fera grand plaisir ! » Mais, plus tard, laissez sous-entendre subtilement que vous n'acceptez pas de sortir avec n'importe qui. Il faut être très subtile.

---

## Un premier rendez-vous réussi, les données scientifiques

Bon nombre de chasseurs se demandent, après avoir traversé la phase de l'approche et réussi à obtenir un premier rendez-vous : « Où devrais-je l'emmener ? » En règle générale, les chasseresses à qui on demande où elles aimeraient aller répondent simplement : « Allons dîner quelque part. » C'est habituellement la réponse que je donne. Au cours d'un dîner, vous apprenez à connaître votre partenaire amoureux potentiel et vous lui donnez l'occasion de découvrir les merveilleuses facettes de votre scintillante personnalité.

Mais si votre objectif est de faire en sorte que l'Autre tombe amoureux de vous (comme le fait de lire cet ouvrage l'atteste), aller au restaurant *n'est pas* le meilleur choix. Il y a des preuves indubitables à l'effet que vous aurez plus d'attrait à ses yeux en vous mettant dans une situation émotionnellement troublante ou vulnérable.

Tel que les chercheurs l'ont prouvé, il y a un lien très puissant entre la stimulation émotionnelle et l'attraction sexuelle[26]. Pour mener leur expérience, les chercheurs ont emmené des assistantes de recherche et des sujets mâles sur un site panoramique au bord d'une gorge profonde. Il y avait deux ponts pour traverser d'un bord à l'autre au-dessus du gouffre. Il y avait le pont solide et sans danger que les touristes empruntaient généralement et il y avait *l'autre*. Un pont terrifiant qui oscillait de droite à gauche, se balançait au vent et penchait dangereusement au moindre mouvement. Seuls quelques braves s'y aventuraient.

Les sujets mâles devaient emprunter l'un ou l'autre. Une assistante de recherche les attendait de l'autre côté.

À la fin de la traversée, qu'il ait emprunté le pont solide ou le pont terrifiant, le sujet était accueilli par une assistante de recherche qui lui montrait une image et lui demandait d'écrire une histoire courte sur ce que l'image lui inspirait. Elle lui donnait ensuite son numéro de téléphone à la maison en lui disant d'un air désinvolte que s'il avait envie de discuter plus longuement de l'expérience vécue, il pouvait l'appeler chez elle.

Quel était le but de cette expérience? Les chercheurs voulaient juger l'imagerie sexuelle des différentes histoires, et lesquels parmi les sujets allaient téléphoner aux assistantes de recherche. Les résultats ont montré que ceux qui avaient traversé le pont oscillant avaient écrit les textes les plus sexuellement imagés et avaient appelé les assistantes de recherche pour discuter de leur expérience traumatisante en plus grand nombre. Conclusion: les situations périlleuses provoquent une stimulation érotique plus intense.

Pourquoi? Vous souvenez-vous de la phényléthylamine, ce narcotique naturel dont nous avons parlé un peu plus tôt? Eh bien, la peur produit cette même substance qui traverse nos veines en flèche aux premiers balbutiements de l'amour.

## Donner du piquant

Il est évident qu'il n'est ni possible ni pratique d'inviter l'être à conquérir à traverser des ponts oscillants. Mais aux dires de la science, si votre première expérience ensemble est exaltante, il y aura un transfert d'émotions fortes entre vous.

Chasseurs, vous pourriez l'emmener faire de l'équitation ou du surf. Si ces activités physiques sont trop ardues, optez pour des activités émotionnellement épuisantes comme une pièce de théâtre émouvante, un film d'horreur ou un concert grandiose. Pour ma part, c'est un beau spectacle de ballet qui m'épuise émotionnellement. La musique a peut-être le pouvoir d'émouvoir votre conquête? Elle aime peut-être l'opéra? Il aime peut-être regarder les combats de chiens?

Le fait de partager une anxiété ou de discuter d'une situation difficile rapproche les couples. Des idylles naissent entre deux collègues qui doivent faire face aux mêmes défis. Les films, le théâtre et les contes sont remplis de héros et d'héroïnes qui luttent main dans la main contre le grand méchant loup et qui finissent par vivre ensemble heureux pour la vie.

Pour vérifier leurs conclusions d'une autre manière, les chercheurs ont amené des sujets mâles dans un laboratoire[27]. Après avoir annoncé aux uns qu'ils allaient recevoir des chocs électriques douloureux et aux autres qu'ils allaient en recevoir aussi mais de faible densité, ils les ont présentés à des assistantes de recherche, présumées être des participantes à l'expérience, et ils les ont laissés bavarder ensemble. Ensuite, les chercheurs ont demandé à chaque sujet mâle de répondre à un questionnaire qui évaluait la femme rencontrée.

Encore une fois, les sujets qui s'attendaient à recevoir des chocs électriques douloureux, gagnés par l'anxiété, ont donné des évaluations plus favorables que celles des sujets moins inquiets. C'est une autre preuve à l'effet que deux êtres émotionnellement stimulés sont plus fortement attirés l'un par l'autre même si la stimulation ne vient pas des personnes elles-mêmes.

---

**DIX-SEPTIÈME TECHNIQUE**
DONNER DU PIQUANT

Pour planifier le premier rendez-vous, il faut d'abord découvrir ce qui influence l'être à conquérir, puis projeter une stimulation, une expérience émotionnelle. Vous n'avez pas à risquer votre vie ni votre peau, mais sachez qu'une petite dose d'anxiété partagée au début de la relation est un véritable aphrodisiaque.

Il est bon ensuite d'aller dîner ensemble afin de discuter de l'expérience traumatisante.

---

## Semer les graines de la similarité

Nous allons voir plus loin à quel point le sentiment de similarité est crucial pour amener l'être à conquérir à tomber amoureux de vous. Il faut semer les graines de l'amour dès le premier rendez-vous. Cette technique est cependant plus importante pour les femmes qui favorisent le contact verbal qui les rapproche, alors que les hommes se lient d'amitié en faisant des activités.

Un grand nombre de femmes oublient cette différence majeure et, pour un premier rendez-vous, elles ont tendance à proposer un lieu où s'asseoir pour parler et faire plus ample connaissance. C'est le mode de rapprochement féminin. Si vous vous préparez stratégiquement à le séduire, il y a un meilleur moyen. Il faut lui proposer une activité suivant le mode de rapprochement masculin. Chasseresses, il suffit de trouver l'activité qui l'intéresse et de lui proposer de la faire ensemble. Il reçoit ainsi le message subliminal suivant: « Cette femme correspond à mon mode de vie. »

Assister à un match de basketball, à un match de boxe ou à des courses de chevaux n'est pas ce qui vous amuse le plus, mais si telle est sa passion et si vous voulez devenir sa passion aussi, c'est votre meilleur stratagème.

## Choisir le bon restaurant

Quelle que soit l'activité choisie pour le premier rendez-vous, vous allez nécessairement vous retrouver au restaurant, avant, après ou tout au long du rendez-vous. Or, bien des hommes appréhendent la tâche épuisante de choisir le bon restaurant. Doit-il vous impressionner et vider son portefeuille ou peut-il vous emmener dans un petit restaurant où il aime prendre un hamburger ? Il faut lui faciliter la tâche et lui montrer que vous n'êtes pas une profiteuse. S'il vous demande des suggestions, donnez-lui le nom d'un petit endroit extraordinaire qui va certainement lui plaire (ce qui signifie agréable et pas cher).

Messieurs, vous pouvez vous aussi trouver un petit bistro agréable et peu cher, mais vous devez être conscient qu'un dîner fin dans un restaurant huppé est un aphrodisiaque pour bien des femmes. La meilleure raison d'emmener votre conquête dans un beau restaurant lors du premier rendez-vous n'est pas pour vous permettre de lui montrer votre carte de crédit or, mais parce que *vous*, vous aurez plus fière allure dans un cadre somptueux. En voici la preuve. Les chercheurs ont montré à leurs sujets des photos d'hommes et de femmes prises dans des cadres variés[28]. Ces derniers ont trouvé que les hommes et les femmes étaient beaucoup plus séduisants quand ils étaient photographiés dans une belle pièce ornée de beaux tableaux et de beaux rideaux. Cela démontre que les personnes transfèrent à leurs partenaires les émotions que l'ambiance d'un lieu fait naître en elles.

---

**VINGTIÈME TECHNIQUE**
**(pour les chasseurs)**
CHOISIR UN BON RESTAURANT

Si vous décidez de l'emmener au restaurant pour votre premier rendez-vous, il faut choisir un endroit qui offre l'atmosphère souhaitée, élégante, gaie, décontractée ou artistique. L'atmosphère est importante parce qu'elle amène votre conquête à vous transférer les émotions suscitées par ses particularités.

---

Messieurs, il y a une autre bonne raison pour laquelle il est préférable d'emmener votre conquête dans un endroit somptueux plutôt que dans un lieu bondé. Le titre d'une étude la décrit parfaitement: «Un lieu bondé, une atmosphère irrespirable: Influence de la densité démographique et de la température sur le comportement affectif interpersonnel»[29].

## Chasseurs, agissez en galants hommes

Messieurs, je vous entends me demander: «Pourquoi troubler les eaux de l'amour en nous parlant de *galanterie*?» Oui, Chasseurs, cette gadoue c'est pour vous. C'est un élément que les femmes prennent à cœur.

Aux yeux d'une femme, lorsque l'homme se lève à son arrivée, l'aide à enlever son manteau, lui tient la porte au moment de sortir ou donne un pourboire au portier qui appelle le taxi, c'est aussi bon que de recevoir un baiser. Lorsque l'homme goûte onctueusement le vin ou dit au serveur «Madame désire prendre le canard à l'orange» au lieu de lâcher étourdiment «elle veut du canard», c'est aussi excitant qu'une douce caresse.

Chasseresses, les hommes ne sont pas aussi sensibles aux courtoisies subtiles. Il ne remarquera point vos manières imparfaites à moins qu'un bout de spaghetti ne soit pris entre vos dents ou que vous ne renversiez votre verre de vin rouge sur sa belle chemise blanche.

---

**VINGT ET UNIÈME TECHNIQUE**
**(pour les chasseurs)**
QUOI FAIRE ET QUOI DIRE

Chasseurs, procurez-vous le guide des bonnes manières d'Amy Vanderbilt. Il faut le lire avec la même intensité que celle que vous déployez pour lire *Comment satisfaire une femme pour qu'elle vous en redemande plus chaque fois*, parce que, en suivant les conseils de l'auteur, vous réussirez à satisfaire deux parties de l'anatomie féminine, le cœur et le cerveau.

---

Messieurs, je vous suggère d'aller dans une librairie et de vous procurer un exemplaire de *Amy Vanderbilt's Complete Book of Etiquette* ou *Miss Manner's Guide for the Turn-of-the Millenium*. Si vous êtes gêné de sortir avec un tel livre sous le bras, prenez la précaution de prendre avec vous un sac en papier brun pour le mettre dedans et l'apporter chez vous.

Lorsque vous entrerez dans la peau de celui qui, d'un geste galant, lui prend le bras pour l'aider à traverser la rue ou lui fait éviter les crottes de chien sur le trottoir sans en rire, elle se dira : « Cet homme a vraiment le tour. »

## Chasseresses, pardonnez-lui ses petites manies

Vous, chasseresses, vous ne devez pas vous moquer de son manque de finesse. Il faut lui laisser le plaisir de croire qu'il est au-dessus des impairs ordinaires et des fonctions biologiques embarrassantes. Si votre partenaire a le malheur de laisser échapper un pet sonore et que vous, au lieu d'ignorer cet impair, vous lui lancez un clin d'œil réprobateur, le huez ou vous esclaffez, il va vous envoyer un petit sourire humilié. Mais, au fond de lui-même, il vous ôtera des points d'amour.

Si vous dînez en compagnie de votre partenaire et qu'il commet un impair, vous devez faire celle qui n'a *rien vu, rien entendu*. Vous ne voyez pas le verre de vin qu'il renverse. Vous n'entendez pas ses éternuements, sa toux ou son hoquet. Le sourire entendu, les « oups » et les « exclamations » les mieux intentionnés ne sauraient plaire, car nul n'aime se faire rappeler ses défaillances humaines.

Guillaume, un ami d'origine modeste, est devenu un rédacteur publicitaire très bien payé. Il a grandi dans le Bronx, à New York. Ses parents avaient émigré de Russie et avaient dû lutter pour survivre. Il était de ce fait particulièrement fier de sa réussite et de pouvoir à présent s'offrir ce qu'il y a de mieux dans la vie.

Guillaume aimait sortir avec des femmes élégantes. Quand je l'ai rencontré, il se croyait amoureux de Stéphanie, une jeune femme belle et, à ses yeux, d'une grande élégance. Elle l'avait impressionné parce qu'elle était née avec une cuillère d'argent dans la bouche et qu'elle possédait le raffinement auquel il aspirait.

## VINGT-DEUXIÈME TECHNIQUE
### NE JAMAIS RELEVER SES MALADRESSES

Les chasseresses averties ne relèvent pas les impairs, les maladresses, les bévues ou les faux pas de l'être à conquérir. Elles ne montrent aucune dérision et ne font pas grand cas des signes qui marquent sa fragilité humaine. Les chasseresses et les chasseurs avertis ne parlent jamais des *maladresses* de leurs proies.

Un soir, Guillaume a invité Stéphanie au restaurant le plus huppé de New York. Le maître d'hôtel les a installés à une belle table. Guillaume a commandé les apéritifs. Puis ils se sont laissés aller au plaisir de passer une belle soirée intime et de jouir de mets fins et savoureux.

Guillaume a déplié sa serviette de table et l'a posée sur ses genoux avant de se pencher vers Stéphanie pour lui dire qu'elle était belle à la lueur des chandelles. Il s'est retrouvé face à un visage figé qui n'a fondu qu'au moment où le maître d'hôtel est arrivé, a déplié la serviette de Stéphanie et la lui a posée sur les genoux.

Guillaume avait acquis les bonnes manières à table et d'autres grâces sociales. Il ne dédaignait pas les conseils nouveaux. Cependant, le fait que Stéphanie ait fait si grand cas de son ignorance (attendre que le maître d'hôtel vienne déplier la serviette et la poser sur ses genoux), a quelque peu refroidi l'atmosphère. (À propos, il est tout aussi convenable de déplier soi-même la serviette que d'attendre le maître d'hôtel.)

Guillaume, croyant sauver la situation, s'est mis à taquiner gentiment Stéphanie en lui disant: «Dis, Steph, tu ne veux pas que le maître d'hôtel essuie ton menton après chaque bouchée. Tu ne veux pas qu'il te porte la cuillère à la bouche et te dise «une bouchée pour Georges, le maître d'hôtel!» Stéphanie n'a pas apprécié ses plaisanteries. La soirée et la relation étaient ruinées à jamais.

Chasseresses, quelles que soient ses lacunes en matière de savoir-faire, ne critiquez pas l'homme que vous voulez séduire. Laissez ce rustre charmant avancer dans la vie en tâtonnant, dans une ignorance béate, parce que, s'il est sensible aux grâces sociales, vous pouvez parier votre cuillère d'argent qu'il est encore beaucoup plus sensible à son ego.

## La tenue vestimentaire

L'habit fait-il le moine? Certes non. Il n'empêche qu'il influence considérablement la *perception* que le partenaire amoureux potentiel se fait de vous. Et il ne faut pas oublier que, au moment de la rencontre, l'être à conquérir ne peut se baser que sur cette perception.

Lorsque j'ai commencé à étudier l'habit idéal pour une chasse amoureuse, je croyais, comme vous probablement, que cet élément était beaucoup plus important pour la femme. Or, il n'en est rien. La capacité instinctive des hommes à «déshabiller mentalement» une femme nous pousse à nous demander si ça vaut la peine de dépenser notre chèque de paye pour nous acheter un magnifique ensemble Versace.

Il est singulier de constater que, pour un rendez-vous galant, la femme passe des heures devant le miroir et son armoire pour choisir ce qu'elle va porter, alors que l'homme, lui, enfile le premier costume qui lui tombe sous la main dans le noir de son armoire. À moins que les études menées sur le sujet ne soient mensongères, c'est le contraire qui devrait être vrai. L'habit de chasse d'un homme est de loin plus important pour réussir l'assaut que celui de la femme.

## Je n'ai rien à me mettre sur le dos !

*(Les femmes ne doivent pas s'en soucier, les hommes doivent s'en faire.)*

Retournons à la science pour connaître l'essentiel sur les habits de chasse. Dans le cadre d'une étude menée par des chercheurs de l'université de Syracuse, on a présenté à un groupe d'hommes et de femmes des photos de personnes du sexe opposé[30]. Dans certaines, les hommes et les femmes étaient parés de beaux atours et, dans d'autres, ils portaient des vêtements moins coûteux allant du bon marché au très moche. Le résultat?

On a posé aux femmes six questions hypothétiques allant de: «Lequel choisiriez-vous comme époux?» à une investigation scientifique plutôt surprenante: «Lequel choisiriez-vous pour une aventure d'un soir?» Les femmes se sont montrées extrêmement sensibles à la manière dont les hommes étaient vêtus. Un grand nombre de femmes possèdent la capacité mystérieuse de repérer à une lieue de distance une paire de souliers Gucci dans une salle de fête bondée. Donc, plus l'homme était bien habillé, plus elles lui ont accordé de points dans les six catégories, incluant l'aventure d'un soir.

Les théoriciens évolutionnistes nous disent que, même pour une partie de jambes en l'air, une femme écoute ses gènes, influencée par son subconscient. Un homme bien vêtu reflète le pouvoir de subvenir aux besoins de sa progéniture. Même au moment où elle se pose la question: «Devrais-je ou non *ce soir?*», elle ne cesse de jauger si oui ou non vous seriez en mesure de prendre soin d'elle et de sa progéniture future. Il ne faut pas blâmer la femme. Elle ne fait que suivre instinctivement les décrets de dame Nature.

---

### VINGT-TROISIÈME TECHNIQUE
**(pour les chasseurs)**
UNE ALLURE D'AISANCE

Malgré des millions d'années d'évolution sexuelle, les hommes et les femmes ont toujours une approche différente de l'amour. Même pour une liaison sans importance, une aventure d'une nuit, vous ne devez jamais avoir un air de lit défait. Il faut vous vêtir comme si vous alliez auditionner pour le rôle d'un mari.

---

Même si vous savez que vous êtes particulièrement séduisant en jeans, vous aurez plus de succès dans un bar de rencontres si vous êtes en complet, même si vous êtes le seul homme des lieux aussi bien vêtu. Messieurs, cela ne doit pas vous empêcher d'enfiler des tenues décontractées, mais il faut éviter de vous affubler de vos bons vieux pantalons confortables à quatre sous. Elle vous trouvera un air sympa avec votre chemise écossaise en batiste, mais elle ne sera nullement impressionnée par votre chemise écossaise en polyester que vous trouvez confortable et quasiment identique à la première.

Ah! si seulement ça pouvait être aussi simple pour les femmes. C'est tellement agréable d'aller magasiner pour un bel ensemble qui le sidérera au premier rendez-vous. Malheureusement, chasseresses, votre ensemble de grand couturier passera inaperçu à moins *qu'il* ne soit un chasseur d'or.

Est-il possible que votre nouvel ensemble signé Oscar de la Renta ne puisse pas l'épater? Oui, vous devez le croire. Les mêmes chercheurs ont prouvé le *peu d'importance* accordé aux vêtements des femmes. On a montré à un groupe d'hommes des photos de femmes classées auparavant «très séduisantes», «modérément séduisantes» et «peu séduisantes». Les hommes ont montré un vif intérêt pour les femmes des deux premières catégories aussi mal vêtues qu'elles pouvaient l'être, et n'ont montré aucun intérêt pour les «peu séduisantes» aussi élégamment vêtues qu'elles pouvaient l'être. Mesdames, réservez vos beaux atours pour vos amies et votre éventuel employeur. Pour marquer des points auprès d'un homme, il faut miser sur votre allure, vos cheveux, vos ongles, votre maquillage, et surtout votre *attitude amicale*.

---

**VINGT-QUATRIÈME TECHNIQUE**
**(pour les chasseresses)**
UNE ALLURE SÉDUISANTE

Mesdames, la prochaine fois que vous vous direz «je n'ai rien à me mettre sur le dos», ne vous en faites plus. N'importe quelle robe fera l'affaire en autant qu'elle vous flatte. Il va de toute façon vous déshabiller mentalement. Un sourire, un beau maquillage et un langage corporel réceptif est de loin le plus excitant des ensembles.

---

Chasseurs, chasseresses, nous voilà les pieds bien plongés dans les eaux des premiers éléments de haute importance : le premier coup d'œil, la première approche, les premiers pas, la première conversation, le premier rendez-vous.

Nous allons maintenant avancer dans des eaux plus profondes, plus subliminales. Avant d'entreprendre notre traversée, je vous demande toutefois une seule chose, celle de laisser tomber toute idée préconçue que vous avez sur ce qu'il faut ou sur ce qu'il ne faut pas faire dans une relation amoureuse. Bien des choses que vous avez entendues sont probablement d'excellents conseils pour entretenir à long terme le feu de la relation, mais ce n'est pas là le but de cet ouvrage. Nous visons l'art plus subtil de la séduction. Dans cet objectif, nous avons besoin des techniques extrêmement ingénieuses qui suivent.

# DEUXIÈME PARTIE
## Caractères similaires et besoins complémentaires

*Je veux un amoureux
qui est comme moi ou presque !*

# CHAPITRE 12

# C'est toi et moi, mon chéri, seuls face à ce monde complètement fou

Vous avez certainement entendu le vieil adage «Les contraires s'attirent». Vos parents vous ont certainement dit : «Qui s'assemble se ressemble». Ces deux expressions sont apparemment contradictoires. Mais, dans l'univers merveilleusement fou et pourtant scientifiquement rationnel de l'amour romantique, il n'y a pas de contradiction.

Toutes les études nous disent que les amoureux sont attirés par des partenaires qui ont des attitudes, des valeurs, des intérêts et une vision similaires de la vie. Dans ce monde qui avance à grands pas, avec toutes ces émulations qui nous bombardent à chaque instant, nos pensées tournent à vive allure. Nous nous demandons constamment : «Que dois-je penser de cela ?», «À quoi dois-je croire ?», «De toutes ces vérités et de tous ces mensonges, qu'est-ce qui a du bon sens ?»

Finalement, lorsque nous rencontrons quelqu'un qui est arrivé aux mêmes conclusions que nous sur le monde, nous éprouvons un immense soulagement. Ce sentiment rapproche les êtres et donne à l'intimité amoureuse un romantisme qui se traduit par : «C'est toi et moi, mon chéri, seuls face à ce monde complètement fou.»

Quand les gens se construisent un cocon et le partagent avec une personne qui a une vision de la vie semblable à la leur, cela met de l'ordre dans un monde chaotique. Ils passent les nuits ensemble, au creux d'un sein chaleureux où les forces inconnues et les valeurs menaçantes ne peuvent les assaillir. La similarité donne aux amoureux un sentiment de sécurité.

Mais la similarité n'est pas uniquement recherchée pour la sécurité qu'elle offre. Les personnes à la recherche d'un amour durable savent cependant que c'est un choix sage. Les études ont démontré que des partenaires à caractères similaires ont de meilleures chances de rester ensemble. La similarité maintient l'amour au chaud bien après que les flammes premières de la passion se sont refroidies.

## La similarité... et une touche de différence (rien qu'une touche)

La similarité est sûre. Cependant, trop de similarité est ennuyeux à la longue. Il faut qu'il y ait quelques différences. C'est là la difficulté! Car on ne recherche que *certaines* différences.

Les amoureux veulent des qualités qui soient juste assez différentes pour attiser la relation, mais pas trop pour ne pas interférer dans leur propre mode de vie. Ils choisiront des partenaires qui leur feront vivre de nouvelles expériences, leur apporteront de nouvelles idées, leur montreront de nouvelles habiletés, amélioreront leur mode de vie, combleront leurs lacunes.

Ils seront à la recherche de partenaires qui possèdent des qualités qui vont « compléter ou parfaire les leurs ». Ainsi, un homme timide sera attiré par une compagne dont le bavardage incessant compensera sa timidité. Une femme qui n'a pas l'expérience du grand monde sera impressionnée par un homme fin connaisseur en vins. Les amoureux ne recherchent pas des partenaires différents mais des partenaires qui ont ce quelque chose d'autre qui va correspondre à leur mode de vie et amener leur couple à la « perfection ».

Il y a des hommes et des femmes qui recherchent avidement des partenaires qui leur sont totalement opposés. Ainsi, par exemple, un homme élevé au sein d'une famille de grande noblesse aux valeurs rigides recherchera la compagnie d'une femme ordinaire qui, elle, rêve de limousine, de maître d'hôtel et de servantes. Mais, en règle générale, de telles liaisons ne font pas long feu même quand chacun y trouve ce qu'il *croit* vouloir. Elles se terminent rarement par un long mariage heureux.

Comment mettre à profit ce fait que les amoureux recherchent la similarité avec une touche de différence, pour captiver le cœur de l'être à conquérir? Malheureusement, quand vous rencontrez l'Autre pour la première fois, vous ne connaissez pas beaucoup de choses à son sujet. Vous ne possédez pas suffisamment de données pour entrevoir les similarités et la touche de différence qu'il faut pour assurer la réussite de la relation. Il faut y aller par étapes en commençant par les premières perceptions. Il faut d'abord observer attentivement l'être à conquérir pour établir les similarités. Si tout va bien, vous aurez le temps plus tard de jauger les «différences» complémentaires.

Toutes les études sur la phase d'attirance d'une relation ont établi que ce qui attire une personne vers une autre dépend de la proportion des similarités perçues chez l'un et chez l'autre[31]. *Percevoir* est le mot-clé. À moins d'une lobotomie frontale, vous ne pouvez pas changer vos attitudes, vos valeurs, votre maquillage émotionnel ou votre vision du monde, pour lui *être* similaire. Vous ne connaissez pas l'Autre suffisamment encore pour lui débiter des philosophies similaires, faire allusion à des convictions similaires ou à une esthétique similaire. Vous pouvez toutefois vous munir d'une réserve de moyens subtils et ingénieux pour l'amener à *percevoir* que vous êtes similaires.

Je vais vous présenter, dans les pages qui suivent, les techniques verbales et non verbales qui donnent à l'être à conquérir le sentiment que vous êtes faits l'un pour l'autre. Certaines techniques sont subliminales, d'autres déclarées. Mais elles sont toutes efficaces.

# CHAPITRE 13

# La similarité subconsciente

## Comment lui donner le sentiment que vous êtes faits l'un pour l'autre

N'avez-vous jamais rencontré une personne et vous être aussitôt dit: «C'est incroyable toutes les choses que nous avons en commun.» Un charisme instantané, une chimie instantanée, une intimité instantanée, une sympathie instantanée.

N'avez-vous jamais, au contraire, rencontré une personne et vous être aussitôt dit: «Mais elle vient d'une autre planète!» Une apathie instantanée, une indifférence instantanée, une froideur instantanée, une antipathie instantanée.

À chaque rencontre, on est submergé de sentiments qui varient d'un extrême à l'autre. Il est impossible de mettre le doigt sur ce qui cause ces tourments. C'est un sentiment, une sensation.

Vous n'en n'êtes probablement pas conscient, mais les paroles prononcées jouent un grand rôle dans l'éveil du sentiment. De même, vos paroles révèlent à l'Autre bien des choses à votre sujet. Les paroles réfléchissent la pensée. Elles dévoilent notre rang social, notre affiliation professionnelle, nos penchants philosophiques, nos intérêts et même notre vision de la vie. Le choix des mots, apparemment arbitraire, révèle notre perception du monde.

C'est plus évident dans certains pays d'Europe où il peut y avoir cinq à dix dialectes au sein de la langue maternelle. Quand deux personnes qui parlent le même dialecte se retrouvent en dehors du pays, elles tombent pratiquement dans les bras l'une de l'autre en reconnaissant leur même milieu socioculturel.

Nous avons aussi ce que je vais appeler dans le contexte *des parlers*, mais nous n'en sommes pas conscients. Les États-Unis, qui sont plus vastes que l'ensemble des pays d'Europe occidentale, possèdent des milliers de parlers. Il s'agit des différentes façons de dire les choses, qui varient selon les régions, le milieu de travail, les intérêts et l'éducation reçue. C'est parce que les États-Unis sont si vastes que la langue est aussi riche.

Pour établir la similarité, vous pouvez recourir à un moyen linguistique subliminal, aisé et percutant à la fois. Vous pouvez, par un choix de mots judicieux, amener l'être à conquérir à vous considérer comme un membre de sa famille.

## Les mots pour donner le « sentiment d'une appartenance familiale »

Chaque groupe social a son vocabulaire. Les membres d'une même famille et leurs amis ont un même langage. Les collègues de travail ou les membres d'un même club ont un vocabulaire qui leur est propre. Chaque personne a son langage qui, de manière subliminale, distingue les membres de la famille, les amis, les collègues, des étrangers. Tout le monde parle la même langue certes, mais le choix des mots varie d'une région à une autre, d'une famille à une autre, d'une entreprise à une autre.

Vous ne l'avez peut-être pas remarqué, mais l'être à conquérir a une façon particulière de parler qui le relie à une famille, des amis, un travail, une vision de la vie propre à son *entourage*. Pour lui donner le sentiment subliminal que vous êtes semblable, il faut apprendre à *répéter* ses mots. Il suffit d'écouter attentivement.

Les mots ont des connotations différentes. Vous souvenez-vous avoir appris à l'école que la *dénotation*, c'est le sens permanent d'un mot par opposition aux *valeurs variables affectives* qu'il prend dans des contextes différents, soit la *connotation*? Pour se rapprocher de l'être à conquérir, il faut acquérir sa façon de parler.

Messieurs, supposons que vous venez d'être présenté à une jeune et séduisante divorcée. Au début de la conversation, elle parle de son enfant en disant soit l'*enfant,* le *nouveau-né,* le *bambin,* le *petit* ou le *jeune* selon ce qui est couramment utilisé dans sa famille. Quand vous voulez lui parler de son enfant, il faut utiliser le terme qui lui est *propre.* En répétant ses propres mots, vous lui donnez le sentiment subliminal d'être proche d'elle, comme si vous faisiez déjà partie de la famille.

Mon médecin est une jeune maman. Au cours d'une de nos premières conversations, elle a mentionné son «nouveau-né». Je connais le sens de ce mot, mais ce n'est pas celui que j'utilise. En fait, je ne me souviens pas l'avoir jamais utilisé au cours d'une conversation. Pourtant, je lui ai demandé: «Qui s'occupe de votre nouveau-né quand vous êtes au bureau?» Elle m'a souri et manifesté une sympathie chaleureuse quand j'ai utilisé son terme «nouveau-né».

Mesdames, disons que vous êtes dans une soirée mondaine en présence d'un homme qui vous parle de son travail, sa profession, sa mission ou son mandat. Il faut renchérir en répétant le terme dont il s'est lui-même servi. Ainsi, par exemple, l'avocat va parler de sa *profession* et, si vous utilisiez le mot *travail,* vous le déconcerteriez. En revanche, si le bel étranger est un ouvrier de la construction, il va croire que vous vous donnez de grands airs si vous lui parlez de sa *profession.*

Les termes utilisés pour désigner le lieu de travail sont aussi variés. Les avocats vont au *bureau,* les gens de la radio ou de la télévision vont au *studio,* les éditeurs vont à la *maison.* Il est crucial d'utiliser le mot juste pour ne pas sembler, aux yeux de l'Autre, venir d'une autre planète. Les personnes étrangères à un milieu donné sont vite repérées. Le vocabulaire utilisé est un indice révélateur. Il faut donc utiliser le bon et éviter le mauvais autant que possible.

Les termes *engagement* et *job* signifient tous deux un contrat professionnel. Messieurs, pour capter l'attention d'un mannequin, vous avez intérêt à utiliser le premier. Mesdames, pour capter l'attention d'un jeune musicien pop, vous avez intérêt à utiliser le second pour ne pas paraître bêtasse. Un seul mot déplacé et vous voilà mis à pied !

Vous souvenez-vous de mon copain Phil ? Lors d'une soirée, je l'ai vu bavarder avec une actrice séduisante. Elle lui décrivait avec enthousiasme la nouvelle pièce de théâtre dans laquelle elle avait obtenu un rôle. Je l'ai entendue dire à Phil qu'elle aimait beaucoup les répétitions. Elle semblait aussi avoir beaucoup de plaisir à discuter avec Phil.

— Ah ! dit Phil, combien de fois vous vous *pratiquez* ?

Oups ! Ayant des amis dans le théâtre, je me doutais de la retombée de cette bévue. La belle actrice n'a pas tardé à l'abandonner et Phil n'a plus eu le loisir de lui poser une autre question. Phil aurait dû lui parler de *répétitions* et non de *pratiques*.

---

### VINGT-CINQUIÈME TECHNIQUE
#### SE FAIRE L'ÉCHO DE…

Il est impossible à l'aube d'une relation amoureuse d'évoquer les valeurs, les idées ou les intérêts de l'être à conquérir dont on ne connaît rien encore. À l'inverse, il est possible de lui donner le sentiment que vous partagez sa perception des choses. Il suffit de surveiller son choix de mots apparemment arbitraire et de lui faire écho.

---

C'est arbitraire. Naturellement, les actrices se pratiquent avant que le spectacle commence, mais elles n'utilisent jamais ce terme. Dans le monde du théâtre, on parle de *répétitions*. En utilisant le mot *pratiques*, Phil a démontré qu'il ne connaît pas bien le monde du théâtre. Dans ce cas, pourquoi l'actrice s'intéresserait-elle à lui ?

Dix minutes plus tard, Phil frappe à nouveau. Cette fois dans une conversation de groupe. Une superbe jeune femme se vantait d'avoir fait l'acquisition d'un merveilleux chalet dans les montagnes.

— Magnifique, dit Phil, elle est où votre cabane ?

Le sourire de la belle s'est aussitôt évaporé, ainsi que la belle opinion qu'elle se faisait de Phil. Sidérée, je n'ai pas pu m'empêcher de lui demander plus tard :

— Phil, pourquoi as-tu appelé son chalet une cabane, sachant que tu allais l'insulter ?

— Qu'est-ce que tu veux dire ? me demanda-t-il, sincèrement confus, *cabane* est un mot charmant. Ma famille a une belle cabane à Cape Cod et ce mot éveille en moi de merveilleux souvenirs. C'est bien, Phil, mais la belle skieuse ne l'a manifestement pas apprécié. Ni Phil à présent.

Une nouvelle relation, c'est comme une fleur qui bourgeonne, un seul mot déplacé risque d'écraser le jeune plant avant qu'il ait la chance de grandir.

## Nous avons aussi le même langage corporel

Les États-Unis sont fondés sur les diversités culturelles et c'est ce qui ajoute à leur beauté. Heureusement, on n'y parle pas sans arrêt de classe ou de statut social. Il n'empêche que nous possédons une richesse indéniable et une variété socioculturelle inconnue ailleurs dans le monde.

Les Américains n'affichent pas leur statut social et leur richesse comme la femme hindoue de haute caste qui se pare de bijoux. Il est cependant facile de déterminer l'origine socioculturelle d'une personne après quelques minutes de conversation. C'est le langage et la tenue vestimentaire qui varient selon l'éducation reçue ainsi que les *faits* et les *gestes*.

Au cours de mes déplacements à travers le pays pour donner des conférences, je rencontre à l'occasion Genie Polo Sayles, une brunette pleine de vie qui anime un séminaire scandaleusement charmant intitulé « Comment épouser un homme riche ». (Vive la liberté de parole !)

Genie raconte l'histoire suivante. Une équipe de télévision l'a suivie un jour dans un casino de Las Vegas pour une entrevue. Le reporter l'a bombardée de questions pour savoir comment il faut s'y prendre pour deviner que quelqu'un est riche.

— Oh! a-t-elle riposté avec assurance, on le sait, c'est tout.

— Puisque c'est ainsi, a répliqué le reporter, je vous défie de repérer l'homme le plus riche qui se trouve dans ce casino.

Elle a, d'un regard perçant, vivement fait le tour des tables de jeu. Son balayage s'est brusquement arrêté sur un jeune homme vêtu d'un jean et d'une vieille chemise à carreaux. Avec le flair et la précision d'un chien de chasse, elle l'a pointé du doigt en disant : « Il est très riche. » Le reporter, incrédule, lui a demandé :

— Qu'est-ce qui vous le fait dire ?

— Il a une allure de nanti.

Chasseurs et chasseresses, il est vrai que les *nantis*, les *nouveaux riches* et les *sans fortune* ont chacun leur allure. Pour séduire le cœur de l'être à conquérir, il faut emprunter son allure.

C'est à l'université que j'ai pris conscience du fait que les gens de différentes conditions sociales ont des faits et gestes différents. Ma camarade de chambre était une mordue de télévision et le bruit constant de l'appareil me distrayait. Poussée à bout, je lui ai acheté des écouteurs afin de pouvoir étudier en paix ou simplement savourer le silence. Mais les images dansantes avaient un effet hypnotisant. Mes yeux étaient souvent attirés par le petit écran silencieux. Comme je ne pouvais pas entendre le son, j'observais les gestes, et même la manière de marcher ou de s'asseoir des acteurs et des actrices.

Ainsi, l'actrice qui joue le rôle d'une femme bien née ou fortunée, pour s'asseoir, va d'abord plier les genoux, puis abaisser gracieusement son corps vers le rebord de la chaise, puis se reculer doucement pour s'appuyer au dossier. Le rustaud va s'affaler au beau milieu du sofa. Le *statut social* est généralement gravé dans le tracé amoureux. Nous n'allons pas discuter ici de ce qui est bien ou mal, ni parler des temps qui changent. La Bible dit d'« aimer son prochain » et les gens veulent bien obéir à condition que le « prochain » soit du bon côté de la clôture.

Mais quel est le bon côté ? Pour certains, c'est le mauvais côté qui est le bon. Ceux ou celles qui, par exemple, ne souhaitent pas épouser quelqu'un de plus nanti et qui préfèrent la compagnie des gens de leur milieu font preuve de sagesse. Les études menées sur le sujet montrent que les mariages entre personnes du même milieu sont plus durables et plus heureux que les mariages croisés[32].

À la fin de mes études universitaires, j'ai décidé de m'accorder des vacances et de voir le monde. J'ai été engagée comme hôtesse de l'air dans une compagnie aérienne d'envergure internationale. Les passagers nous appelaient dans ce temps les *stewardesses*. Pis encore, quelques impertinents nous appelaient *poupées* et nous contre-attaquions en les traitant de *rustres*. Ma meilleure amie était aussi hôtesse de l'air à la Pan Am. Sandra était séduisante et courageuse. Ensemble, nous avons découvert qu'il y avait beaucoup de rustres qui étaient loin d'être des clochards.

Sandra et moi même préférions servir en première classe où le travail est moins exigeant, surtout au cours des longs vols internationaux. Souvent, perchées sur le bras du fauteuil ou debout dans l'allée, nous bavardions avec nos passagers. Au cours d'un vol à destination de Paris, deux célibataires de belle prestance voyageaient en première classe. Au fil de la conversation, ils nous ont invitées à souper le soir dans un grand restaurant parisien. «C'est merveilleux!», me suis-je exclamée tandis que Sandra se montrait plus réticente. Après quelques minutes d'hésitation, elle s'est rapidement dirigée vers les toilettes et m'a fait signe de la rejoindre.

— Sandy, qu'est-ce qu'il y a? lui ai-je demandé en fermant la porte derrière moi, ils ont l'air bien.

— Je ne me sens pas à l'aise avec ce *genre* de personnes.

— Qui, *les hommes*?

— Non, tu sais, ces gens de la haute société.

Sandra m'a expliqué que cela ne lui faisait rien de bavarder avec eux en avion où elle était en poste, mais que le fait de se retrouver avec eux dans un restaurant huppé l'intimidait.

J'étais sidérée. Je n'ai pas été sevrée au caviar et au champagne, mais je présumais que tout le monde aime y goûter ne serait-ce qu'une fois. Je me trompais! Il y en a qui ne sont à l'aise qu'en compagnie de gens de leur milieu.

Voulez-vous connaître la fin de l'histoire de Sandra ? Quelques mois après avoir refusé l'invitation de ces beaux messieurs, Sandra a présenté sa démission pour épouser un cuisinier de Queens, à New York. Et la dernière fois que je lui ai parlé, elle était très très heureuse.

---

### VINGT-SIXIÈME TECHNIQUE
#### MIMER LEURS FAITS ET GESTES

Chasseurs, chasseresses, poursuivre des proies de race n'est pas comme traquer un chat de gouttière. Le monde du polo et du porto a un langage corporel très différent du monde de la bière et des quilles.

Il faut observer leur façon de marcher, de s'asseoir, de gesticuler, de tenir la tasse, ainsi de suite, puis emprunter les mêmes mouvements.

---

# CHAPITRE 14

# Comment établir une similarité consciente

## Les trois principales similarités conscientes

Après avoir érigé une base solide de similarités subconscientes, il y a trois manières importantes de montrer vos affinités. Les similarités suivantes ou leur absence se manifesteront aux différents stades de la relation amoureuse.

La première est manifeste, indubitable et facile à créer. C'est tout *ce qui vous intéresse tous les deux*. Les loisirs, les sports et les activités que vous aimez tous les deux. La musique que vous aimez écouter, les films que vous aimez voir, les livres que vous aimez lire.

La seconde, profondément enfouie mais cruciale, se dévoile petit à petit. Il s'agit de vos *valeurs fondamentales*, vos *croyances*, vos *réactions* et votre *vision du monde*.

La troisième est subtile et insaisissable. Il lui faut des années pour se dévoiler et elle n'apparaît souvent que quand il est déjà trop tard. C'est aussi la plus insidieuse, celle qui, à long terme, cause le plus de tourments. Elle est profondément enfouie, souvent soigneusement camouflée et rarement dévoilée de plein gré. Pour l'extraire, vous devez bien aiguiser votre pic et creuser très profondément. C'est la *présomption tacite de ce qu'une relation doit ou ne doit pas être*.

Nous allons étudier chacune de ces similarités. Puis, je vous présenterai les techniques qui vous permettront de donner à votre partenaire amoureux potentiel le sentiment que vous êtes des âmes sœurs dans les trois catégories.

## Première similarité :
## ce que nous aimons faire ensemble

Chasseresses, soyez vigilantes. Cette similarité est beaucoup plus importante aux yeux des hommes que vous ne l'imaginez.

Nous allons plonger dans le fossé caverneux des différences entre les hommes et les femmes et les étudier en profondeur. Mais nous allons d'abord analyser la manière de créer ou de resserrer des liens qui, pour les femmes, passe par la parole et, pour les hommes, par les actes. La femme rêve d'un homme qui la comprenne et avec qui elle puisse communiquer. Elle aime avoir, dans les moments pénibles, une épaule solide sur laquelle pleurer, un bras fort pour la réconforter et, par-dessus tout, une oreille attentive pour l'écouter. L'homme apprécie aussi une bonne communication verbale mais beaucoup moins que la femme.

L'homme recherche une femme qui partagera ses activités : jouer au tennis, aller au concert, suivre un match de basketball, regarder un film ou, tout simplement, « télézarder » à ses côtés. La femme aussi aime faire des activités avec son homme, mais ce désir n'est pas aussi intense chez elle. Chasseresses, il est heureux qu'il soit facile de montrer cette première similarité à un homme. Vous pouvez dès le départ, dès la première conversation, lui faire comprendre que ce qui lui plaît vous plaît aussi.

Mon ami Phil m'a parlé d'une femme qu'il avait rencontrée récemment au cours d'une soirée et qui lui a plu. Il semblait lui plaire aussi. Elle lui a même laissé entendre qu'elle sortirait volontiers avec lui. Pendant qu'ils bavardaient, Phil se proposait de l'inviter quelque part. À titre de prélude, il a fait allusion au fait qu'il aimait bien le jazz.

— Ah! dit-elle, j'avais l'habitude d'aller dans les clubs de musique jazz, mais j'y allais si souvent du temps où j'étais à l'université que je m'en suis lassée.

Un premier essai à l'eau. Puis, Phil a mentionné le film *Casablanca* qui passait à la cinémathèque.

— Oh! dit-elle, je l'ai déjà vu.

Un autre essai à l'eau. Cette dame savait bien des choses sur le jazz et les vieux films, mais elle avait quelques lacunes en ce qui concerne les hommes. Il ne faut jamais leur couper l'herbe sous le pied. En fait, chasseresses, quand ils mentionnent quelque chose qui les intéresse, vous devez leur faire comprendre que c'est aussi votre passion. Les hommes préféreront inviter celles qui apprécient les mêmes loisirs ou activités qu'eux.

Derek, un ami, est très bel homme. Il vit à Orlando, en Floride. Ce pauvre Derek ne sait plus à quel saint se vouer. Sa passion est de passer ses fins de semaine à se promener en jet-ski. Par ailleurs, il adore les femmes. Mais, comme il a peu de temps libre, le choix est difficile.

À son grand malheur, Derek ne trouve pas de femmes qui partagent sa passion. Vous pouvez parier que la première qui, les doigts croisés derrière le dos, lui dira : «Oh! Le jet-ski, j'ai toujours rêvé d'en faire!» obtiendra une invitation royale et accumulera des bons points dès le départ.

Si l'être à conquérir est un philatéliste, un amateur de cerf-volant ou un amateur de lutte, exprimez-lui votre passion pour les timbres, les cerfs-volants ou les lutteurs. Beaucoup d'hommes ont une passion pour une activité et une passion pour les femmes, mais rares sont ceux qui peuvent les jumeler.

---

### VINGT-SEPTIÈME TECHNIQUE
#### (plus importante pour les chasseresses)
## SE METTRE SUR LA MÊME LONGUEUR D'ONDES

Il faut vous mettre sur sa longueur d'ondes... ou sur sa moto, ses chevaux ou sa voiturette de golf. Il faut lui exprimer votre plaisir de revêtir vos pantalons de ski ou votre costume de plongée, votre pantalon de marche, votre tenue de karaté, vos shorts d'escalade ou, simplement, prendre votre ourson et vous installer avec lui devant un bon match de football à la télévision.

Les femmes aiment savoir que, après avoir fait l'amour, elles auront quelque chose à dire à leur homme. Les hommes aiment savoir que, après avoir fait l'amour, il y aura quelque chose à faire avec leur femme.

---

## Deuxième similarité : « Avons-nous les mêmes croyances fondamentales ? »

Chasseurs, soyez vigilants. Cette similarité est plus importante aux yeux des femmes que vous ne l'imaginez.

Dans le cadre d'une étude universitaire, les chercheurs ont présenté des jeunes hommes à des jeunes femmes et les ont invités à aller «prendre un pot» ensemble[33]. Mais auparavant, on avait dit à certains, en toute confidence, que leur compagne ou compagnon avait une vision de la vie semblable à la leur; et aux autres, que leur compagne ou compagnon avait une vision de la vie très différente de la leur. Aucune de ces énonciations n'était vraie. Toutefois, lorsqu'on leur a demandé par la suite ce qu'ils pensaient les uns des autres, les couples à qui l'on avait fait croire qu'ils étaient semblables ont déclaré qu'ils avaient sympathisé beaucoup plus que les autres, même s'ils étaient en réalité très dissemblables. Cette étude prouve que nous sommes prédisposés à apprécier les partenaires qui, croit-on, nous ressemblent.

Les techniques de l'*écho* et du *mime* vous ont déjà permis de planter les graines subconscientes de la similarité. En vous mettant sur une même longueur d'ondes, vous donnez à l'être à conquérir le sentiment que vous aimez les mêmes activités. Allons maintenant au cœur du Ça, soit les convictions profondes de l'être. Il est de bon augure pour la relation amoureuse que les partenaires puissent échanger en toute aise leurs impressions sur la politique, la religion, l'argent et les biens. Il est important qu'ils aient le sentiment de partager les mêmes valeurs, les mêmes convictions, les mêmes émotions et la même vision du monde. Dans le grand plan des manœuvres de séduction, il n'est jamais trop tôt pour commencer à extraire ces gemmes.

Les femmes y sont particulièrement sensibles. En fait, messieurs, il suffit de partager *une* seule conviction pour que, aux yeux de la femme, la relation s'enflamme. J'ai une amie, Lucie, qui se souvient du moment précis où elle est tombée amoureuse de son futur époux. Lors de leur troisième rendez-vous, un dimanche, elle et David revenaient en ville après une promenade en voiture. Ils s'étaient attardés et David conduisait rapidement pour ne pas manquer un rendez-vous d'affaires important.

Lucie a une passion pour les animaux. Elle travaille dans un refuge animalier et elle est très active au sein du mouvement pour les droits des animaux. Elle m'avait raconté qu'elle avait rompu avec son dernier petit ami parce qu'il lui avait dit: «Oh! Moi aussi j'adore les animaux, surtout le porc en brochettes et le canard à l'orange.»

En chemin, sur une route en lacets difficile qui retenait l'attention de David, Lucie a vu sur le bas-côté un chiot gisant à terre, la tête ensanglantée, visiblement frappé par une voiture. Mais, sachant qu'il était important pour David d'être à l'heure pour son rendez-vous, elle a fermé les yeux pour ne pas être tentée de lui dire d'arrêter. À ce moment, elle a senti la voiture ralentir. Elle a ouvert les yeux. David fixait le chiot avec une expression de grande pitié. C'est alors qu'elle a réalisé qu'elle tombait amoureuse. Et, quand il lui a proposé d'emmener le chiot chez le vétérinaire, elle n'avait plus aucun doute.

Les différentes études démontrent que ce n'est pas le nombre de similarités qui crée un sentiment profond d'intimité mais leur intensité. Il a suffi à Lucie que David partage sa passion pour les animaux même s'il ne partage pas ses vues sur d'autres sujets.

Messieurs, il ne faut pas laisser au hasard un aspect aussi crucial. Il faut trouver ce qui intéresse particulièrement la femme que vous voulez séduire, soulever le sujet, être à l'écoute de son point de vue et l'approuver de tout cœur. Vous pouvez même lui laisser entendre qu'il est tout aussi important pour vous que pour elle. C'est un aphrodisiaque pour une femme de vous voir manifester une sensibilité intelligente à des données qui sont vitales à ses yeux.

Il n'est pas requis de tenir des discussions profondes pour montrer à l'Autre que vous partagez les mêmes émotions. La similarité peut être démontrée d'une manière physique mais pénétrante, même au cours d'une conversation anodine.

On a toujours une réaction ou une autre face à certaines émotions. Quand on est triste, on est effondré. Quand on est heureux, on se frotte les mains. Quand on réfléchit, on se caresse le menton ou on frotte son doigt sur le rebord du verre. Timothy Perper, qui a passé des heures à observer les couples dans les bars de célibataires, a noté une *synchronisation* des mouvements à l'étape finale de la formation du «couple». Même si vous ne réussissez pas à déterminer ce qui intéresse particulièrement l'être à conquérir, il suffit de synchroniser vos mouvements aux siens pour lui laisser comprendre que vous éprouvez les mêmes émotions.

Les hommes aussi bien que les femmes sont à la recherche de partenaires ayant les mêmes valeurs. Cependant, quand un homme et une femme se rencontrent, la pensée première de l'homme concerne le court terme: «Allons-nous passer une bonne soirée ensemble?» ou «Va-t-elle coucher avec moi?», alors que la pensée première de la femme concerne le long terme, à cause d'un mécanisme enfoui quelque part dans ses gènes. La technique des *coréactions* réussit aussi bien aux chasseurs qu'aux chasseresses. Les hommes doivent cependant être plus attentifs. Quels que soient vos fantasmes, sortie à deux ou vie à deux, vous devez assurer la synchronisation de vos réactions aux stimuli externes.

---

### VINGT-HUITIÈME TECHNIQUE
**(plus importante pour les chasseurs)**
### LA CORÉACTION

Pour captiver le cœur de l'être à conquérir, il faut partager ses convictions avec une passion similaire. Il faut observer ses réactions aux stimulants externes et exprimer les mêmes émotions de colère, de dégoût, de mauvaise humeur, de compassion ou autres. Vous êtes assis dans un bar et un individu complètement ivre s'effondre à terre devant vous. Quelles sont les réactions de l'être à conquérir? Va-t-il en rire? Va-t-elle éprouver un choc? Va-t-il froidement ignorer l'incident? Va-t-elle se précipiter pour aider le malheureux?

Quoi qu'il en soit, faites de même.

---

### Troisième similarité : « Qu'est-ce que l'amour ? »

Les couples souvent n'abordent la troisième similarité que quand il est déjà trop tard. C'est la plus insidieuse, car elle apparaît dans toute sa laideur quand un problème surgit.

Quel est ce dragon qui dévore l'amour ? C'est la présomption tacite de ce que *devrait* être une relation. Quel doit être le degré d'intimité ? Quelle distance doit-on garder ? Quel doit être le degré d'indépendance ou de dépendance ? Quoi donner ? Quoi sacrifier ?

Pour certains, la relation est une intimité et un don total. Pour d'autres, c'est une tendre coexistence. Il y a des amoureux qui pensent, comme l'auteur français Jean Anouilh, que « l'amour est avant tout un don de soi ». D'autres partagent l'avis d'un autre auteur français, Antoine de Saint-Exupéry, qui écrit dans *Le Petit Prince* : « l'amour n'est pas de se regarder dans les yeux, mais de regarder ensemble dans la même direction ».

Qu'est-ce qui explique ces différentes visions de l'amour et du comportement amoureux ? Les attentes de chacun varient en fonction des expériences vécues et de l'exemple parental.

En termes scientifiques, les attentes relationnelles sont jugées selon un *niveau de comparaison* qui les définit. Si vous considérez que la relation amoureuse est un don de soi total, vous ne sauriez supporter un partenaire distant, car plus vous chercherez à le rapprocher de vous, plus il cherchera à s'éloigner.

À l'inverse, si la relation amoureuse est pour vous une tendre coexistence, vous aurez le sentiment d'étouffer auprès d'un partenaire trop possessif, et plus vous chercherez à garder entre vous une certaine distance, plus vous affaiblirez votre relation.

Dans toute relation amoureuse, l'équilibre est fragile entre l'intimité et l'indépendance. Lorsque cet équilibre est rompu par l'un ou l'autre des partenaires, la relation s'effondre. On n'est pas conscient du danger que représente la disparité des perceptions de l'amour. C'est notre sixième sens qui nous avertit de l'importance de trouver un partenaire qui le perçoit comme nous.

Pour captiver le cœur de l'être à conquérir, vous devez déterminer sa perception de la relation amoureuse puis l'aimer *comme il ou elle voudrait être aimé(e)* et non comme vous voulez aimer l'Autre.

> L'indice de satisfaction le plus important est la différence entre ce
> que vous pensez que le partenaire éprouve à votre égard et ce que
> vous aimeriez que votre idéal amoureux éprouve à votre égard.
>
> *Robert J. Sternberg, The Triangle of Love*[34]

Il faut dès le départ commencer à déterrer les besoins amoureux du partenaire amoureux potentiel. Chasseurs, c'est un peu plus facile pour vous parce que les femmes discutent aisément de ce qui a trait aux relations amoureuses. Si vous vous sentez suffisamment proches l'un de l'autre, vous pouvez lui demander sans ambages ce que représente pour elle une relation amoureuse idéale, ou comment elle souhaite être aimée (hors du contexte sexuel).

Rêve-t-elle d'intimité et d'interdépendance ou préfère-t-elle une tendre distance? Désire-t-elle un être attentif à ses moindres désirs ou a-t-elle besoin d'espace? La réponse est généralement quelque part entre les deux extrêmes. Il faut savoir l'interpréter avec justesse pour déterminer ce qu'elle considère être une relation «idéale».

Si vous ne vous sentez pas encore suffisamment proches l'un de l'autre, ou si vous pensez qu'une telle question la mettrait mal à l'aise, vous pouvez opter pour un questionnement philosophique à caractère général sur la définition de l'amour ou la définition d'une relation amoureuse idéale.

---

### VINGT-NEUVIÈME TECHNIQUE
### (plus appropriée aux chasseurs)
QU'EST-CE QUE L'AMOUR?

Chasseurs, il faut demander à l'élue de votre cœur, directement ou sous forme de questionnement philosophique, quelle est sa conception d'une relation amoureuse idéale.

Puis, il faut l'aimer comme son idéal amoureux le ferait et non comme vous pensez que vous devriez l'aimer.

---

Messieurs, si la tournure philosophique la met aussi mal à l'aise, il ne faut pas insister. Il faut laisser passer une semaine ou deux. Il y a des femmes indépendantes, dont le nombre ne cesse de grandir, qui «pensent comme les hommes» ou du moins comme les hommes sont traditionnellement réputés le faire. Dans ce cas, il faut recourir à la technique que je conseille aux femmes pour vous séduire.

## Parlons de notre relation. Non !

Les conseillers en matière de relations amoureuses encouragent de nos jours les couples à discuter de leur relation souvent et ouvertement. Ils suggèrent aux partenaires d'explorer tous les aspects de leur relation amoureuse sous forme de jeux, d'exercices ou d'assertions. C'est une technique révélatrice et salutaire *à condition* que les deux aiment en discuter et que les deux aient les mêmes présomptions de base sur ce que *devrait* être une relation amoureuse. Si leurs présomptions de base sont dès le départ contraires, les exercices risquent de se retourner contre eux.

Pour Nathalie, une amie, la relation amoureuse est un engagement profond et sacré où l'homme et la femme ne vivent que l'un pour l'autre et pour leurs enfants. Dans sa famille, lorsque son père devait sortir pour aller à l'épicerie, il s'assurait que toute la famille savait où il allait et quand il serait de retour.

Lors d'un séjour de ski, Nathalie a rencontré son fiancé, Georges, qui lui a paru très différent des garçons qu'elle avait connus jusqu'alors. Il était sûr de lui-même et indépendant. Il avait poursuivi des études en droit et s'était taillé une place d'associé-adjoint dans un grand bureau d'avocats. Georges était, à juste titre, fier de ce qu'il avait accompli. Il n'avait jamais demandé quoi que ce soit à personne et ne devait rien à quiconque.

Nathalie est très vite tombée amoureuse de Georges. Ils semblaient faits l'un pour l'autre. Ils aimaient les mêmes activités. Ils étaient tous les deux d'excellents skieurs. Ils voulaient tous les deux avoir des enfants. Ils avaient les mêmes croyances religieuses. Ils partageaient les mêmes avis en ce qui a trait aux dépenses, aux vacances et à bien d'autres choses. Ils ont sagement discuté de tout cela avant leurs fiançailles, en négligeant cependant une seule question cruciale. Georges, issu d'une famille désunie, avait une conception de la relation idéale tout à fait opposée à celle de Nathalie.

Deux mois avant le mariage, Nathalie m'a téléphoné en larmes. Ils avaient rompu. J'étais ébahie.

— Qu'est-ce qui s'est passé? lui ai-je demandé.

— Georges, m'a-t-elle dit la voix étranglée de sanglots, est submergé de travail et c'est à peine si nous pouvons nous voir les fins de semaine.

Elle a poursuivi en me racontant qu'elle avait réussi à le convaincre de lui accorder un peu plus de temps. Mais au cours de leurs rencontres, de longs silences survenaient entre eux. D'autre part, il ne l'appelait jamais quand il était en voyage et quand elle a insisté pour qu'il lui donne de ses nouvelles de temps à autre, il a accepté mais il le faisait malgré lui.

Nathalie, croyant que leur relation se détériorait, a fait part à Georges de ses sentiments. Il a protesté en affirmant avec véhémence que tout allait à merveille, qu'il l'aimait et l'aimerait toujours et qu'il attendait le jour du mariage avec impatience. Nathalie, peu convaincue, lui a proposé qu'ils aillent ensemble consulter un conseiller matrimonial. «Un quoi! s'est-il écrié, Jamais!»

Nathalie n'avait jamais vu Georges aussi furieux. Elle a alors décidé de recourir aux méthodes d'apprentissage par soi-même et elle s'est fait envoyer par la poste des vidéocassettes qui expliquent le comment et le pourquoi des relations amoureuses et qui promettent des relations magnifiques à ceux et celles qui vont à la recherche de l'enfant en soi. Ravie des conseils donnés, elle en a fait part à Georges et lui a demandé s'il voulait bien les écouter avec elle.

— Quoi, a-t-il grondé, tu veux que je laisse mon travail pour venir chez toi, allumer des chandelles, m'asseoir en tailleur et écouter un moutard intérieur me dire ce que je fais de mal dans une relation que je crois, ou plutôt, que je *croyais* parfaite. Non, merci Nathalie! Tu as vraiment dépassé les bornes.

La semaine suivante, Georges a demandé de repousser le mariage à une date ultérieure. C'est une histoire bien triste. Nathalie et Georges avaient tant de choses en commun. Ils auraient pu vivre très heureux ensemble si seulement ils avaient eu la même conception de ce que doit être une relation amoureuse. Si Georges avait eu les mêmes présomptions de base que Nathalie au sujet du mariage, l'écoute des vidéocassettes et la pratique des «exercices amoureux» les auraient certes rapprochés. À l'inverse, si Nathalie avait eu la même conception de la relation amoureuse que Georges, elle aurait réussi à céder un peu de terrain pour lui laisser plus d'espace libre.

En règle générale, les hommes ne cherchent pas autant que les femmes à analyser les questions de relations amoureuses. Chasseresses, il faut y aller doucement, car s'il est réticent à en discuter ouvertement, comme Georges, vous risquez de l'effaroucher et de le faire fuir.

La technique la plus sûre est de l'amener peu à peu à se livrer, à exprimer ses idées sur le sujet et à dévoiler ses attentes, sans qu'il se sente menacé et ce, par des discussions à caractère général sans connotations personnelles.

---

### TRENTIÈME TECHNIQUE
**(plus appropriée aux chasseresses)**
COMMENT DEVRAIS-JE DÉFINIR L'AMOUR?

Chasseresses, vous devez trouver quelles sont ses présomptions tacites au sujet des relations amoureuses.

Pour éviter que vos questions ne lui paraissent menaçantes, dites-lui qu'une amie ou une nièce ou un neveu vous a demandé conseil sur ce que devrait être une relation amoureuse idéale et que, comme vous ne savez pas quoi répondre, vous aimeriez qu'il vous donne son avis: «Qu'est-ce que je dois lui dire d'après toi sur la relation amoureuse idéale?»

Et, alors, prêtez une oreille *très attentive*.

---

Chasseresses, il faut ensuite le remercier pour les conseils donnés. Puis, sans tarder, graver ses paroles dans votre psychisme.

Il ne faut pas oublier de choisir le moment propice. Il ne faut pas chercher à définir votre relation amoureuse avant d'avoir atteint ensemble un certain degré d'intimité, de crainte que l'Autre se doute de la raison de votre question. Ce n'est qu'au moment où l'Autre éprouve pour vous des sentiments tendres qu'il ou elle sera en mesure d'apprécier le but de votre question.

Cela ne signifie pas que vous devriez attendre avant de commencer même à réfléchir à cette similarité cruciale. Il n'est jamais trop tôt pour sortir vos antennes et détecter ce à quoi s'attend votre partenaire. Vous devez lire entre les lignes chaque fois qu'il ou elle vous parle de ses amours précédentes, de ses parents, de ses amis ou de toute autre relation.

Finalement, il y a le grand défi. Au fur et à mesure que la relation progresse, vous devez faire de votre mieux pour lui donner le sentiment que vous l'aimez, non point comme vous voulez aimer mais comme lui ou elle veut être aimé(e).

Vous trouverez des conseils supplémentaires sur ce point délicat mais crucial, ainsi que le vocabulaire qui le complète, dans les deux derniers chapitres de cet ouvrage.

# CHAPITRE 15
## Comment établir
## les besoins complémentaires

### J'ai exactement ce qu'il te faut, mon chéri !

Je me souviens, quand j'étais petite, d'avoir un jour demandé à ma mère pourquoi un papa et une maman se marient. Elle m'avait alors récité cette comptine :

> Jojo ne peut manger du gras
> Sa femme ne peut manger du maigre
> Entre l'un et l'autre, vous voyez,
> Le plat s'est vite envolé.

J'ai longtemps cru que les adultes tombent amoureux de qui est différent d'eux. En apparence, je ne me trompais pas. Mais les études démontrent que, fondamentalement, les hommes et les femmes recherchent leurs semblables. Nous avons vu que les amoureux sont à la recherche de l'être qui partage leurs intérêts, leurs valeurs, leur vision du monde et leur conception de la relation amoureuse. C'est le thème profond.

Il y a cependant une mince couche de différences qui se superpose aux similarités. Les amoureux sont aussi à la recherche de l'être qui les complète pour former un couple homogène, de l'être qui va combler leurs lacunes. Un homme qui ne sait pas faire cuire un œuf appréciera une femme qui possède des talents culinaires. Une femme qui ne peut pas faire la différence entre une courroie de ventilateur et une pompe d'alimentation sera charmée par un mécanicien de talent. Un homme qui ne peut pas dresser le bilan de son compte-chèque sera séduit par une femme capable de déchiffrer les téléscripteurs de la bourse. Les différences complémentaires sont attrayantes. *C'est bien possible!*

Il faut savoir jouer au détective et saisir clairement les traits complémentaires qui plaisent à l'être à conquérir, ceux qui le laissent indifférent ou, pis encore, qui attisent sa jalousie ou son hostilité.

Comment faire? Il faut lui poser des questions fortuites sur ses anciennes amours: «Qu'est-ce que tu aimais chez Jacques?», «Qu'est-ce qui vous a attiré l'un vers l'autre, Suzanne et toi?», «Quelle était la plus belle qualité de Daniel?», «Quelle était la force de Bernadette?»

Vous allez obtenir une multitude incroyable de réponses: «Jacques était très habile de ses mains. Il pouvait réparer n'importe quoi», «Suzanne aimait lire le journal. Elle me mettait au courant de ce qui se passe dans le monde», «Daniel était très sociable. Nous étions entourés d'amis quand nous étions ensemble», «Bernadette était une chercheuse d'occasions sans pareille. Elle achetait tout ou presque à des prix imbattables».

Il faut garder les oreilles ouvertes et l'ordinateur de l'amour en marche pour recevoir les données. Une image ne tardera pas à apparaître. Si vous avez un don qui lui fait défaut, c'est comme frapper un bon gisement. Si vous avez un don qu'il aurait *souhaité* avoir, vous venez de gagner le gros lot!

---

### TRENTE ET UNIÈME TECHNIQUE
### J'AI EXACTEMENT CE QU'IL TE FAUT

Il faut, de temps à autre, poser des questions fortuites pour saisir les qualités que l'être à conquérir admirait chez ses anciennes amours.

Plus tard, quand il aura oublié que vous lui avez posé la question, laissez-lui entendre que ces qualités sont vos meilleurs atouts.

---

Attention, les amoureux! Il ne faut pas révéler trop tôt les traits complémentaires. Selon les conclusions des études menées sur le sujet, les partenaires les recherchent plus tard au cours de la relation, *après* avoir assuré leurs similarités de base[35] à l'aide des cinq techniques précédentes qui posent les assises d'un bon assemblage final.

Voici maintenant des recettes imbattables pour captiver son cœur. Nous allons, dans la troisième partie, mijoter quelques délicieuses spécialités pour nourrir son ego et l'amener à en redemander encore et encore.

# L'ego

*Comment m'aimes-tu ?*
*Y a-t-il plusieurs manières d'aimer ?*

# CHAPITRE 16
## Le monde tourne autour de toi

Il y a une certitude que tous les hommes et toutes les femmes du monde occidental partagent. C'est la conviction absolue d'être « différent, unique, exceptionnel et, même si le monde extérieur me prête une apparence banale, je sais que je possède une beauté intérieure singulière ».

Certains enfants ont le bonheur de grandir dans une atmosphère d'amour inconditionnel, d'autres ne l'ont pas. Puis, il y a la majorité, ceux et celles qui grandissent *croyant* être entourés d'un amour inconditionnel et qui découvrent qu'ils sont liés par des cordes invisibles et que l'amour de papa et de maman n'était pas inconditionnel.

Il y a un grand nombre de personnes qui passent leur vie à chercher désespérément celui ou celle qui les aidera à réaliser leur rêve d'enfant d'un amour inconditionnel. Elles sont convaincues « qu'un jour, quelque part, l'âme sœur sera là. Elle reconnaîtra l'être exceptionnel en moi. Elle m'aimera pour ce que je suis, et non pour ma beauté physique ou ma fortune. Elle m'aimera pour *moi*, pour ce que je suis réellement. »

Il faut faire sentir à l'Autre que vous êtes cette âme sœur-là. Votre récompense sera de le faire tomber amoureux de vous.

Il faut lui faire savoir avec finesse que vous êtes la personne qui lui donnera un amour inconditionnel. Des compliments anticipés, inopportuns, risquent de le rebuter.

# L'art de flatter l'ego

L'art de flatter l'ego ne consiste pas à lancer des compliments à tort et à travers. Il s'agit de bien saisir l'image que l'être à conquérir se fait de lui-même, puis de l'entretenir. L'image idéale de soi-même est une donnée cruciale dans la planification du menu qui servira à nourrir son ego et, de ce fait, à gagner son amour.

Ce n'est pas tout le monde qui veut être beau ou brillant. Il y a des personnes qui se flattent d'être des maniaques de la propreté, des playboys, des lolitas, de gentilles petites princesses ou de merveilleux petits génies fous extraordinaires. La variété des images de soi-même est infinie. Le secret de la séduction est de renforcer l'image que l'être à conquérir se fait de lui-même, et non de le louanger aveuglément.

Il faut, dès les premiers échanges, déceler à travers les mots la manière dont l'Autre se perçoit. C'est dans les yeux de l'homme ou de la femme dont il ou elle tombe amoureux que l'Autre voit le reflet idéal de soi-même.

Il est important de nourrir cette image pour alimenter la relation. Mais c'est aussi périlleux que de présenter de la viande rouge à des lions voraces. Il faut se méfier des compliments hypocrites ou des louanges déplacées. Un faux mouvement et l'amour naissant se fait dévorer vif.

L'art de flatter l'ego comprend quatre étapes. La première consiste à donner à l'Autre le sentiment de vous avoir subjugué. La deuxième consiste à lui laisser entrevoir votre empathie au cours de la conversation.

Au cours de la troisième étape, il faut commencer à manifester votre approbation. L'être à conquérir se dévoilant peu à peu, vous pouvez lui adresser des compliments implicites. Vous pouvez aussi développer entre vous une connivence, et vous servir d'autres techniques que nous apprendrons, pour lui donner le sentiment qu'il ou elle est une personne exceptionnelle. La quatrième et dernière étape consiste à asséner les arguments massues, soit les compliments assassins.

Les éloges sont de puissants aimants. Ils provoquent immanquablement des réactions, surtout lorsqu'ils émanent d'une personne dont on vient de faire la connaissance. Selon les conclusions d'une recherche menée auprès de couples séparés, les compliments d'un nouvel admirateur ont un impact beaucoup plus puissant que les louanges du partenaire amoureux régulier[36]. Si vous vivez une relation amoureuse, la compétition est forte. L'Autre risque de développer une immunité contre les compliments rabâchés ou inopportuns. Il suffit de comparer vos compliments à ceux d'un nouvel admirateur, pour constater que l'impact des derniers est beaucoup plus puissant. La même étude démontre que la rudesse d'un partenaire, d'un conjoint ou d'un ami cause plus de dommages que celle d'un étranger. Ayant le pouvoir de blesser ou d'offenser, le partenaire régulier risque double au jeu de l'amour. C'est une bonne nouvelle pour les nouveaux venus qui doivent alors se servir de cet avantage. Il faut battre le fer quand il est chaud. Si l'être à conquérir vit une relation amoureuse désastreuse, vos compliments seront un baume qui adoucira ses blessures et le stimulera à se tourner vers vous pour renouveler l'image de soi-même.

Nous allons maintenant passer au plan qui, étape par étape, donnera à l'Autre le sentiment qu'il ou elle a enfin trouvé la personne qui peut lui offrir un amour *inconditionnel*.

# CHAPITRE 17

# Première étape :
# les éloges silencieux

## Laisser parler son corps

Un sage a dit : « L'amour est le désir irrésistible d'être désiré. »
Quand vous rencontrez l'être à conquérir pour la première fois,
votre corps doit hurler : « Je vous désire irrésistiblement. Mon
conscient ne le sait peut-être pas encore, mais regardez comment
mon corps réagit au vôtre. »

Les premiers compliments doivent être tacites. Ils peuvent être
exprimés par une attitude corporelle instinctive pleine d'égards.
Lorsque vous repérez l'être à conquérir, vous pouvez lui lancer
subtilement deux coups d'œil rapides. Un premier, puis le regard
qui se détourne, et un deuxième d'apparence plus spontané.

Il faut maintenir le contact des yeux au cours de la conversation
selon la technique du *regard intense*. Puis, grâce à la technique du
*regard langoureux,* dilater les pupilles d'admiration. La technique du
*regard soutenu* sert à donner à l'Autre le sentiment qu'il vous subju-
gue même durant les moments de silence. Il faut que votre corps con-
verge vers le sien. Vous souriez, vous êtes légèrement penché vers
elle ou lui et vous approuvez ses paroles par de *légers* hochements
de tête.

En un mot, il faut se servir des techniques du langage corporel présentées dans les chapitres précédents. Au cours de la
première conversation, il est important de garder une posture
confiante. Il ne faut pas se laisser perturber par des pensées telles
que : « Est-ce que je m'en sors bien ? » Il faut que l'attention soit
concentrée sur l'être à conquérir et le plaisir de le découvrir si mer-

veilleux. L'attitude corporelle doit dire : « Je suis bien… et *toi,* tu es merveilleux ! »

---

**TRENTE-DEUXIÈME TECHNIQUE**
LES ÉLOGES CORPORELS

Il faut se servir d'un langage corporel plein d'égards qui donne à l'être à conquérir le sentiment subliminal qu'il vous attire irrésistiblement. Il faut choisir l'une ou l'autre des techniques du regard et du langage corporel pour exprimer l'attrait qu'il exerce sur vous.

---

# CHAPITRE 18

# Deuxième étape : l'empathie

## Je peux me mettre à ta place !

L'étape qui suit consiste à laisser entendre qu'il existe une conni-vence entre vous deux. Il faut faire savoir à l'Autre que vous com-prenez et que vous approuvez ce qu'il ou elle dit. Pour ce faire, il faut émettre de temps à autre des sons approbateurs, placer des phrases qui expriment l'empathie, la compréhension ou la sympa-thie, ou murmurer son prénom au cours de la conversation.

Vous pouvez simplement émettre des «Mmm, Mmm» ou dire «je peux comprendre ce que tu ressens», «je peux l'imagi-ner» ou «j'aurais fait la même chose à ta place». Vous pouvez, à certains moments, ponctuer la conversation d'une exclamation agrémentée de son prénom, qui accentue l'empathie.

Voici un exemple légèrement exagéré d'une conversation gagnante. Vous avez fait la connaissance d'un partenaire amou-reux potentiel et vous discutez ensemble de tennis.

*Lui* : Il y a longtemps que je n'ai plus joué au tennis. J'aime beaucoup ce sport mais je me suis cassé deux doigts dans un acci-dent d'auto.

*Vous* : Je vous plains (empathie). Ça doit beaucoup vous man-quer (empathie).

*Lui* : Oui, c'est vrai, ça me manque. J'avais l'habitude de jouer deux fois par semaine.

*Vous* : Je sais ce que vous éprouvez (empathie). C'est terrible de vouloir faire quelque chose et de ne pas pouvoir le faire. Avez-vous trouvé une autre activité ?

*Lui* : Comme de fait, oui. Je pratique à présent le patinage de vitesse et j'adore ça, surtout la vitesse.

*Vous* : C'est merveilleux, Jean (insertion du prénom), je peux me mettre à votre place parce que j'aime beaucoup la vitesse moi aussi (plus d'empathie).

Il est évident qu'il ne faut pas abuser des expressions d'empathie comme dans la conversation précédente. Mais, lancées de temps à autre, avec modération, elles apaisent l'ego de l'Autre et le stimulent à vous en dire plus.

Il faut cependant éviter à tout prix de tomber dans la supplication servile. Pour cela, il faut user d'un bon langage corporel, garder un maintien et un port assuré quand vous exprimez votre empathie.

---

### TRENTE-TROISIÈME TECHNIQUE
LES EXPRESSIONS D'EMPATHIE

Il faut parsemer la conversation d'expressions d'empathie, la saupoudrer de «je vois ce que tu veux dire», «oui, tu as raison», «je peux me mettre à ta place» ou, l'expression la plus courante, «je peux comprendre»

---

En règle générale, les hommes pensent qu'ils doivent impressionner leur conquête pour la séduire et ce, en lui racontant quelque chose d'extraordinaire, d'unique, d'intéressant ou d'original sur eux-mêmes. Ils essaient de la captiver en lui racontant une histoire intéressante, un fait surprenant, une anecdote hilarante. Même de nos jours, les hommes ont l'impression qu'ils doivent faire preuve de perspicacité ou exhiber plus de connaissances pour renforcer leur statut dans une relation amoureuse.

Messieurs, si vous voulez qu'elle tombe amoureuse de vous, il serait beaucoup plus efficace de lui montrer de l'empathie. Les femmes n'ont pas été habituées à être le centre d'une attention masculine. Votre conquête vous trouvera exceptionnel si vous gardez les projecteurs tournés vers elle. (Ne vous en faites pas, messieurs, vous aurez vous aussi l'occasion de vous retrouver sous les feux de la rampe. Guidée par son intuition, la femme ne tarde pas à tourner les projecteurs vers vous.)

Dans une nouvelle amitié, les partenaires sont généralement plus intéressés par le moindre détail relatif à leur propre vie que par l'aspect le plus fascinant de la vôtre. Cela change au fur et à mesure que vous devenez plus intimes. Mais sachez que, au départ, vous aurez plus d'intérêt aux yeux de votre conquête si vous concentrez votre attention sur elle.

---

**TRENTE-QUATRIÈME TECHNIQUE**
GARDEZ LES PROJECTEURS TOURNÉS VERS
VOTRE CONQUÊTE

Il faut considérer la conversation comme un immense projecteur qui la captive chaque fois qu'il l'illumine. Lorsqu'il est tourné vers vous ou vers quelqu'un d'autre, la conversation perd de son charme (et vous aussi par conséquent).

---

## Des détails amoureux intimes

Nous sommes tous les héros d'un roman intitulé *Ma Vie*. Nous nous disons tous «je suis exceptionnel», «tout ce que je fais est extraordinaire». Quiconque partage cette opinion devient irrésistible.

Adolescente, je lisais religieusement les aventures de Nancy Drew. Nancy, l'héroïne, était une jeune détective dont les aventures étaient excitantes, fascinantes et romantiques. *Tout* ce que ma vie d'adolescente n'était pas. Chaque livre de la série commençait par une phrase mélodramatique du style: «Nancy, les cheveux au vent, traverse en courant la lande, avec le sentiment qu'un malheur est arrivé à sa grand-mère.»

Il m'arrivait de rêver que j'étais l'héroïne d'une aventure qui disait: «Son appareil d'orthodontie brillant au soleil, Leil est entrée d'un bond dans la maison, sentant l'odeur du pot-au-feu brûlé que sa mère avait oublié sur le feu. » Il est vrai que l'exploit de Leil sauvant le pot-au-feu n'est pas aussi fantastique que celui de Nancy accourant pour résoudre un crime, mais cet exploit fait partie de *ma* vie et, pour *moi,* il est excitant.

Tout le monde éprouve ce même sentiment. Le matin, en se brossant les dents, l'être à conquérir est aux prises avec des décisions considérables à prendre. Que manger au petit-déjeuner ? Quelle paire de chaussures mettre ce matin ? Prendre le temps ou non de passer la soie dentaire ?

Les conjoints et les amoureux partagent cette intimité : « Que veux-tu, mon chéri, pour ton petit-déjeuner ? », « Tu ne vas pas mettre ces souliers aujourd'hui ? », « As-tu passé la soie dentaire ? »

Il est évident que, lors des premières rencontres, vous ne pouvez manifester de l'intérêt pour ce qu'il ou elle a pris pour son petit déjeuner ou pour le nettoyage de ses dents. Mais vous pouvez créer une autre intimité immédiate en enregistrant systématiquement les détails peu à peu dévoilés de son intimité quotidienne.

Les chasseurs et les chasseresses avertis ont recours à la technique du *pistage* pour satisfaire le désir de leur conquête d'être la seule et l'unique à leurs yeux. Ils doivent suivre son trafic verbal comme les contrôleurs aériens qui suivent la trajectoire des avions sur leurs radars. Si, lors des premières conversations, il mentionne qu'il aime prendre des céréales Rice Krispies au petit-déjeuner, faites-y allusion plus tard. Si elle vous raconte qu'un jour elle a porté une paire de souliers dépareillés, évoquez le fait plus tard. Ces rappels donnent à l'Autre le sentiment d'être une grande étoile dans la galaxie des gens qui vous entourent. Et, au fil du temps, ces petits galets s'amalgament pour former des rocs d'intimité.

Les amoureux avertis prennent mentalement des notes sur l'inquiétude manifestée à telle ou telle occasion, l'enthousiasme exprimé à telle ou telle autre, les paroles dites lors de la dernière conversation, ainsi de suite. Chacun suit le va-et-vient, les faits, les gestes, les dires de l'autre afin que, lorsqu'ils se reparlent *au téléphone ou en personne,* les premiers mots en soient un rappel : « Salut, Joe ! Comment s'est déroulée ta réunion?», «Bonjour, Linda, est-ce que ta sœur a accouché?», «Alors, Jim, as-tu aimé le restaurant szechwanais où tu devais aller la dernière fois que nous nous sommes parlés?», «Diane, ton mal de dent est-il passé?»

---

**TRENTE-CINQUIÈME TECHNIQUE**
LE PISTAGE

Il s'agit de suivre à la piste, comme un contrôleur aérien, les moindres détails du quotidien de l'être à conquérir et de les évoquer plus tard dans la conversation comme des faits importants.

En évoquant le dernier fait majeur ou mineur qui a marqué sa vie, vous lui confirmez ce qu'il ou elle a toujours su, soit qu'il ou elle est le personnage principal du roman fascinant intitulé *Ma Vie*. Et vous serez adulé pour avoir reconnu sa célébrité.

---

Il faut donner à l'Autre le sentiment que les événements *mineurs* de sa vie sont des soucis *majeurs* dans la vôtre.

## Des plaisanteries amoureuses intimes

Voici un autre moyen délectable de flatter l'ego de l'être à conquérir et de recueillir les premières gouttes d'amour avant même que ce ne soit le temps de lancer de grands compliments.

Les couples intimes, heureux, ont des plaisanteries intimes. Ils se murmurent à l'oreille des phrases qui n'ont de sens que pour eux seuls.

Comme le dramaturge Neil Simon, qui, sans donner de longues explications, fait comprendre à son public que les deux personnages sur scène sont des conjoints ou des amoureux de longue date et ce, en leur faisant échanger quelques phrases incompréhensibles dont ils sont les seuls à rire, vous pouvez vous aussi créer cette même atmosphère de complicité intime entre vous et votre partenaire amoureux potentiel. Il suffit de relever un fait intime amusant qui n'a de sens que pour vous deux.

Ainsi, par exemple, quand votre conquête raconte une histoire, à vous ou devant un groupe de gens, relevez les parties qu'il ou elle semble préférer et donnez-leur une tournure amusante.

Je sors de temps à autre avec un ami anglais, Charles. La première fois que je l'ai vu, il racontait à un petit auditoire qu'il était allé avec un groupe d'hommes faire une randonnée en montagne. Quelques heures après le départ, ils se sont retrouvés devant une pente abrupte aux chutes de pierres menaçantes. Aucun d'eux ne voulait escalader ce terrain dangereux, mais aucun de ces machos, incluant Charles, ne voulait admettre sa peur.

Charles avait un grand thermos de thé chaud dans son sac à dos. Les vaillants marcheurs, sceptiques, regardaient le sommet avec une expression de petits garçons effarés. Avec son plus pur accent anglais, Charles leur a proposé : « Et si nous prenions une tasse de thé d'abord ! » Ils ont tous applaudi cette *merveilleuse idée*. Assis sur les rochers, vidant leurs tasses à grandes gorgées, ils ont finalement décidé d'emprunter un sentier moins dangereux.

Charles ne l'a pas formellement exprimé, mais l'essentiel de son histoire était que, lui, Charles, avait évité le pire en disant : « Et si nous prenions une tasse de thé d'abord ! »

Plus tard, au cours de la soirée, Charles a proposé à l'hôte de regarder un match de rugby transmis en direct à la télévision. Tout le monde a applaudi cette idée *magnifique*. J'ai lancé un clin d'œil à Charles en lui disant : « Et si nous prenions une tasse de thé d'abord ! » Il s'est effondré de rire. Je crois que c'est alors qu'il a noté mon existence.

## TRENTE-SIXIÈME TECHNIQUE
## LES PLAISANTERIES INTIMES

Pour créer entre vous un sentiment d'intimité, il faut écouter attentivement l'Autre quand il ou elle raconte une histoire. Il faut ensuite relever sa phrase ou son expression préférée et l'enregistrer, puis la ressortir à un moment qui flatte son orgueil. Vous partagerez alors une plaisanterie intime comme de vieux amoureux.

Il faut être prudent en utilisant ces techniques de communication souvent assez délicates. Il faut saisir les événements flatteurs où l'Autre est le héros ou l'héroïne et non le bouffon. Il y a des personnes qui taquinent leurs amis quand ils renversent leur verre de vin, quand ils perdent leurs clés, quand ils abîment leur voiture ou quand ils glissent sur une peau de banane. C'est la technique du *chahut* qui a un effet diamétralement opposé à celle des plaisanteries intimes.

En deuxième lieu, il faut laisser passer quelque temps avant d'évoquer la plaisanterie intime une première fois. Plus l'intervalle est long, plus l'effet est puissant.

Une bonne plaisanterie intime aide merveilleusement au décollage de la relation amoureuse, et surtout à amortir les secousses qui risquent de l'ébranler. Jusqu'à ce jour, chaque fois que Charles me propose quelque chose qui ne me plaît pas beaucoup, je me contente de lui dire: «Et si nous prenions une tasse de thé d'abord!» Il ne peut s'empêcher de rire chaque fois. Il est tellement amusé qu'il ne me tient plus grief de contrecarrer ses plans et de lui faire faire quelque chose dont j'ai envie.

# CHAPITRE 19

# Troisième étape : l'admiration

## Oh ! mon chéri, tu as si bien tranché ces champignons !

La troisième étape consiste à convaincre l'Autre de l'admiration que vous lui portez. C'est maintenant le moment de l'applaudir et de lui *lancer des fleurs*. Voici l'exemple d'une conversation hypothétique qui porte sur le travail :

*Lui* : Le travail m'épuisait, j'ai décidé de partir.

*Vous* : Euh, tu as pris une brave décision (admiration).

*Lui* : Oui. Je me suis inscrit à des cours du soir en comptabilité.

*Vous* : C'est une sage décision (approbation).

*Lui* : Oui, je le crois.

*Vous* : As-tu eu la chance de mettre en pratique tes nouvelles compétences ?

*Lui* : Bien sûr, c'est ce qui m'a permis d'obtenir le poste que j'occupe actuellement.

*Vous* : C'est merveilleux, Alain (insertion du prénom) ! Ça fait du bien, n'est-ce pas, de savoir qu'on a pris la bonne décision (empathie) ?

Il faut continuellement tisser la conversation de fleurs et d'expressions d'empathie qui, souvenez-vous, *ne doivent pas* être de grands compliments mais des approbations subtiles, telles que : « Il est clair que tu as travaillé très fort pour cette cause. C'est merveilleux », « Il me semble que tu as bien maîtrisé la situation. Félicitations », « Tu as dit *cela* ? Peu de gens en auraient eu le courage », « C'est toi qui as fait ça ? C'est réellement impressionnant. »

Chasseurs, vous pourriez éprouver plus de difficultés que les chasseresses à lancer des fleurs. Les hommes sont plus compétitifs de nature et sont portés à croire qu'il est dégradant d'adresser des compliments. Or, bien au contraire, plus on jouit d'une certaine popularité et plus on est sûr de soi-même, plus on est porté à complimenter. Décerner des éloges donne plus de noblesse.

Les femmes, elles, ne considèrent pas les compliments en termes de noblesse. À leurs yeux, les éloges donnent à l'intimité plus de profondeur. En complimentant une femme, vous vous démarquez des autres chasseurs. Il est rare cependant qu'un homme exprime son admiration pour les talents d'une femme dont il vient de faire la connaissance.

Chasseresses, vous risquez d'être extrêmement prodigues en fleurs et vos compliments pourraient sembler mensongers aux yeux des tiers, mais ils seront d'une parfaite logique pour l'être à conquérir et le gonfleront d'orgueil.

J'ai un demi-frère, Larry, qui a récemment épousé une charmante femme plus âgée que lui. Quelques semaines après le mariage, je les ai invités à dîner. Comme Larry est un bon chef cuisinier, nous avons décidé Régine et moi d'être les *sous-chefs*. Régine s'est occupée de hacher des oignons, Larry de trancher les champignons et moi de faire bouillir l'eau. À un moment donné, comme je me penchais au-dessus du four, j'ai entendu Régine ronronner à Larry : « Oh, mon chéri, tu as merveilleusement bien tranché les champignons, regarde ces tranches parfaitement symétriques. »

Je me suis retournée pour échanger un grand sourire complice avec Régine, mais elle ne riait pas ! Elle était en admiration sincère devant les petites tranches miniatures de champignons. Larry, lui, souriait, ou plutôt rayonnait de fierté.

Régine m'est apparue comme une femme astucieuse. Elle a bien compris que Larry se fait un point d'honneur d'être un cuisinier méticuleux. Je suis convaincue que les éloges qu'elle lui décerne généreusement sont une des raisons qui ont amené mon demi-frère à tomber amoureux d'elle, et il le restera probablement pour toujours.

## TRENTE-SEPTIÈME TECHNIQUE
## COUVRIR DE FLEURS

Au fur et à mesure que vous devenez plus intimes, agrémentez vos expressions d'empathie de termes approbateurs. Parsemez la conversation de « c'est bon », « c'est pas mal », « c'est astucieux ».

Chasseresses, couvrez-les de fleurs. Les hommes en consomment beaucoup.

Chasseurs, apprenez à lui lancer des fleurs. C'est une habileté à développer.

# CHAPITRE 20
## Quatrième étape :
## les compliments tacites

### Vous êtes trop jeune pour vous en souvenir, mais....

Les compliments tacites sont une autre façon de flatter l'Autre quand la relation est encore trop fraîche pour les grands compliments. Il faut que la partie « fortuite » de votre phrase *sous-entende* qu'il ou elle est extraordinaire. Par exemple : « Vous êtes trop jeune pour vous en souvenir, mais… » ou « Quelqu'un d'aussi séduisant que vous ne ferait pas… ». Il s'agit d'éloges indirects.

Vous pouvez soit insérer le compliment tacite dans la clause subordonnée de votre énonciation, tel que : « *Aussi intelligente que vous êtes,* vous ne sauriez vous laisser prendre à un tel procédé, mais moi je l'ai fait » ou « *Quelqu'un d'aussi efficace que vous* arriverait sûrement à le rejoindre au téléphone », soit l'insérer dans une phrase qui sous-entend que l'être à conquérir appartient à un groupe de gens exceptionnels, tel que « Les *gens intelligents* sont souvent de cet avis » ou « Les *personnes en pleine forme* peuvent le faire sans problèmes ».

Vous pouvez être prodigue de compliments tacites, qui sont perçus comme l'expression spontanée de l'exaltation que l'Autre éveille en vous et non comme des coups d'encensoir.

## Le compliment qui fait mouche : « J'aime tout ce que tu aimes en toi »

On complimente généralement l'Autre sur ce qu'on aime en lui ou en elle. Or, un compliment qui porte sur quelque chose dont l'Autre tire fierté a un effet beaucoup plus percutant.

Vous pouvez dès le départ commencer à amasser votre matériel promotionnel. Il faut élaborer vos compliments avec art et minutie afin de viser en plein cœur l'être à conquérir. Vous devez cependant être à son écoute comme un psychanalyste à l'écoute d'un patient. Il faut observer son visage pendant qu'il ou elle vous parle, être attentif aux rougeurs qui lui montent aux joues, aux pétillements de ses yeux, aux sourires que ses lèvres ébauchent. Ce sont des indices qui vous sont offerts et qui vous révèlent ce qui fait naître chez l'Autre des émotions vives. Lorsque le visage s'anime, c'est que le compliment a fait mouche. Lorsqu'il garde une expression neutre, c'est que le compliment n'a pas passé.

Je déjeunais un jour avec Ralph, un associé charmant mais plutôt chauvin, qui avait donné le matin même une conférence devant un grand nombre de femmes d'affaires influentes. Au cours du repas, il m'a raconté qu'il avait éprouvé une vive panique avant la conférence, à l'idée de se retrouver face à des féministes qui allaient le manger tout rond. Puis, les yeux scintillants, il m'a raconté l'anecdote « empreinte d'un dénigrement systématique à l'encontre des hommes» qui lui a servi à entamer son discours et à se rallier son audi toire.

Peu après, au fil de la conversation, Ralph m'a raconté l'histoire réellement impressionnante de son ascension professionnelle : comment, de simple commis de magasin, il est devenu directeur de sa propre entreprise. Mais en parlant, son visage gardait une expression neutre, indifférente.

Quel est à votre avis ce dont Ralph est le plus fier ? C'est bien de son anecdote, même si en réalité c'est son ascension professionnelle qui mérite d'être louangée. Le fait de s'être rallié un auditoire féminin potentiellement inamical était à ses yeux beaucoup plus flatteur. Si, par hasard, vous voulez captiver son cœur chauvin, vous lui direz : «Oh, Ralph, cette anecdote, quelle astuce !»

Il faut réfléchir à l'image que l'être à conquérir se fait de soi avant de lui adresser votre premier compliment direct. De quoi tire-t-elle vanité ? Quelles sont les qualités dont il est fier ? Est-ce qu'elle se considère particulièrement intelligente ? Irrésistible ? À l'esprit vif ? Est-ce qu'il se prend pour un don juan ? Un bon juge ? Un libertin extravagant ? S'enorgueillit-elle de son humour ? De son sens de l'honnêteté ? De sa créativité ? Tire-t-il vanité, comme Ralph, de son habileté à se rallier les féministes ? De son astuce ? Il faut analyser ce dont l'être à conquérir tire fierté et l'en complimenter.

Une femme séduisante préfère être complimentée sur son intelligence et sa perspicacité plutôt que sur sa beauté. Un homme accompli se lasse d'entendre qu'il est brillant et apprécie beaucoup plus de s'entendre dire qu'il est bel homme. Plus vous complimenterez l'image idéale que l'être à conquérir se fait de lui-même, plus vous serez apprécié.

Chasseurs et chasseresses, il ne faut pas oublier le choix du moment propice pour adresser vos compliments. Louanger une victoire minime récente est beaucoup plus percutant que d'applaudir un ancien exploit plus grandiose. Noter l'achat d'un nouveau costume et en faire compliment le jour même est de loin préférable. Si Ralph est plus sensible à l'effet de son anecdote, c'est parce qu'elle a été dite le matin même tandis que son ascension professionnelle remonte à plus d'une dizaine d'années.

---

### TRENTE-NEUVIÈME TECHNIQUE
## LES COMPLIMENTS QUI FONT MOUCHE

Il faut saisir ce dont l'être à conquérir tire fierté avant de lui adresser un premier compliment direct. Il faut ensuite viser au cœur de la cible, au moment opportun.

L'être à conquérir accueillera avec plus de chaleur les éloges qui visent des réalisations récentes que ceux qui concernent des réalisations anciennes.

---

# CHAPITRE 21

## Cinquième étape : les grands canons

### « Tu es l'être le plus fascinant que j'aie rencontré »

Chaque fois que vous faites un compliment puissant, vous réduisez la force du coup suivant. L'être à conquérir risque de se lasser. Il vaut mieux recourir aux expressions d'empathie, aux onomatopées approbatives, aux compliments tacites, et garder les *compliments massues* pour plus tard.

Qu'est-ce qu'un compliment massue? Ce n'est pas: «Ah! j'aime ta cravate.» C'est un compliment choc, bien ciblé et direct, qui laisse l'interlocuteur sans réplique.

Au cours de mes séminaires en communication, j'amène les participants à s'envoyer des compliments massues. Je leur demande d'abord de faire la connaissance d'un autre participant et de bavarder quelques minutes ensemble. Puis, je leur demande de fermer les yeux et de se souvenir d'un trait positif noté chez leur interlocuteur. Je précise «un trait que vous n'allez pas nécessairement lui *mentionner,* un détail positif intime», un sourire chaleureux, un air vif et intelligent, un trait physique, un trait de personnalité, ainsi de suite.

Je poursuis en leur demandant d'ouvrir les yeux et de faire part de leurs pensées à leur interlocuteur.

«Quoi! Vous voulez qu'on le lui *dise?*» Ils sont bouleversés. «Vous voulez qu'on le lui *révèle!?*»

Je réponds par l'affirmative en leur rappelant leur avoir demandé de réfléchir à un compliment qu'ils n'allaient pas *nécessairement* mentionner à l'autre.

Lorsque les participants font leurs compliments, le résultat est merveilleux. Après la première vague de petits rires nerveux, on observe un raz-de-marée de sourires intimidés et de visages rougis. Des amitiés s'ébauchent à droite et à gauche. Tout le monde est ravi du compliment massue reçu et on perçoit le tendre sentiment qui naît à l'égard du louangeur.

Quels sont ces compliments massues ? Des sentiments charmants, tels que : « Vous avez un magnifique sens de l'humour », « Vous avez de beaux yeux bruns pénétrants », « Vous avez la grâce d'une ballerine », « Vous avez des mains de pianiste », « Il y a en vous quelque chose d'esthétique », « Vos dents sont comme des perles ».

## Qu'est-ce que ça me rapporte ?

Vous avez sûrement compris qu'adresser un compliment massue n'est pas purement altruiste. Vous êtes, vous aussi, joliment récompensé quand vous le laissez candidement échapper.

Au cours d'une soirée, je bavardais avec un comptable qui m'ennuyait sérieusement (je présente mes excuses à tous les comptables qui doivent se battre contre l'image injuste de gratte-papier, une visière verte sur le front, aux prises avec des calculs interminables). Au moment où je cherchais à m'éclipser, il m'a regardée au fond des yeux et m'a dit « Leil (insertion du prénom), tu es la femme la plus fascinante que j'aie jamais rencontrée ».

*Oups !* Arrêt ! Mi-temps ! Mes genoux se sont ramollis. Est-ce une dose de phényléthylamine qui remonte dans mes veines ? « Qui est cet homme ? », me suis-je dit. L'individu a soudain pris à mes yeux une autre dimension. En fait, nous nous sommes retrouvés à déjeuner la semaine suivante.

Il s'est avéré réellement ennuyeux et la relation n'a abouti nulle part. Il n'empêche que son compliment massue a fait mouche.

## QUARANTIÈME TECHNIQUE
### LE COMPLIMENT MASSUE

Il faut aller à la recherche du trait qui caractérise l'être à conquérir, celui qui est profondément enfoui en lui et que peu de gens perçoivent.

Puis, en le ou la regardant droit dans les yeux, murmurez son prénom et assénez-lui votre compliment massue.

Les ceintures noires en karaté disent que leurs poings sont des armes fatales. Pour les adeptes des compliments massues, l'arme fatale est constituée de leurs paroles. Le compliment massue est un missile tellement puissant qu'il doit être accompagné d'un manuel d'utilisation. Selon les instructions, il doit être adressé d'un seul trait puissant, les yeux dans les yeux. Si le coup est trop long, il risque d'embarrasser. Il est préférable de l'adresser au moment de partir. L'Autre, pris par surprise, n'a pas le temps de répondre et se contente de murmurer : « Ah ! bon, merci. » Mais il ne faut pas s'en faire. Le compliment ayant fait mouche, l'Autre ne tardera pas à vous en redemander.

Il est évident qu'il ne faut pas abuser. Il ne faut pas faire plus d'un compliment massue par mois sinon la flatterie devient grossière. Il faut s'assurer, comme pour tout autre compliment, qu'il se rapporte à quelque chose dont l'Autre tire fierté.

Il m'est arrivé de jouer dans une pièce de théâtre où j'avais huit rôles différents. Je me croyais une grande actrice ! Le rôle qui me semblait le moins flatteur était celui où je devais jouer un mannequin de bois. Dans ce sketch satirique, le rôle principal était tenu par celui qui me portait à travers la scène comme un corps glacé. Après la représentation, un homme est venu vers moi, m'a saisi le bras et m'a dit plein d'exubérance : « Vous étiez magnifique dans cette scène du mannequin de bois ! » J'étais furieuse. Me croiriez-vous si je vous dis que j'ai développé une animosité sans bornes à l'égard de tels flatteurs bien intentionnés ?

Il faut absolument que les éloges renforcent l'image que l'Autre se fait de soi, sinon ils risquent de se retourner contre vous. Ainsi, par exemple, dire à un acteur : «Vous devez avoir une mémoire extraordinaire!» ou à une ballerine : «Votre costume vous allait à merveille!», c'est insulter leur interprétation. Vos éloges, certes bien intentionnés, ne feront guère mouche et ne sauront embraser l'étincelle d'amour.

Armé(e) des neuf techniques qui servent à flatter l'ego, vous pouvez aller à la conquête de votre proie. Il faut cependant vous poser une dernière question, à savoir si l'être à conquérir est sensible aux éloges. C'est le sujet du chapitre suivant.

# CHAPITRE 22

# Un réglage minutieux du narcissisme

## Holà ! Êtes-vous sûr que tout le monde apprécie les compliments ?

Un dollar n'a pas de valeur pour un millionnaire mais il représente une fortune pour le démuni. De même, un compliment est insignifiant pour une personne habituée à recevoir des éloges. Si vous voulez séduire une belle jeune femme ou un homme accompli, vous devez déployer plus d'efforts et faire preuve d'originalité.

Selon l'étude de Brenda Major sur l'attirance physique et l'estime de soi[37], les personnes qui ne jouissent pas d'un physique de rêve sont portées à accorder plus d'importance aux compliments que les personnes gâtées par dame Nature. Les personnes ordinaires sont assoiffées de compliments. Il y a derrière le visage ingrat de toute femme une enchanteresse qui ne demande qu'à être libérée. Il suffit d'un compliment bien ciblé pour la sortir de sa tour. Il y a derrière le visage ingrat de tout homme un beau prince charmant qui n'attend qu'un baiser élogieux pour se manifester.

## Le compliment spontané :
## « C'est merveilleux ce que tu as fait ! »

Voilà le compliment *à adresser* à tous et à chacun, qu'ils soient laids ou beaux, que leurs réalisations soient grandioses ou triviales. C'est ce que j'appelle le *compliment spontané*.

Il y a des moments clés où *il ne faut pas manquer* d'offrir un compliment à l'Autre. Il ou elle vient d'accomplir quelque chose, il a réussi une vente, elle a présenté un bon spectacle, il a négocié un bon contrat, elle a préparé un bon repas, ainsi de suite. Il faut que vos premières paroles réfèrent au triomphe qu'il ou elle vient de connaître. L'Autre n'a, à ce moment précis, qu'une seule question en tête : « Comment me suis-je débrouillé(e) ? » Afin de ne pas perdre des points d'amour, vous devez sur-le-champ lui adresser un compliment spontané.

Un ami qui avait donné une conférence dans le cadre d'une convention industrielle et dont l'exposé avait été très applaudi m'a confié avoir éprouvé une vive déception quand sa partenaire s'est contentée de lui dire au moment où il est venu la rejoindre dans la salle : « Fais un petit signe de la main à Georges et Suzanne. Ils sont assis là, derrière. Ils sont venus, après tout. » Boum ! Quelle déception ! Où est passé le compliment bien mérité ?

Elle lui a dit ensuite : « Ton exposé, mon chéri, était excellent », mais c'était déjà trop tard. Elle aurait dû le complimenter d'abord puis lui demander de saluer leurs amis. C'est ce qui fait toute la différence.

---

**QUARANTE-DEUXIÈME TECHNIQUE**
LE COMPLIMENT SPONTANÉ

Il faut complimenter immédiatement l'être à conquérir après une belle réalisation. Il faut aussitôt répondre à la question implicite qu'il se pose : « Comment me suis-je débrouillé(e) ? »

---

Il faut cependant s'assurer que le compliment est suffisamment élogieux. En cas de doute, exagérez-le un tantinet. Il serait insultant de lui dire « c'est un bon travail » quand il considère avoir fait un « excellent travail » ou de lui dire « c'est une belle représentation » quand elle considère avoir été « extraordinaire ».

## Soyez la première à rire

Il vous semble qu'un comédien sur scène ne distingue pas tous les visages qui lui font face. Vous êtes convaincu que, quand il lance ses boutades, il ne peut pas voir qui déclenche le courant, le contre-courant ou les rires.

Eh bien, détrompez-vous ! En tant qu'oratrice, je peux vous assurer que mes collègues et moi-même savons exactement qui fait partir les rires dans la salle, à quel moment précis après le trait final et avec quel enthousiasme.

Chasseresses, les hommes aussi sont très conscients de leur auditoire quand ils relatent un fait ou racontent une anecdote devant un groupe d'amis.

## Les surnoms amoureux

Voici un autre moyen savoureux qui vous donnera le sentiment d'une intimité plus grande et celui d'être le centre de son univers.

Nous avons tous eu, ou presque, des surnoms quand nous étions enfants: Bob ou Bobby pour Robert, Beth ou Betsie pour Élizabeth, John pour Johnny, Sue ou Suzy pour Suzanne, ainsi de suite. Aviez-vous un surnom? Ma mère et les enfants du voisinage m'appelaient Leilie. Ce surnom m'est resté jusqu'à ce que je décide qu'il n'était plus assez respectable pour la jeune professionnelle que je voulais être. Ainsi, le changement voulu de personnalité s'est accompagné d'un changement de prénom. J'ai insisté pour que tout le monde m'appelle Leil.

Un ami d'enfance, Rick, a refusé d'obtempérer et a continué à m'appeler Leilie. Chaque fois que j'entends une voix au téléphone demander à parler à *Leilie*, j'ai le cœur qui bat la chamade au souvenir des joies de mon enfance. Cette émotion, je la transfère à Rick (Richie pour les intimes) et je suis sûre que le fait qu'il m'appelle Leilie est un des facteurs qui font durer notre amitié.

Les expériences de l'enfance et les diminutifs ont un effet subliminal puissant. Mais ils sont, comme toute arme, à double tranchant. Si l'être à conquérir a connu une enfance malheureuse à laquelle est associé un certain surnom, vous risquez en l'utilisant d'éveiller en lui de mauvais souvenirs. Il faut l'utiliser une fois pour juger de son effet.

## Recevoir les compliments

Je flânais un jour dans une librairie à la recherche d'un ouvrage sur les compliments. Je n'en ai trouvé aucun! Il y avait cependant un recueil d'insultes, plus de mille, «pour toutes les occasions», certaines soi-disant hilarantes telles que: «Vous êtes très laid, vous devez apporter des retouches à vos radiographies», d'autres à l'effet garanti telles que: «Je te vois plus beau sans mes lunettes». L'effet garanti de vous donner un rire facile, oui, mais pas de faire tomber quelqu'un amoureux de vous.

Même s'il ne nous venait jamais à l'idée de lancer de telles insultes, il peut nous arriver d'insulter l'Autre par inadvertance au moment où il nous adresse un compliment. Les Américains ont le don de ne pas savoir faire ou recevoir des compliments. C'est une caractéristique nationale. Ils se contentent de bégayer un merci embarrassé ou, pis encore, de dire: «C'est un hasard.»

Des réactions aussi tièdes ne valorisent pas le compliment que l'Autre vous adresse. De plus, si vous vous contentez de marmonner «ce n'est rien» ou si vous attribuez votre succès «à la chance», c'est un affront indirect à votre complimenteur qui, ne recevant pas un *feed-back* positif, risque de ne plus vous décerner d'éloges.

Quand l'être à conquérir vous adresse un compliment, il ne faut pas vous contenter de répondre «oh, mince alors!» ou simplement, comme Amy Vanderbilt le suggère, «merci». Il faut faire preuve de plus d'audace, chère Amy. Il faut réfléchir les rayons ensoleillés du compliment vers le complimenteur et lui murmurer

«c'est bien aimable à vous» ou «c'est gentil de l'avoir remarqué».
C'est la tactique des Français.

Un boomerang est une arme capable de revenir à son point de départ. C'est pourquoi j'ai donné ce nom à la technique qui consiste à renvoyer le compliment à son point de départ. Voici quelques exemples: «Comment va la famille?», «Tout le monde va bien merci, *c'est gentil à vous de prendre de leurs nouvelles*», «As-tu passé de belles vacances?», «Ah! *tu t'en souviens*» (sa délicatesse vous impressionne), «elles étaient merveilleuses», «Tu es très joliment coiffée», «Ça fait plaisir *que tu le remarques*. J'ai trouvé un nouveau coiffeur».

---

**QUARANTE-CINQUIÈME TECHNIQUE**
LE BOOMERANG

Quand l'être à conquérir vous adresse un compliment ou s'informe sur un point qui vous intéresse, il faut lui réfléchir ses bons sentiments.

Il faut le remercier de l'intérêt qu'il vous porte. Il faut laisser tomber votre timidité juvénile et afficher un grand sourire pour lui montrer que vous appréciez son compliment.

---

# CHAPITRE 23
## Entretenir les flammes de l'amour

### « J'aime ta manière de froncer le nez en riant »

Cette dernière technique pour flatter l'ego s'applique à l'amour à long terme. Elle entretient *votre* flamme parce qu'elle stimule l'être à conquérir à faire ce que vous aimez. L'amour est une double voie. Il est difficile d'entretenir la flamme de l'Autre quand la vôtre est sur le point de s'éteindre.

Le D$^r$ Benjamin Spock est le célèbre pédiatre qui, dans les années cinquante, a bouleversé les règles de l'éducation des enfants. Aujourd'hui, ses doctrines permissives sont sujettes à controverse. Cependant, ce pédiatre bien intentionné a laissé au monde un bel axiome qui dit: «Si vous dites à l'enfant qu'il est extraordinaire, vous l'encouragez à le devenir.»

C'est la technique que j'ai appelée le *Spocking* d'après le nom du D$^r$ Benjamin Spock. Dans le monde des adultes, elle consiste à appliquer à l'être à conquérir l'axiome mentionné plus haut, soit lui faire part de ce que vous aimez, de ce que vous appréciez ou de ce que vous admirez chez elle ou lui afin qu'il ou elle soit stimulé à persévérer dans la bonne voie.

Il y a une myriade de petits faits et gestes qui font naître l'amour. La logique qui découle du tracé amoureux peut sembler aussi arbitraire que d'aimer sa manière de froncer le nez en riant, d'adorer la manière dont il vous caresse la joue, de tomber amoureuse de lui au moment où il se lève pour faire la vaisselle le soir où vous l'invitez à souper, d'être fasciné par son sang-froid en situation d'urgence, d'apprécier son sens profond de l'honnêteté ainsi de suite.

Pour entretenir la flamme de votre amour, vous devez entretenir les qualités qui vous ont séduit(e) au départ. Il ne faut pas hésiter à lui seriner : « J'aime ta manière de froncer le nez en riant », « J'adore quand tu me caresses la joue », « Crois-le ou non, j'aime encore et j'aimerai toujours quand tu t'offres pour m'aider à faire la vaisselle », « Ton sang-froid en situation d'urgence me fascinera toujours », « Je respecte beaucoup ton sens profond de l'honnêteté. »

Je me souviens d'une caricature dans le *New Yorker* qui m'a paru tellement poignante que j'en ai eu les larmes aux yeux. On voyait un couple manifestement pauvre. Ils étaient tous les deux obèses, affalés sur des chaises branlantes, dans la cuisine. L'homme, pas rasé, un T-shirt sur le dos, la femme avec des bigoudis sur la tête. Partout de la vaisselle sale, des couches accrochées sur une corde à linge tendue entre le réfrigérateur et un tuyau dans le mur. Le couple buvait du café dans de vieilles tasses ébréchées.

L'homme souriant disait à sa femme : « J'aime ta manière de froncer le nez en riant. » Le couple avait l'air heureux malgré le désordre, malgré leur pauvreté, malgré leur épuisement. Si le *Spocking* fait partie de leur quotidien, il est normal qu'ils soient heureux malgré tout.

---

**QUARANTE-SIXIÈME TECHNIQUE**
LE SPOCKING

Il faut penser aux choses subtiles ou même coquines qui vous séduisent chez l'être à conquérir et les lui exprimer à des moments singuliers.

Votre partenaire n'est pas un devin. C'est pourquoi il faut, en plus de lui dire « Je t'aime », lui dire pourquoi.

---

Nombreux sont ceux et celles qui négligent de dire à l'Autre ce qui les stimule *réellement* (même sur le plan érotique). Et l'Autre, ne réalisant pas l'importance que vous accordez à telle ou telle de ses qualités, va cesser de froncer le nez en souriant ou de caresser vos joues ou d'offrir de faire la vaisselle et ainsi de suite. Une minuscule ampoule va s'éteindre dans le magnifique lustre scintillant de l'amour.

Lorsque les ampoules commencent à s'éteindre les unes après les autres, l'amour ne tarde pas à sombrer dans le noir. Lorsque l'Autre devient insignifiant à vos yeux, vous êtes tous les deux perdants. Il faut toujours valoriser les qualités qui vous stimulent chez l'Autre pour entretenir les flammes de l'amour.

# QUATRIÈME PARTIE
## L'équité
*En amour, le principe du*
*« qu'est-ce que ça me rapporte? »*

# CHAPITRE 24

## Tout le monde a une valeur marchande

Au cours d'une chaude dispute, un homme que j'ai aimé m'a lancé avec hargne : « Tout le monde a une valeur marchande, ma chérie. » Je suis restée sidérée. Le goujat ! Comment pouvait-il voir les gens comme des marchandises, surtout moi qu'il prétendait aimer ? Quelle façon odieuse de considérer la relation amoureuse !

À mes yeux, l'amour est beau et pur. L'amour est la source la plus intense de plaisir que les hommes peuvent connaître et ne peut être comparé à aucune autre expérience humaine. L'amour est partage, confiance, don total de soi. Les paroles de Robert Burns, « Amour, Oh ! Amour lyrique, mi-ange, mi-oiseau. Tu es merveille et désir sauvage », résonnent dans mon cœur depuis l'enfance. Il m'a été insoutenable d'entendre mon amoureux assimiler les traits qui caractérisent l'être qui lui est cher à des poitrines de porc ou à des germes de soja mis aux enchères à la bourse marchande. J'ai quitté la pièce en furie. Et, peu après, j'ai rompu.

Maintenant, bien des années plus tard, ayant acquis plus de maturité et, n'en déplaise à certains, plus de sagesse, je me demande s'il n'avait pas raison. Non point dans sa manière de présenter les choses, mais dans les faits. Ça ne surprend personne d'entendre que « tout le monde cherche à faire une bonne affaire » et personne n'est choqué d'apprendre en quoi consiste la loi de l'offre et de la demande. Les gens ne sourcillent même pas quand les gourous de la vente prêchent que, dans toute interaction humaine, la grande question est : « Qu'est-ce que ça rapporte ? »

Pourquoi avons-nous un mouvement de recul quand les chercheurs nous disent que les mêmes lois naturelles s'appliquent à l'amour ?

La communauté scientifique, insatisfaite des théories de l'amour de Sigmund Freud (la sexualité sublimée) ou de Théodore Reik (remplir le vide en soi), a entrepris d'éplucher la notion de l'amour. Les scientifiques ont réussi à mettre au grand jour une couche plus profonde du psychisme humain. Ont-ils découvert des faits horripilants ? Se sont-ils retrouvés face à un monstre ? Certains diront « Oui », d'autres, en riant, diront « Bien sûr que non ».

Quoi qu'il en soit, abominable homme des neiges ou archange de la vérité, le résultat est que les études menées viennent appuyer la thèse selon laquelle tout a une valeur quantifiable sur le marché, et tout le monde cherche à faire une bonne affaire, aussi bien en amour que dans la vie. Les chercheurs ont regroupé leurs conclusions sous le nom de « théorie de l'amour-*équité (ou échange)* », qui ressemble en quelque sorte aux principes marchands.

## Amour et principes marchands

La théorie de l'amour-équité est basée sur les principes solides du troc et de la valeur du produit sur le marché libre. Tout a une valeur marchande. Tout a un prix. La valeur d'une personne, comme la valeur d'un produit, est subjective. Le monde s'accorde généralement pour déterminer ce qui est une bonne affaire et ce qui ne l'est pas.

Dans le commerce des chevaux, il y a les *champions* et les *canassons*. Lors d'une vente à la criée, les acheteurs regardent si le cheval est *de race, en bonne forme, sans défauts* et même s'il a *fière allure*. Est-ce bien différent chez les humains ?

Le prix du cheval varie en fonction de tous ces atouts. Si vous échangez un cheval qui possède un pedigree contre un autre qui n'en a pas, ce dernier doit posséder d'autres qualités pour que le troc soit juste !

Les études démontrent que plus vous apportez d'atouts à la table des négociations, plus vous augmentez vos chances de réussite. Plus vos atouts égalent les siens, plus il y a de chances que l'Autre tombe amoureux de vous. Selon les théoriciens de l'équité, plus la relation amoureuse est équitable, plus il y a de chances qu'elle aboutisse au mariage[38].

## Quelle monnaie « achète » un bon partenaire ?

Selon les partisans du principe de l'équité, il y a six éléments à retenir lorsqu'on va à la chasse :

> 1 - Les attraits physiques
> 2 - La situation financière
> 3 - Le rang social ou le prestige
> 4 - Le bagage intellectuel ou les connaissances
> 5 - Les grâces sociales ou la personnalité
> 6 - La nature profonde de l'être

Selon les chercheurs, dans les relations amoureuses heureuses, les partenaires sont plus ou moins égaux dans chacune des six catégories mentionnées plus haut, ou bien les atouts d'une catégorie contrebalancent les atouts d'une autre.

Prenons, par exemple, la première catégorie, soit les attraits physiques. Selon des études menées un peu partout dans le monde (États-Unis, Canada, Allemagne, Japon), les conjoints possèdent, en règle générale, des attraits physiques plus ou moins semblables. En comparant les attraits physiques de nombreux couples et ce, sur une échelle de un à dix comme dans le film *10*, un groupe de psychologues[39] a noté une marge de différence d'un point chez 60 p. 100 des couples et une marge de deux points ou moins chez 85 p. 100 d'entre eux.

J'ai décidé de vérifier ces conclusions de manière informelle. Pendant plusieurs semaines, au cinéma, dans les centres commerciaux, dans les soirées, au restaurant, j'ai observé les couples mariés ou non, et j'ai comparé leurs attraits physiques sur une échelle de un à dix. Je n'ai jamais obtenu plus de deux points de différence !

Selon les chercheurs, lorsque les atouts d'une *même* catégorie sont inégaux, ils sont généralement contrebalancés par les atouts d'une autre catégorie. Combien de fois, par exemple, n'avez-vous pas rencontré, en marchant dans la rue, une très belle jeune femme au bras d'un vieux monsieur pincé ? Quelle a été votre première réaction ? Vous vous êtes fort probablement dit : « Il doit certainement être très riche. » Et quand vous rencontrez un beau jeune homme accompagné d'une jeune fille très ordinaire, vous vous dites : « Elle doit avoir une personnalité extraordinaire. » C'est ainsi que fonctionne le principe de l'équité ou du maquignonnage. C'est indéniable. Une belle apparence physique, une belle situation financière et un rang social élevé font indubitablement partie du cours légal de l'amour.

Dans les années trente, des enseignants d'Oakland, en Californie, ont observé et comparé les attraits physiques d'élèves filles, âgées entre huit et douze ans, et leurs comportements ludiques dans la cour de récréation. Quelque vingt années plus tard, un sociologue a repris les résultats de cette ancienne étude et, ayant retrouvé les fillettes devenues jeunes femmes, il a observé le genre d'hommes que chacune avait épousé. Il a noté que plus la fillette était jolie, « plus » son homme était parfait. Les plus séduisantes avaient épousé des hommes plus riches et plus influents que les moins belles.

Est-ce à dire que la beauté et la richesse vont de pair ? Nous sommes pris pour la vie avec nos attraits physiques et les changements qu'ils pourraient subir mais, heureusement, ils ne sont pas la seule monnaie d'échange que nous possédons. On peut « acquérir » l'amour grâce à une belle personnalité, une grâce sociale, une vaste connaissance, ou tout autre atout gagnant.

Vous trouverez dans cet ouvrage les techniques qui vous permettront de magnifier vos atouts et celles qui donnent à l'Autre une *perception* embellie de ceux que vous ne pouvez pas modifier du tout au tout, tels que les attraits physiques, la situation financière et le rang social. Mais, avant d'étudier ces techniques, nous allons établir de manière réaliste quel doit être le degré de beauté, de richesse et d'influence du partenaire amoureux potentiel si votre objectif est, comme je le suppose, de trouver le bonheur en amour.

Les conclusions des études menées sur le sujet, quoique surprenantes, sont unanimes à l'effet que les chances de vivre un amour vrai et durable sont bien meilleures en n'épousant pas une personne exceptionnellement belle, exceptionnellement riche, un prince ou une princesse. Pourquoi? Parce qu'il faut que les *bénéfices s'équilibrent pour que les gens soient heureux*, surtout à long terme. Lorsque les atouts se contrebalancent, le bonheur est plus sûr. Nous allons maintenant éplucher quelques données du principe de l'équité afin de savoir quoi en retirer. Ensuite, si vous êtes toujours intéressé à poursuivre, je vous montrerai comment vous en servir.

# CHAPITRE 25

# Le principe de l'équité et de l'amour

## Le prince charmant ou la belle princesse

Nous avons toutes, recroquevillées sous nos couvertures, rêvé au prince charmant qui, un jour, arrivera sur son beau cheval blanc et, bien sûr, tombera follement amoureux de nous et nous emportera dans ses bras au château de son père où nous nous marierons et nous vivrons heureux pour toujours.

Le prince de nos rêves n'était pas nécessairement un beau prince charmant. Il pouvait être un prince riche, un prince merveilleusement tendre ou un prince fort et sensible à la fois. Il pouvait être un prince poète, artiste ou acteur célèbre. En grandissant, nos rêves demeurent inchangés, mais notre définition du mot *prince* s'élargit. Le prince de nos rêves devient un médecin de renommée internationale, un brillant directeur d'entreprise, un savant informaticien ou un homme d'État. Quel que soit le rôle que nous lui donnons, c'est lui notre prince.

Chasseresses, vous n'avez pas perdu l'espoir de voir arriver votre prince? Eh bien, devinez quoi? Il pourrait venir. Mais, lorsque vous verrez les résultats des études menées sur l'amour, vous réaliserez que *vous ne voulez pas réellement de lui!* Mesdames et messieurs, si c'est le bonheur que vous recherchez, vous n'avez besoin ni d'un beau prince ni d'une belle princesse.

Vous êtes déçus? Vous ne devriez pas. À moins que vous ne soyez de descendance royale, ou également beau, riche et parfait, la vie avec un prince ou une princesse n'est pas une sinécure.

Vous allez protester : « Ce n'est pas vrai. Si j'épouse quelqu'un de plus beau, plus riche, plus parfait, en d'autres termes, de *mieux* que moi, je serai ravi ! » Oui, vous le serez, mais pas pour longtemps. Selon la théorie de l'équité, votre bonheur sera de courte durée. Plus la marge entre les deux partenaires est grande, plus ils seront malheureux à la longue. Quand la relation est déséquilibrée, les deux partenaires ressentent l'iniquité et cherchent à rétablir l'équilibre. En d'autres termes, ils essaient d'égaliser les points.

## Viser un bon parti, pourquoi pas ?

Il n'est pas difficile de comprendre pourquoi, dans une relation amoureuse inéquitable, le partenaire supérieur se retrouve insatisfait. Lorsque la passion première s'éteint et que la réalité l'emporte sur le rêve, le sentiment d'être lésé germe dans l'esprit. Qu'arrive-t-il au partenaire inférieur ? Ne doit-il pas se considérer chanceux d'avoir mis le grappin sur un parti aussi extraordinaire ? Oui, dans l'absolu. Mais en réalité, l'inquiétude, l'anxiété et la crainte de ne pas être à la hauteur vont peu à peu envenimer sa vie.

Telle est la réalité. Des chercheurs ont interrogé cinq cents couples d'étudiants de l'université du Wisconsin afin de vérifier l'effet d'un apport supérieur, inférieur ou égal sur la relation amoureuse[40]. Selon leurs conclusions, plus les atouts sont égaux, plus les couples sont heureux. Quand l'un des partenaires est plus beau, plus riche ou plus parfait, il y a un déséquilibre et, par conséquent, une insatisfaction qui ne tarde pas à se manifester.

De petits riens insidieux réveillent le monstre de l'inégalité qui érode l'amour. Dans les mariages inéquitables, les partenaires tirent profit de la situation pour égaliser les points. Le partenaire « supérieur » devient plus exigeant. Il se sent, par exemple, en droit de recevoir du monde quand l'autre a envie de solitude. Elle s'autorisera, par exemple, à lui refuser ses charmes ou son amour, se disant : « Je lui donne déjà assez, pourquoi me forcer aussi à satisfaire sa vie sexuelle ? » Il se sent, par exemple, en droit d'avoir une relation adultère, se disant : « Après tout, je mérite mieux » et ainsi de suite.

Le pauvre partenaire « inférieur » est condamné à vivre dans l'inquiétude ou à « encaisser » le coup chaque fois que l'autre décide de tirer profit de la situation. *Le bonheur d'avoir mis le grappin sur un parti aussi extraordinaire* est peu à peu anéanti par la réalité du quotidien où il est constamment relégué au second plan. Il n'est pas aisé de passer sa vie à chercher à égaler l'autre et de passer toujours en second.

L'exemple de la princesse Diana et du prince Charles a plus que servi à détruire le mythe du bonheur d'épouser un prince. À Hollywood, où la valeur marchande de la personne change tous les jours comme à la Bourse, les divorces comme les mariages sont monnaie courante.

Supposons que vous êtes une princesse riche et séduisante. Vous tombez amoureuse du beau plombier qui répare la tuyauterie du yacht paternel. Vous croyez à l'amour et vous décidez de convoler en justes noces. C'est vous maintenant qui menez la barque. C'est vous qui décidez où aller en vacances ou quelle voiture acheter. Au début, ça peut vous sembler juste à tous les deux que vous soyez celle qui prenne les décisions puisque, après tout, c'est le paternel qui paie.

Mais le gentil plombier n'est pas dépourvu d'orgueil. Son ego va peu à peu se rebeller et votre histoire d'amour se terminera par un divorce amer. Ce n'est ni votre faute ni la sienne. Il a été un bon garçon et vous avez été une bonne joueuse. C'est simplement l'*iniquité* qui a englouti votre bonheur. Lui s'est retrouvé plus heureux aux côtés de la serveuse du petit café.

## Et si l'iniquité frappe après le mariage ?

Dans un couple égal au départ, il suffit qu'un des partenaires dérape quelque peu pour que les problèmes surgissent.

Laura, une amie, est reporter. Elle était ravie le jour où elle a trouvé l'homme de ses rêves, sensible, intelligent et brassant de grandes affaires à l'échelle internationale. Ils se sont mariés et Laura, sans remords, a abandonné son travail à New York pour s'installer en Californie. Elle venait me rendre visite à New York une fois par année. Bob l'appelait tous les soirs. Elle lui parlait avec beaucoup d'amour et d'égards.

Il y a deux ans, à la suite d'une série de mauvais placements, Bob a pratiquement perdu toute sa fortune. Laura vient toujours me voir à New York (quand elle peut se le permettre). Bob l'appelle toujours tous les soirs. Mais, malheureusement, elle ne lui parle plus de la même façon. Il y a maintenant dans sa voix des notes d'agressivité et d'autorité. Elle commence à regretter le travail extraordinaire qu'elle a abandonné pour épouser Bob. Elle a même entrepris des démarches pour retravailler à la télévision, à New York. Le retour ne lui pose pas de problèmes. Je suis sûre que dans un an, Laura et Bob ne seront plus ensemble.

Sally, une autre amie d'université, était l'archétype de la blonde étourdissante dont tout le monde rêvait. Elle n'était pas d'une intelligence suprême, mais elle était très belle. Elle a épousé Jim, le sportif parfait. Ils étaient heureux ensemble jusqu'au moment où Sally a commencé à prendre du poids. «Je ne comprends pas ce qui se passe», m'a-t-elle dit un jour, «Jim n'est plus le même. Il ne sort pas avec d'autres femmes, mais il est d'humeur changeante. Il ne participe plus aux tâches domestiques. Il ne me parle presque plus. Notre vie sexuelle n'est pas brillante. Mes émotions le laissent indifférent.»

Cela ne surprendrait pas les partisans du principe de l'équité. Selon eux, Jim ne fait que rétablir inconsciemment l'équilibre. L'analyse de la situation montre que «quand Sally et Jim se sont mariés, sa beauté physique contrebalançait son esprit sportif et la relation était équitable. Mais lorsque les atouts de l'un ont commencé à décroître, les atouts de l'autre ont suivi pour maintenir l'équilibre.» Jim ne cherche certainement pas à écarter Sally. Il l'aime toujours, mais il cherche de manière subconsciente à égaliser le pointage et ce, en abandonnant certaines de ses bonnes habitudes.

L'iniquité se manifeste aussi quand l'un ou l'autre sème la pagaille. Si l'un commet un adultère, l'autre peut se retrancher derrière un mur de silence glacé et y demeurer jusqu'à ce que celui qui a tout gâché démontre un repentir profond et sincère. Cela peut prendre des années.

Les études citent également les exemples dramatiques de partenaires qui héritent d'une fortune inattendue ou, à l'inverse, qui perdent leur emploi ou qui sont défigurés à la suite d'un accident. Ces faits heureux et malheureux détruisent l'équilibre d'une relation amoureuse.

Les sujets dans les exemples cités ne sont pas des êtres mesquins, sans cœur, qui ont abandonné leur partenaire. Ils ont simplement et de manière subconsciente cherché à égaliser les points et ce, par une myriade de petits moyens allant du refus d'exprimer leur affection au refus de prendre soin de leur apparence physique ou au refus de se dévouer pour le bien du partenaire. Le partenaire supérieur peut, par exemple, refuser de participer aux corvées ou se considérer en droit de décider du programme des vacances. Ces réactions apparemment mineures engendrent une grande détresse dans les relations qui deviennent inégales.

Chasseurs et Chasseresses, si, après tous ces avertissements, vous vous dites toujours «qu'il serait quand même bon de trouver un partenaire doté de *meilleurs* atouts», suivez-moi. Il est vrai que vous ne pouvez pas complètement changer votre apparence physique, votre compte en banque ou votre éducation afin que vos atouts égalent ceux de votre partenaire, mais vous pouvez modifier sa perception de vos atouts. Nous allons commencer par le plus difficile, le numéro un sur la liste des atouts, soit les attraits physiques.

# CHAPITRE 26
# Les attraits physiques

Est-ce un élément important ? Il faut savoir que, après avoir effectué mes premières recherches sur le sujet, je n'avais plus d'autres choix que la chirurgie plastique ou le suicide. La mauvaise nouvelle pour ceux et celles que dame Nature n'a pas beaucoup gâtés est que les *attraits physiques sont importants* !

Vous souvenez-vous quand, au collège, vous cherchiez à vous renseigner au sujet du garçon ou de la fille que vous alliez rencontrer pour la première fois et que votre ami(e) vous disait « elle a une très belle personnalité » ou « c'est un garçon vraiment bien » ? C'était le baiser de Judas. Le rôle des attraits physiques lors de la première rencontre est indéniable, surtout pour les hommes. Cependant, ils ne sont qu'une *perception* et toute perception peut être manipulée. Il y a des techniques qui permettent de faire une première impression merveilleuse même si le Divin ne vous a pas doté d'une beauté ravissante. Ces techniques se basent essentiellement sur le langage corporel, l'image de soi et l'habileté à communiquer.

Qu'est-ce qu'une belle apparence ? La réponse varie selon les cultures. Chez nous, la mode prise les minces et sveltes. En Bolivie, les femmes Sironos doivent se gaver pour que leurs hommes en aient plein les bras. Les hommes américains préfèrent embrasser une bouche en cœur aux lèvres pulpeuses. Les Ubangis insèrent des soucoupes dans leurs lèvres pour les étirer comme des crêpes.

Les standards de la beauté varient d'une région à l'autre du monde. Mais une donnée demeure constante, c'est dame Nature qui, en bout de ligne, détermine qui est séduisant pour vous et qui ne l'est pas. Ainsi, même dans l'Amérique moderne, les femmes préfèrent les hommes aux traits solides qui caractérisent le bon pourvoyeur, et les hommes aiment les femmes aux traits sensuels dont l'apparence montre qu'elles peuvent porter des enfants en santé. Des études ont établi avec précision les traits qui attirent les hommes et ceux qui attirent les femmes.

## Ce qui attire les femmes

A.M. Mathews écrit dans le *British Journal of Social Clinical Psychology* :

> Les femmes sont attirées par des hommes qui attisent leurs sentiments nourriciers ; des hommes qui ont une maturité sexuelle et une force dominante ; des hommes sociables, accessibles et de haut rang.
> Les hommes qui possèdent la combinaison optimale de traits, soit de grands yeux innocents, des pommettes saillantes, une mâchoire prononcée, un large sourire expressif, une tenue vestimentaire de belle coupe, sont plus séduisants que les autres[41].

Quelle est la carrure masculine préférée des femmes ? Les Américaines aiment les hommes moyennement bâtis, dont le haut du corps est plus large que le bas. Selon les études, elles préfèrent les corps en forme de V aux corps en forme de poire[42]. Les goûts cependant varient en fonction du rang social de la femme qui juge l'anatomie mâle. Les femmes qui sont au bas de l'échelle socio-économique aiment les hommes musclés. Les professionnelles qui ont de bons salaires trouvent les Monsieur Muscles carrément désagréables. Elles préfèrent les carrures mystérieuses, sveltes et délicates.

Quelle est la taille masculine préférée des femmes ? Notre culture nous porte à croire qu'il est préférable d'être grand. Chaque président élu depuis l'année 1900 était le plus grand des deux candidats. Le *Wall Street Journal* a rapporté que parmi les finissants universitaires, les plus grands (1 m 80 et plus) commençaient leur carrière avec un salaire moyen de 12,4 p. 100 plus élevé que ceux qui mesuraient 1 m 70 et moins. Cependant, dans l'arène sexuelle, les plus grands ne sont pas les meilleurs. Des femmes, grandes, petites et moyennes, ont considéré les hommes comme égaux dans toutes les catégories des attraits physiques à l'exception de la taille où ce sont les moyens qui ont remporté la palme.

Messieurs, en parlant de taille, il ne faut pas l'oublier. Ma seule source de référence est un article paru récemment dans un grand magazine pour femmes, intitulé : « Les femmes préfèrent-elles les grands pénis ? » L'article usait d'équivoques (de crainte que les conjoints ne tombent sur l'article et ne soient émotionnellement anéantis). Quoi qu'il en soit, la photo qui accompagnait l'article laissait la question ouverte. On y voit deux belles femmes se roulant à terre de rire et une amie qui leur montre un pénis de la grosseur d'un doigt de bébé.

## Ce qui attire les hommes

Les hommes ont plus de difficulté à déterminer les traits qui les attirent chez une femme. La réponse type est : « Bon., ben…, euh…, vous savez (grognements), euh…, sa beauté. » Mais un groupe de scientifiques résolus a persévéré et a réussi à identifier les traits féminins qui attirent le mâle moyen.

La minceur vient en première ligne. En analysant les annonces pour célibataires, les chercheurs ont découvert que, sur vingt-huit qualités désirables, c'est la minceur qui l'emporte[43]. Là encore, la réponse varie en fonction du rang social de l'homme et de sa personnalité. Les plus extravertis et ceux de rang social inférieur aiment les femmes qui ont une poitrine et des hanches généreuses. Les plus introvertis et ceux de rang social supérieur préfèrent les femmes plus menues.

On a montré à un groupe d'hommes de classes sociales différentes des photos de femmes nues aux charmes sensuels et des photos de belles femmes séduisantes bien vêtues. Tel qu'attendu, la plupart ont choisi les pin-ups pour le batifolage dans l'herbe et les femmes bien vêtues pour épouses. Mais un grand nombre d'hommes de la haute société ont préféré les femmes vêtues pour le batifolage ou un rendez-vous d'amour sur le siège arrière de leur Mercedes.

Malheureusement, aucune étude ne précise quels sont les traits du visage que les hommes aiment chez les femmes. C'est probablement parce que les hommes, comme c'est généralement le cas, ne prêtent pas attention aux détails comme les femmes le font.

Il y eut un temps où notre culture était obsédée par la symétrie. Mais ce temps est révolu. Au fil des ans, les hommes se sont tournés vers des femmes plus claires et les femmes vers des hommes plus foncés dont la catégorie a marqué le plus haut pointage. Toutefois, dans le bouillonnement de plus en plus rapide du creuset des nationalités, le stéréotype de la blonde aux yeux bleus et au visage d'ange n'est plus aussi remarquable. De nos jours, les grandes beautés sont très différentes. L'important, c'est le *look*! Et, heureusement, si vous n'êtes pas né avec un *look*, vous pouvez l'acquérir avec un peu d'intelligence, de l'imagination et une trousse de maquillage.

La seule généralisation qui peut être faite est que les hommes et les femmes préfèrent le teint clair, le corps svelte, les cheveux brillants, les dents égales et blanches et les yeux clairs, en d'autres termes, une beauté qui réfléchit la santé.

## Comment se donner une beauté aux yeux de l'être à conquérir?

La beauté n'est pas une entité objective. Comme dans l'exemple proverbial du son qui, dans la forêt, n'existe que s'il est entendu, la beauté n'existe que si elle est incarnée. La beauté est une perception, elle appelle un jugement. En laissant la coupe de cheveux, les habits et le maquillage à d'autres spécialistes, voici comment vous donner une beauté aux yeux de l'être à conquérir.

Quand je faisais mes recherches sur les attraits physiques, un ami m'a envoyé la vidéocassette d'une édition de l'émission *20/20* qui portait sur la séduction physique. Dans une séquence, on voyait une belle blonde séduisante (une actrice engagée par la chaîne de télévision ABC) au bord de l'autoroute, debout près d'une voiture soi-disant en panne. Les voitures et les camions s'arrêtaient dans un crissement de pneus strident. Les hommes risquaient leurs jambes et leur vie pour traverser les quatre voies au secours de la belle demoiselle en détresse. Des hommes se sont battus pour savoir qui serait le chanceux qui irait lui chercher de l'essence.

Dans la séquence suivante, on voit une autre actrice au bord de l'autoroute avec les mêmes habits et la même voiture en panne. Toutefois, la femme est moins séduisante, du moins selon les producteurs. Y a-t-il eu des crissements de pneus? Les hommes ont-ils traversé les quatre voies de l'autoroute pour lui venir en aide? Non. Les voitures filaient à toute allure. Une ou deux ont ralenti, les conducteurs, après avoir jeté un coup d'œil sur la fille, ont repris de la vitesse. Une voiture s'est arrêtée, mais le conducteur s'est contenté d'indiquer à la dame en détresse où aller chercher elle-même de l'essence.

Après, les hôtes ont interviewé les deux actrices assises côte à côte. J'ai pressé le bouton pause de mon magnétoscope pour observer les deux femmes de plus près. Je les ai examinées minutieusement l'une après l'autre et je les ai trouvées aussi belles l'une que l'autre. Je me suis dit que, étant une femme, je n'étais pas un bon juge. J'ai donc décidé de demander l'opinion d'un homme. J'ai montré l'image à un ami du sexe opposé qui a été du même avis que moi.

Qu'est-ce qui explique alors les réactions contraires? Nous avons revu ensemble les deux séquences et, soudain, mon ami s'est écrié: «Bon sang! Ça crève les yeux!» Il avait saisi le pourquoi et il trouvait *maintenant* que la première femme était plus belle.

Il a fallu que je revoie la séquence une troisième fois pour comprendre le mystère. En fait, la première actrice souriait aux conducteurs. Elle penchait la tête gracieusement, les épaules rejetées vers l'arrière, la poitrine bombée. Elle était rayonnante, pleine de vie, sûre d'elle et, par conséquent, très belle. La seconde était appuyée au capot de la voiture, l'air abattu et pitoyable. Elle n'établissait aucun contact visuel avec les conducteurs. Elle se tenait les bras croisés, cachant ainsi deux de ses meilleurs atouts.

Elle était malheureuse, renfrognée, indécise et, par conséquent, peu attrayante. Les belles femmes ont une façon différente de *se mouvoir*. C'est la base de la technique qui permet de se donner une beauté aux yeux de l'Autre, soit développer un langage corporel attrayant avec une belle maîtrise de soi. Des mouvements gracieux empreints d'enthousiasme vous mettront en valeur. La beauté est dans le mouvement.

---

**QUARANTE-SEPTIÈME TECHNIQUE**
**(pour les chasseresses)**
DES MOUVEMENTS GRACIEUX

Peut-on leurrer dame Nature? Non, mais vous pouvez leurrer un homme.

Il faut vous convaincre que vous êtes la plus belle créature sur Terre et bouger en conséquence.

Messieurs, est-ce qu'une technique similaire vous conviendrait? Oui. Les mouvements de votre corps exercent un impact certain sur les femmes.

---

Il n'y a pas longtemps, après une de mes conférences, un homme est venu me demander conseil sur la manière d'aborder les femmes. Il était bel homme, mais il se tenait debout devant moi, le dos voûté, les bras ballants le long du corps, les yeux à terre. Il voulait connaître les phrases d'introduction qui lui serviraient à aborder les femmes. J'aurais voulu le prendre par les épaules, le remuer et lui dire : « Il faut oublier ce que tu viens de dire ! Tu dois d'abord et avant tout améliorer ton langage corporel. » Les femmes sont attirées par des hommes virils, forts et qui respirent la confiance en soi.

---

### QUARANTE-HUITIÈME TECHNIQUE
#### (pour les chasseurs)
#### L'ALLURE D'UN PAON

Messieurs, il faut avoir une démarche assurée, un port de tête fier, une aisance hardie qui donne l'image d'un homme qui sait où il va.

Il ne faut pas hésiter à lui prendre le bras pour l'aider à traverser la rue, lui tenir la porte au moment où elle monte ou descend de la voiture ou tout autre geste galant aux charmes incontestés auprès des femmes.

---

Les études innombrables menées sur les attraits physiques et leur impact nous amènent à la technique inhabituelle suivante qui va sans aucun doute augmenter vos chances de trouver l'âme sœur.

## Comment augmenter vos chances de réussir l'assaut

Me croiriez-vous si je vous disais que, en tenant compte des résultats des études menées sur le sujet, vous pourriez plus que doubler vos chances de réussir la prochaine fois que vous irez à l'assaut d'un partenaire amoureux potentiel ? Il faut le croire !

Partout, dans tous les bars de célibataires, il y a des chasseurs qui sont abattus au moment où ils essaient de séduire une femme. Tous les soirs, il y a des chasseresses qui reviennent chez elles les mains vides, jetant des regards inquiets à leur horloge biologique. Il y a partout des hommes et des femmes qui aspirent à convoler en justes noces et qui n'apprécient plus de n'être encore et toujours que des acteurs de soutien aux mariages des autres alors qu'ils souhaitent être les acteurs étoiles de leurs propres noces. Pourquoi? Parce que la plupart des célibataires ne cherchent pas à la bonne place et aspirent à des conquêtes impossibles. Ces loups solitaires feraient aussi bien de hurler à la lune.

Comment améliorer ses chances de réussir? Il faut en premier viser des cibles de même niveau que soi en ce qui a trait aux attraits physiques. Messieurs, vous avez de la difficulté à détacher vos yeux des plus belles femmes qui sont sur les lieux. Vous essayez en vain de conquérir les plus séduisantes. N'êtes-vous point las d'avoir l'ego meurtri chaque fois que vous ébauchez un « salut » ? Mesdames, il est plus facile pour vous d'aller vers des hommes de votre niveau parce que vous êtes généralement plus sensibles aux qualités intérieures.

Il faut ensuite se regarder dans le miroir. (Vous pouvez vous permettre de tricher et vous refaire une beauté avant de passer devant le juge miroir.) Il faut s'observer de manière très objective et s'évaluer sur une échelle de un à dix. Si nécessaire, demander l'aide d'un ou d'une ami(e). Il faut ensuite jauger l'Autre et l'évaluer sur la même échelle de un à dix. Si la différence varie entre un et deux points, vous êtes compatibles. Si la marge est plus grande, mieux vaut trouver une autre proie.

Aimez-vous les baisers et les câlins ? Selon les psychologues et le résultat de recherches effectuées dans les soirées et dans les bars de célibataires, les couples aux attraits physiques correspondants, « beaux » ou « laids », sont plus démonstratifs et plus câlins. Les données révèlent que 60 p. 100 des couples assortis le sont, comparés à 46 p. 100 des couples moins assortis et seulement 22 p. 100 des couples non assortis.

Qui s'assemble se ressemble, dit le proverbe, du moins en ce qui concerne le plumage.

---

**QUARANTE-NEUVIÈME TECHNIQUE**
MIROIR, MIROIR, DIS-MOI QUI EST
LA PLUS BELLE ?

Pour augmenter considérablement vos chances de succès, il ne faut pas que la marge des différences physiques entre vous soit de plus de deux points sur une échelle de un à dix. Cette technique augmente aussi vos chances de connaître un bonheur plus durable.

---

Nous allons passer maintenant aux deux autres points sur l'échelle de l'équité, soit la situation financière (biens et argent) et le rang social (le prestige).

# CHAPITRE 27

# À la conquête
# des riches et célèbres

Pendant que je rédigeais cet ouvrage, je disais sur un ton assuré à tous ceux qui voulaient m'entendre que j'explorais ce qui, selon la science, amène les gens à tomber amoureux. Je demandais aux célibataires à la recherche de l'âme sœur quel était le type de partenaire amoureux qu'ils recherchaient. Après la première vague prévisible de réponses telles que: une personne tendre, aimante, intelligente, il y en avait une autre qui déferlait où le partenaire amoureux recherché devait être riche, puissant, cultivé et même de rang social élevé.

Ce chapitre touche un volet sensible, quelque peu embarrassant, mais le marché l'impose. Si vous êtes à la recherche d'un partenaire qui appartient à une classe bien supérieure à la vôtre, il faut des collets spéciaux. Les techniques présentées dans les chapitres précédents servent à donner l'impression d'être plus attrayant, plus intelligent, plus élégant, plus aimable. Nous allons maintenant présenter les techniques qui servent à donner l'impression d'être plus riche, plus raffiné, ou d'un rang social plus élevé.

## Une allure de riche

Quelle est la tenue de chasse qui convient à la poursuite d'une proie de race? De toute évidence, vous devez abandonner votre chemise hawaïenne et votre pantalon en polyester. Les oiseaux riches étudient leurs congénères avec des yeux de lynx. Une allure de riche va de la coupe de cheveux jusqu'aux orteils. Aucun détail ne doit être omis. Une coupe de cheveux chez le coiffeur le plus en vogue, une montre de grande marque, des bijoux en or. C'est visible.

Une paire de chaussures en solde de chez K-Mart jure avec des nippes de grands couturiers. Il vaut mieux arborer une paire de chaussettes à vingt dollars effrangée à la cheville qu'une nouvelle paire de chaussettes bon marché achetée à la caisse d'un libre-service.

---

### CINQUANTIÈME TECHNIQUE
DES NIPPES DE RICHE APPARENCE

Messieurs, faites-vous tailler un costume sur mesure. Assurez-vous que votre couturier connaît les détails délicieusement ésotériques des rabots, des fentes, des revers et des petits points.

Mesdames, vous pouvez choisir des vêtements de confection, mais assurez-vous qu'ils portent la marque visible d'un grand couturier.

Quand l'être à conquérir appartient aux hautes sphères de la société, rien de ce qui pare votre corps ne doit coûter moins de cent dollars, à l'exception possible des bas et des petites culottes.

---

## Un langage aristocratique

Un autre déterminant manifeste du rang social est le langage. Un langage de riches ne signifie pas étaler sa richesse en disant, par exemple: «Quand le chauffeur m'a déposée ce matin chez Elizabeth Arden, dans la Bentley...» Il s'*agit* au contraire de surveiller ses paroles et d'éviter le prosaïsme.

Certains euphémismes révèlent un statut social inférieur. En Angleterre, où les gens sont plus conscients des bonnes manières ou du moins en sont moins embarrassés, Nancy Milford, une écrivain, a publié un article sur le langage aristocratique ou le langage des *U* (Upper-Class) et le langage roturier ou le langage des *Non-U* (Non Upper-Class) [44].

L'article, à peine paru, a déclenché une frénésie nationale. Philip Toynbee a écrit dans le *London Observer* que cet article montre «comment distinguer ses amis des rustres». Milford donne des exemples de termes U et de termes Non-U. Ainsi, par exemple, un aristocrate anglais présentera ses salutations en posant la question-affirmation: «How do you do?» Un interlocuteur aristocrate répondra en reprenant la même question-affirmation, tandis qu'un roturier (ou un Non-U) fera la bêtise de répondre «très bien, merci» ou pire encore «heureux de faire votre connaissance».

L'utilisation des euphémismes caractérise le langage roturier. Les *Non-U* disent, par exemple, *fortuné* au lieu de *riche* et *papier hygiénique* au lieu de *papier de toilette*.

Est-ce que ces différenciations de classes existent en Amérique? Oui, malheureusement. Et c'est peut-être pire ici parce qu'elles ne sont pas ouvertement admises.

Si l'être à conquérir appartient à la crème de la société, il faut éliminer les euphémismes de votre langage et appeler les choses par leur nom. Il faut dire, par exemple, *toilettes* au lieu de *petit coin*, *pénis* au lieu de *zizi*, *vagin* au lieu de *chatte*, ainsi de suite. Lorsqu'il ou elle parle des bijoux de famille, il s'agit de bijoux soigneusement conservés dans un coffret de sécurité dissimulé derrière un pan de mur.

---

### CINQUANTE ET UNIÈME TECHNIQUE
#### UN LANGAGE ARISTOCRATIQUE

Pour leurrer des proies de race, vous n'avez pas besoin de mémoriser leur vocabulaire. Il suffit d'éviter les euphémismes et de ne pas oublier la technique de l'écho qui vous évitera un grand nombre de faux pas.

---

Il faut par ailleurs surveiller les intonations de la voix qui doit être basse, suave et *claire*. J'ai décidé un jour de parfaire ma voix et j'ai consulté à cet effet une amie actrice, Barbara, qui avait acquis les intonations parfaites et qui, de fait, exerçait le métier de commentatrice publicitaire hors champ pour les voitures de luxe et les bijoux.

Je savais que Barbara avait investi des milliers de dollars pour exercer sa voix. Je lui ai demandé son avis pour savoir si ça en valait la peine. « Oui, m'a-t-elle répondu, mais cela aurait pu se résumer en une phrase. » Elle m'a conseillé, d'une voix sublime, de prononcer clairement chaque syllabe des mots.

---

**CINQUANTE-DEUXIÈME TECHNIQUE**
UN LANGAGE ARISTOCRATIQUE

Le secret du langage des nantis est simplement de prononcer toutes les syllabes et de ne pas avaler la moitié des mots.

---

### Une conversation distinguée

La fréquentation des nantis exige de connaître les sujets qui les intéressent et qui les caractérisent, ceux qui sont *in* et ceux qui sont *out*. Ainsi, par exemple, les arts sont *in*, les questions monétaires sont *out*. (Après tout, quand on est riche, on peut acheter ce qu'on veut, quand on le veut, et le prix n'a pas d'importance.) Les actualités sont *in*, les convictions politiques sont *out*. Les hommages sont *in*, les taquineries sont *out*. Les loisirs sont *in*, les vocations sont *out*.

J'ai été invitée à quelques occasions (à titre de représentante de la classe ouvrière, j'en suis sûre) à des soirées où quelques personnes n'ont qu'un souci dans la vie, celui de repousser les organismes de bienfaisance qui leur réclament des dons. J'aime généralement parler de ma profession, mais j'ai appris que, dans ces soirées mondaines, il faut éviter de lancer des sourires amicaux et surtout de poser la question « qu'est-ce que vous faites dans la vie?», puisque la plupart de ces gens *ne font rien,* du moins pour gagner leur vie.

En présence de personnages illustres, il est clair que vous devez *savoir* ce qu'ils font. Il serait insultant de leur poser la question.

---

**CINQUANTE-TROISIÈME TECHNIQUE**
UNE QUESTION À BANNIR: QU'EST-CE QUE VOUS FAITES DANS LA VIE?

Il faut se développer l'oreille pour saisir les sujets de conversation appropriés. Les personnages de haute lignée et d'autres proies illustres ont des orteils sensibles qu'il faut éviter de piétiner.

«Qu'est-ce que vous faites dans la vie?» est une question à bannir. Elle vous déclasse aussitôt que vous la prononcez, même si elle est courante dans d'autres circonstances. l'instant où vous quittez votre lit le matin, il y a de fortes chances que la prochaine grande proie ne vous échappe pas.

---

## Un vocabulaire de standing

Les gens de riche descendance ont des vêtements de riches, des maisons de riches, des voitures de riches et un vocabulaire de riches. Ils n'ont pas nécessairement de grandes voitures, mais ils n'ont pas de petites voitures ordinaires. C'est la même chose pour les mots. Ils ne se servent pas souvent de grands mots, mais ils n'utilisent pas des mots communs.

Pour faire bonne figure dans le monde des nantis, il faut recourir à la technique que j'appelle le *thesaurus personnel.* Cette technique consiste à prendre les mots d'usage courant tels que, par exemple, *bien* et *bon.* Il est courant de dire «tu as l'air bien» ou «c'est une bonne idée». Puis, de leur trouver des synonymes dans le dictionnaire, et d'en choisir trois ou quatre qui correspondent à votre personnalité.

Chasseurs, la prochaine fois que vous voudrez complimenter une dame de la haute société sur sa beauté, vous lui direz:

«Suzanne, vous êtes *ravissante, saisissante* ou *sensationnelle*» ou «Oh, chère Suzanne, quelle *élégance!*»

Chasseresses, la prochaine fois que vous voudrez complimenter un intellectuel sur ce qu'il a accompli, vous lui direz: «Oh! Georges, vous êtes si *doué, plein de ressources* ou *ingénieux*» ou «Oh! Georges, quelle *finesse d'esprit!*»

Il faut adresser à ceux et celles qui vivent en grand des compliments flambeurs. Il faut cultiver votre thesaurus personnel de mots élégants qui épousent votre personnalité, puis les utiliser avec des amis ou des membres de la famille afin de bien les maîtriser, comme une nouvelle paire de souliers qu'il faut porter quelques fois pour assouplir le cuir. Vous ne tarderez pas à vous sentir à l'aise lors de vos conversations avec l'être à conquérir.

---

**CINQUANTE-QUATRIÈME TECHNIQUE**
LE THESAURUS PERSONNEL

Il faut se servir de mots riches pour évoquer de riches origines. Il faut d'abord les essayer comme vous essaieriez un beau collier, puis les laisser tomber de vos lèvres comme vous laisseriez tomber votre collier de perles.

---

# CHAPITRE 28

# Placer la barre plus haut

## Les atouts tangibles : le savoir, la personnalité, la beauté intérieure

Nous avons parlé jusqu'ici de la manière d'augmenter votre valeur marchande en jouant sur les attraits physiques, la situation financière et le statut social ou le prestige. Il s'agit des trois premiers atouts qui, selon les scientifiques partisans du principe de l'équité, influent sur l'amour. Ils sont certes importants, mais il y en a trois autres encore plus influents, soit le savoir ou les connaissances, les grâces sociales ou la personnalité et la nature intérieure.

Le développement des connaissances et du savoir est un engagement à vie qui procure des joies profondes. L'intelligence que l'on gagne est un atout puissant de séduction.

Un grand nombre de femmes, dont moi-même, ont un faible pour le type du professeur « mal fichu », une pipe à la bouche, portant un veston rapiécé aux coudes. Je suis tombée amoureuse un jour d'un homme que d'autres femmes qualifiaient de reclus pauvre et sans charme, mais qui était un génie de l'informatique. Son savoir m'avait impressionnée. Il avait beaucoup de choses à m'apprendre. Chasseurs, surtout dans le monde d'aujourd'hui, les femmes ont tendance à tomber amoureuses des hommes qui ont quelque chose à leur offrir sur le plan professionnel. Votre savoir est un aphrodisiaque pour les femmes intelligentes et ambitieuses.

Les grâces sociales ou la personnalité sont le cinquième atout qui vous donne une meilleure valeur sur le marché de l'amour.

Les techniques présentées tout au long de cet ouvrage servent à développer ces atouts. Il ne faut en négliger aucune.

Le dernier atout, mais non le moindre, est la nature intérieure. Le secret dans l'art de la séduction est de nourrir des pensées amoureuses, de donner sans attendre qu'on vous donne en retour, d'être sexuellement fidèle, financièrement responsable et personnellement flexible. La liste des qualités intérieures est interminable. Vous ne les avez probablement jamais considérées de ce point de vue, mais ce sont des atouts de bonne vente que vous apportez à la relation amoureuse. Tout acquis intellectuel, toute expérience vécue, toute qualité développée offre un avantage réel.

---

**CINQUANTE-CINQUIÈME TECHNIQUE**
LES IMPONDÉRABLES

Pour augmenter votre valeur marchande, vous ne devez jamais arrêter de vous instruire, de développer votre personnalité, de parfaire vos grâces sociales et, surtout, de nourrir vos qualités intérieures.

Il s'agit de balles en or pour percer le cœur de l'être à conquérir.

---

# CHAPITRE 29

# Les convaincre qu'ils sont amoureux de vous

## Lui accorder le plaisir de vous rendre service

Aimer et être aimé constitue un modèle compliqué de peines et de récompenses. Nous sommes heureux quand l'être qui nous est cher nous offre des présents ou nous rend des services, et nous avons autant de plaisir à lui rendre la pareille. Mais, selon le principe de l'équité en amour, nous avons tous, quelque part dans notre subconscient, *une fiche de pointage*. Qui en fait plus ? Est-ce qu'on est à égalité ?

Des actions égales ne signifient pas un prêté pour un rendu ! C'est le plaisir que procure le geste accompli. Chasseresses, si vous aimez un homme, il vous fera *plaisir* de l'accompagner à son travail quand sa voiture tombe en panne. Il vous en sera reconnaissant et vous vous sentirez récompensée. Chasseurs, si vous aimez une femme, il vous fera *plaisir* de lui offrir des fleurs. Son sourire sera votre récompense. Rien ne vous force à conduire votre homme au travail ou à offrir des fleurs à votre dulcinée. Vous le faites parce que vous *voulez* le faire.

Pourquoi ? La réponse est évidente. C'est, dit-on, l'amour qui nous guide.

Voilà un aspect fascinant du jeu de l'amour dont nous pouvons nous servir pour convaincre l'Autre qu'il ou elle est amoureux de nous. C'est la *théorie de la cohérence cognitive*. Selon cette théorie, les êtres s'efforcent de garder une cognition psychologiquement cohérente. Par conséquent, lorsqu'une incohérence surgit, ils s'efforcent d'y remédier. En d'autres termes, ils cherchent à agir en accord avec leurs convictions. Lorsqu'ils accomplissent quelque chose, ils veulent avoir le sentiment de le faire pour une bonne cause, parce qu'ils veulent qu'il en soit ainsi.

Souvent, le plaisir des bénévoles est d'offrir sans obligation leurs services pour une noble cause. Les études démontrent que plus le bénévole est stimulé dans sa tâche, plus il apprécie les efforts que déploie l'organisme pour lequel il se donne. En contrepartie d'une compensation financière, sa tâche ne serait plus un plaisir mais *une obligation*.

Les gens observent ce qu'ils font et ajustent instinctivement leur philosophie et leurs émotions. Ils assurent la cohérence cognitive en se disant : « Je travaille dur pour cet organisme. Je dois réellement croire en ses objectifs. » Mais s'ils se donnent corps et âme sans réellement y croire, ils doivent se rendre à l'évidence qu'ils sont soit stupides soit arnaqués. Or, personne ne veut agir ainsi. C'est la même chose en amour.

> Si vous accomplissez quelque chose pour quelqu'un, sans rien attendre en retour, vous devez être amoureux sinon vous ne le feriez pas pour le faire simplement… C'est ainsi que se réalise la cohérence cognitive[45].

Les gens ne se contentent pas d'observer les autres, ils s'observent aussi. La perception de soi et la perception émotionnelle résultent de l'observation des faits accomplis[46]. Ainsi, lorsqu'on accomplit quelque chose pour quelqu'un sans attendre de récompense, on se dit que c'est parce qu'on l'aime réellement.

Si vous vous levez de bon matin pour accompagner l'être cher au travail ou si vous offrez des fleurs à votre dulcinée, vous le faites assurément parce que vous êtes amoureux. Pourquoi le feriez-vous autrement ? Cela se traduit par la technique suivante qui sert à renforcer la perception de l'être à conquérir qu'il est amoureux de vous.

Je dois seulement vous avertir qu'il ne faut pas exagérer en ce sens, car vous risquez de renverser l'équilibre délicat de la relation. Si l'être à conquérir a l'impression de *trop* en faire, la relation risque de chavirer et de sombrer.

# Ô! Amour lyrique, mi-ange et mi-oiseau!

Où est l'amour pur, beau, désintéressé? Qu'en est-il des couples qui se promettent sincèrement un amour éternel?

Ce bel amour est bien sûr réalisable, mais en temps et lieu. En fait, l'amour lyrique chanté par Robert Burns et les données scientifiques fondamentalement réalistes et égocentriques en ce qui concerne l'amour ne sont pas totalement incompatibles. Un grand nombre de couples vivent heureux et amoureux, mais, si vous regardez au-dessus de leurs têtes, vous verrez dans le ciel une immense grille de cotation où sont marqués les apports de chacun qui, dans ces cas, sont généralement égaux.

Il y a souvent des valeurs subjectives que les gens de l'extérieur ne voient pas. La relation peut de ce fait leur paraître, à certains moments, inéquitable. Chez les couples engagés pour la vie, le principe « un prêté pour un rendu » ne s'applique plus sur une base quotidienne, hebdomadaire ou mensuelle. Il *arrive* que l'un des partenaires marque plus de points que l'autre pendant un certain temps comme, par exemple, la femme qui subvient aux besoins du couple pendant que le conjoint termine ses études de médecine. Par la suite, il est attendu que le conjoint finance à son tour les études de sa femme ou subvienne aux besoins de la famille pour égaliser le pointage.

Dans les relations amoureuses où l'un ou l'autre des partenaires marque à lui seul des points pendant une longue période de temps comme, par exemple, le partenaire qui prend soin de l'autre atteint de maladie ou vieillissant, ce sont les années passées ensemble qui deviennent les atouts qui alimentent la relation. Vous pourriez ne pas le voir ainsi, mais le conjoint qui prend soin de sa bien-aimée lui repaie les années de bonheur qu'elle lui a apportées au cours de leur relation amoureuse.

Deux personnes qui s'aiment et qui s'engagent pour la vie, c'est comme un bateau qui reste à flot même quand il roule. Il faut cependant qu'il penche de l'autre bord avant de se redresser et d'espérer voguer paisiblement sur les flots. L'un peut accepter que l'autre lui rende service ou lui offre des présents, mais il est sage de donner en retour pour maintenir les atouts à égalité.

Pourquoi ai-je accordé tant d'importance à la philosophie de l'équité? Parce qu'elle est le fondement des techniques conçues pour séduire le cœur de l'être à conquérir. En fait, toutes les techniques présentées dans cet ouvrage sont conçues pour promouvoir votre valeur au sein d'une relation amoureuse et amener votre partenaire potentiel à tomber amoureux plus rapidement et plus sûrement.

# CINQUIÈME PARTIE
## Le fossé qui sépare les hommes et les femmes

*Y a-t-il de l'amour après l'Éden ?*

# CHAPITRE 30
# J'espère qu'il ou elle
# n'est pas comme les autres

Avez-vous vu en 1977 le film *Annie Hall* ? La première fois que Diane Keaton rencontre Woody Allen, on voit la légende suivante apparaître au-dessus de sa tête : « J'espère qu'il n'est pas comme les autres ! » Lorsque deux personnes se rencontrent pour la première fois, cette pensée traverse immanquablement leur esprit.

L'amour naissant est une fleur délicate. Ses pétales minuscules sont souvent écrasés quand un des partenaires, par inadvertance, commet une bévue qui, au premier rendez-vous, risque d'éteindre la flamme. Une plaisanterie de mauvais goût, une boisson bue à grand bruit, une insulte involontaire, risque de faire avorter le décollage et de laisser la relation se consumer sur le bas-côté. Cependant, lorsque la relation est plus épanouie, ces mêmes bévues ne sont plus que des poches d'air un peu désagréables.

Nous allons explorer les maladresses qui caractérisent les hommes et les femmes, dont un grand nombre ne sont plus admises de nos jours. Le fossé qui séparait les hommes et les femmes s'est rétréci et certains actes autrefois considérés comme allant de soi sont à présent inadmissibles aux yeux du représentant du sexe opposé. À une autre époque, dans une autre société, au sein d'une autre économie, il était admis qu'un homme passe ses soirées du vendredi en compagnie de ses congénères ou fume le cigare à table. Par ailleurs, il était attendu que sa femme garde un sourire charmant en avalant la fumée qui l'asphyxiait. Il y eut un temps où la femme ne devait avoir d'autres aspirations que prendre soin du ménage et se contenter de « bavardages de femmes ». Les hommes, eux, laissaient les femmes à leur «babillage» et se retrouvaient au salon pour discuter de questions beaucoup plus importantes comme, par exemple, déterminer quel cigare a le meilleur goût.

Les temps ont heureusement changé. Les expressions de résignation telles que «les hommes sont les hommes!» ou «c'est digne d'une femme!» sont maintenant des motifs pour changer de cap sans tarder. À présent, les chasseresses recherchent des hommes sensibles, capables de partager leurs émotions, et les chasseurs rêvent d'une «super-femme» qui leur procure une compagnie agréable, des enfants magnifiques, une grande compassion et des orgasmes extraordinaires.

Est-ce qu'elle existe, cette race d'hommes sensibles et de super-femmes? La question est théorique, parce qu'il s'agit de la *perception* que l'être à conquérir se fait de cette race. Vous trouverez dans cette section les techniques qui vous permettent de convaincre l'Autre que vous êtes vraiment cet être extraordinaire, soit un homme sensible ou une super-femme.

Chasseurs, les expressions et les idées qui vous sont proposées dans cette section amèneront votre conquête à se dire: «Enfin, un homme sensible qui me comprend et à qui je peux parler.» Chasseresses, lorsque vos lèvres féminines prononceront les mots et exprimeront les sentiments qui vont suivre, il se dira: «Enfin, une femme raisonnable qui me comprend et avec qui je peux établir des rapports. Elle a quelque chose de vraiment particulier. Je dois être amoureux.»

Cette section est importante pour ceux et celles qui cherchent à captiver le cœur d'un être timide qui, souvent, s'enfuit aux premiers signes de comportements masculins ou féminins stéréotypés. Nous parlerons des maladresses courantes que les hommes et les femmes commettent lors des premiers rendez-vous et qui étouffent l'amour en éclosion. Puis, nous établirons comment éviter ces ornières ou, du moins, comment ne pas se faire mettre hors jeu pour une simple bévue.

## Je veux un homme avec qui je peux communiquer
## Je veux une femme qui raisonne comme un homme

Le fossé qui sépare les garçons et les filles apparaît très tôt dans l'enfance. Il est fréquent de voir les garçons, dans les garderies, se chamailler au milieu de la grande salle et les filles jouer autour ou bavarder entre elles.

Malheureusement, nous constatons ce même phénomène dans les soirées bourgeoises. Les hommes, au milieu de la scène, discutent de sport ou de politique et les femmes assises autour bavardent entre elles. Pourquoi ce clivage ? Simplement parce que les hommes aiment discuter de certains sujets et les femmes d'autres sujets. Par ailleurs, le parler des hommes est différent de celui des femmes.

Comment traduire ce clivage en technique de séduction ? Il suffit de rendre la conversation plus captivante aux yeux de l'Autre et, par conséquent, de trouver les sujets qui l'intéressent.

Chasseurs, pour captiver le cœur d'une femme, vous devez agir comme un homme, travailler comme un homme, marcher comme un homme, parler d'une voix profonde comme un homme, mais être *sensible* comme une femme et savoir discuter avec elle des sujets qui l'intéressent. Chasseresses, pour captiver le cœur d'un homme, vous devez avoir une allure féminine, un sourire feminin, dégager un parfum de femme, parler avec une douceur féminine, mais *raisonner* comme un homme et savoir discuter avec lui de sujets qui l'intéressent.

Messieurs, n'ayez crainte que l'on vous prenne pour des efféminés si vous exprimez une fine perception des gens et des émotions comme les femmes savent si bien le faire. Un discours féminin ne met pas en jeu votre virilité. Bien au contraire, vous y gagnerez des galons. Mesdames, un discours masculin ne peut nuire à votre féminité. Les hommes, bien au contraire, seront fascinés d'entendre des propos qui les intéressent venant de vos lèvres exquises. Vous serez à leurs yeux la plus fascinante de toutes. Y a-t-il plus beau compliment ?

Les modes de communication différents des hommes et des femmes ont fait l'objet de nombreux ouvrages qui facilitent une meilleure compréhension de leurs caractéristiques propres. Entre autres, je vous suggère la lecture des ouvrages de John Gray et de Deborah Tannen.

Dans le jardin d'Éden, Dieu a révélé une réalité froide et dure. Il a créé l'homme et la femme dissemblables. On peut se demander si, dans toute sa sagesse, il réalisait à quel point ces créatures seraient différentes!

John F. Kennedy a dit: «Si nous ne pouvons pas mettre fin à nos différences, nous pouvons du moins contribuer à ce que la diversité ne soit pas menacée.» C'est un sage conseil. Permettez-moi d'en modifier un seul mot.

Chasseurs, chasseresses, si nous ne pouvons pas mettre fin à nos différences, nous pouvons du moins contribuer à ce que *l'amour* ne soit pas menacé. Pour débuter, voici quelques stratégies utiles.

# CHAPITRE 31

## Qu'est-ce qu'un discours masculin ?
## Qu'est-ce qu'un discours féminin ?

Malgré des dénégations répétées, il est clair que les hommes et les femmes aiment discuter de sujets différents. Les commentaires portant sur les différences entre les deux sexes sont, dans la plupart des cas, des généralisations, mais il est indéniable que les femmes centrent leurs intérêts sur les êtres et les hommes sur les choses. Les hommes aiment parler de voitures, de gadgets, d'outils, de la manière dont les choses sont faites, de la façon dont elles fonctionnent et de la façon dont ils les contrôlent. Les plus intellectuels donnent au terme *choses* un sens plus large qui inclut les idées et les concepts. Néanmoins, ils discuteront de leur fonctionnement, de leurs effets, de la manière de les modifier ou de les contrôler ! Leur échange d'idées ressemble à un jeu de cartes. C'est à qui détiendra le meilleur atout. Chasseresses, il n'est pas conseillé aux femmes d'emprunter cet aspect compétitif du discours masculin. Mais effleurer des sujets touchant au sport, aux voitures, à la politique ou aux ordinateurs accroît vos chances de bien communiquer avec le sexe opposé. Si vous pouvez discuter sur un ton badin de scies et de perceuses électriques, vous serez, aux yeux de certains, une femme réellement fascinante.

Du temps où j'étais à l'école, les modes de communication différents des garçons et des filles ne faisaient l'objet que de quelques études obscures. Ma mère, elle, savait par intuition quelle était l'origine de ce fossé communicationnel. Les garçons aiment parler de voitures et les filles, des garçons. Ces divergences n'avantageaient pas les filles lors des sorties en tête à tête.

Après un rendez-vous désespérément silencieux, je me suis retrouvée en larmes dans les bras de ma mère. Je lui ai dit que je n'avais pas été capable de trouver un seul sujet de conversation et que j'étais restée figée de timidité. Ma mère a caressé mes cheveux et séché mes larmes et elle m'a promis une belle surprise pour le lendemain. J'avais confiance en elle et j'attendais un miracle, car s'il lui fallait me décrocher la lune pour me donner du bagout, elle le ferait.

---

### CINQUANTE-SEPTIÈME TECHNIQUE
**(pour les chasseresses)**
EFFLEURER LE DISCOURS MASCULIN

Il faut explorer le fossé communicationnel. Chasseresses, vous devez maîtriser les sujets qui touchent aux concepts, à la politique, aux objets, aux gadgets, aux sports et autres sujets d'hommes.

Il faut lui montrer que vous êtes intelligente, mais toujours avec *modération*.

---

Ma mère m'a certes tirée d'embarras. Mieux que la lune, elle m'a acheté un livre sur les derniers modèles de voitures. Je suis devenue experte en la matière et capable de discerner les caractéristiques des différents modèles. Je pouvais même discuter de ce qui se passe sous le capot. Ainsi, lorsque la conversation glissait (ce qui est inévitable) sur les carburateurs, les alternateurs, les arbres à cames et les collecteurs d'échappement, je pouvais en suivre le cours avec aisance. Mon assurance auprès des garçons s'est trouvée décuplée. Chasseresses, vous pourriez ne pas trouver intéressant de discuter de voitures, de sports, d'affaires ou de politique, et préférer discuter de psychologie, de philosophie, de relations amoureuses, de comportements ou de courants, mais vous serez plus fascinante aux yeux de l'être à conquérir si vous êtes capable de lui servir phénomènes et chiffres.

Au cours d'un de mes séminaires, un homme m'a avoué que la raison qui l'a poussé à inviter pour la première fois sa compagne était une discussion qu'ils avaient eue à savoir lequel du joint à glisse ou des tenailles à bouts arrondis était un outil de base. Il a ajouté, bien sûr, que c'était *lui* qui avait eu raison. Chasseresses, vous devez faire preuve d'intelligence quand vous abordez des sujets masculins sans, pour autant, vous montrer plus intelligentes que les hommes. Est-ce que ces conseils vous semblent dater des années cinquante? Bien sûr, mais ils n'en demeurent pas moins pertinents. Je l'ai appris à mes dépens.

Le soir du bal des finissants, à son arrivée, mon cavalier m'a épinglé un petit bouquet de fleurs au corsage. Je lui ai pris la main et nous sommes montés en voiture. Il a voulu mettre le moteur en marche, mais en vain. Grâce au livre que ma mère m'avait offert, j'ai vite deviné la cause de la panne. Je suis descendue de voiture et j'ai vérifié le moteur pour m'en assurer. Sans consulter mon compagnon, j'ai arrêté un taxi, non pour aller au bal, mais pour emprunter au chauffeur des câbles de démarrage. Chancelant sur mes premiers souliers à talons hauts, j'ai attaché les câbles à la batterie vide de la voiture et j'ai remis le moteur en marche. J'étais persuadée que mon compagnon serait impressionné. Il ne m'a jamais rappelée.

J'ai raconté dernièrement cette histoire à un ami qui a spontanément exprimé de la sympathie envers mon cavalier. Il faut se rendre à l'évidence que, malgré certaines situations d'égalité, il y en a qui ne changeront jamais.

---

### CINQUANTE-HUITIÈME TECHNIQUE
**(pour les chasseurs)**
#### EFFLEURER LE DISCOURS FÉMININ

Chasseurs, il faut donner à votre conversation une tournure plus psychologique et parler en termes de gens, de sentiments, de philosophie, de raisonnement et d'intuition.

Il faut que vos idées soient plus encourageantes et moins compétitives.

---

Chasseurs, voici une suggestion similaire. Vous devez sonder les émotions avec prévenance. Les femmes ont en général une excellente perception des gens, de leurs problèmes et de leurs réactions à diverses situations. Elles aiment discuter de santé, d'art, d'épanouissement personnel et parfois aborder la spiritualité. En parlant de leur travail, elles sont portées à analyser le mode de travail des individus au sein d'un groupe, à décrire les composantes d'un environnement de travail agréable et positif, et non à déterminer qui est au haut ou au bas de l'échelle.

Messieurs, procurez-vous un magazine de psychologie ou tout autre que beaucoup de femmes instruites lisent. C'est un excellent moyen pour acquérir des données sur les sujets qui intéressent la gent féminine.

Une règle générale a toujours des exceptions. Il y a des hommes qui aiment discuter des aspects plus profonds des relations humaines, et des femmes qui aiment discuter de politique. Ces oiseaux rares sont faciles à repérer mais difficiles à saisir. L'homme perspicace et la femme clairvoyante sont très entourés.

# CHAPITRE 32

# Qu'est-ce que tel
# ou tel sujet éveille en vous ?

Les femmes développent très jeunes une intuition stupéfiante. Elles saisissent le moindre changement d'intonation
ou d'expression. Elles sont expertes en matière d'émotions.
L'homme, en revanche, ne remarque un visage triste que lorsque
les larmes inondent sa cravate.

C'est sans doute la raison pour laquelle les femmes discutent
de sentiments, sujet rarement abordé par les hommes (réellement
nuls dans le domaine). Les amies, entre elles, explorent les émotions que telle ou telle situation éveille en elles. La seule fois où
les hommes parlent d'*émotions en eux éveillées*, c'est quand ils racontent à leurs copains leurs exploits sur le siège arrière de la voiture
dans les bras d'une belle fille.

Chasseurs, vous apparaîtrez comme un oiseau rare si vous
posez la question suivante à la femme qui vous parle: «Qu'est-
ce que tel ou tel sujet éveille en vous?» Vous pouvez la lui poser
quel que soit le sujet abordé. Elle vous décrit sa maison, elle vous
raconte ce que sa sœur a fait, ce que son père a dit, ce que son amie
lui a demandé, elle vous parle de son emploi, de ce que son patron
a dit ou de ce que ses collègues ont fait…, quel que soit le sujet, il
éveille en elle des émotions dont elle est plus consciente que vous
et qu'elle exprime plus clairement.

La technique pour amener une femme à vous percevoir
comme un homme réellement sensible est la suivante.

Chasseresses, vous est-il possible de poser cette même question à un homme? Bien sûr, quoiqu'il risque, surtout au début de la relation amoureuse, de la considérer hors de propos et d'y répondre par un ou deux mots vagues que, vous, vous jugerez plutôt cassants. C'est un mauvais départ. Il doit être clair que les hommes ne sont pas habitués à parler d'émotions de prime abord, comme vous n'êtes pas habituées à penser en termes de compétitivité.

Supposons que vous bavardez avec un homme et que vous lui racontez que vous avez été promue plutôt qu'une de vos collègues. Sa première réaction serait de vous demander: «Comment avez-vous fait pour l'évincer?» Sa question vous laissera interdite. Votre dialogue intérieur dit: «Je ne l'ai pas *évincée*. J'ai obtenu la promotion parce que je la méritais.» Vous allez bien sûr lui répondre poliment, mais le caractère masculin compétitif de sa question vous rebutera.

Les femmes sont moins compétitives. Elles aiment gagner mais ne tirent pas une joie particulière de la défaite de l'autre. «Comment avez-vous fait pour l'évincer?» n'est pas une question qui les touche.

De même, «Qu'est-ce que cela éveille en vous?» n'est pas une question qui touche les hommes. Il est recommandé de ne pas prendre de risques et d'éviter une telle question à l'aube d'une relation amoureuse, à moins d'être en présence d'un de ces oiseaux rares qui aiment explorer leurs émotions.

**SOIXANTIÈME TECHNIQUE (pour les chasseresses)**
IL NE FAUT PAS EXPLORER LES « ÉMOTIONS »
AU DÉBUT D'UNE RELATION AMOUREUSE

Chasseresses, il faut attendre que le bateau prenne une vitesse de croisière ou de sentir que l'être à conquérir est un être réellement sensible avant de vous jeter à l'eau et de lui demander ce que telle ou telle situation éveille en lui. Sinon, vous risquez de faire chavirer le bateau avant le départ.

# CHAPITRE 33

# Excusez-moi,
# pouvez-vous me dire où...

L'étude des différences entre les *Homo sapiens* mâles et les *Homo sapiens* femelles ne serait pas complète si nous n'abordions pas l'entêtement des premiers à ne jamais vouloir demander leur chemin à un étranger. Une des raisons, j'en suis sûre, qui ont poussé la NASA à embaucher des femmes astronautes est qu'il y aurait ainsi quelqu'un pour demander si nécessaire des indications aux habitants des autres planètes.

---

### SOIXANTE ET UNIÈME TECHNIQUE
**(pour les chasseresses)**
### MIEUX VAUT ERRER À L'AVENTURE

Chasseresses, si d'aventure, en compagnie de l'être à conquérir, vous vous perdez en chemin, ne lui suggérez surtout pas de demander des indications à un étranger. Mordez-vous la langue bien fort s'il le faut.

Jamais, *au grand jamais,* ne prenez la liberté de le faire vous-même, il se sentira grandement diminué.

---

De par sa nature, un homme au volant est incapable d'ouvrir la fenêtre et de demander son chemin à un passant, même s'il est complètement désorienté. La femme qui crie à l'étranger par-dessus sa tête humiliée « Hé! Nous sommes perdus. Je crois que nous avons manqué le bon tournant », est perdue sans la grâce de Dieu, car l'homme traduit ainsi ses paroles : « C'est lui la poire qui nous a mis dans ce pétrin. C'est cet idiot incompétent et impotent qui, maintenant, ne veut pas nous en sortir. » Chasseresses, si vous cherchez le chemin de son cœur, laissez-lui les rênes du carrosse où que cela vous mène.

Chasseurs, l'inverse est vrai pour vous. Si vous appliquez la technique suivante, votre conquête saura qu'elle est en compagnie d'un oiseau rare.

---

**SOIXANTE-DEUXIÈME TECHNIQUE**
**(pour les chasseurs)**
MIEUX VAUT DEMANDER SON CHEMIN

Chasseurs, si vous êtes perdu, obligez votre dame. Enfermez votre ego dans le coffre à gants avec les cartes routières. Ouvrez la fenêtre et demandez votre chemin. Vous n'en mourrez pas !

---

# CHAPITRE 34

# De grâce,
# épargnez-moi les détails !

Petites filles, nous tissions des romans sur la vie de nos poupées, tandis que les petits garçons étaient incapables d'improviser une seule excuse quand ils étaient pris sur le fait. Aujourd'hui, les filles de tout âge, de neuf à quatre-vingt-dix ans, ont une conscience encore aussi aiguë des choses.

Je l'ai constaté encore une fois l'automne dernier. Je faisais de la bicyclette avec mon ami Phil, le long d'un sentier sinueux à Cape Cod, dans le Massachusetts. Nous nous sommes arrêtés à un moment donné pour étudier la carte. Un beau couple est arrivé dans la direction opposée. Ils étaient tous les deux bronzés et d'allure sportive. Je leur ai fait signe d'arrêter et je leur ai demandé le chemin qui mène à Oceanview Drive.

La femme s'est aussitôt lancée dans une longue description: «Oh! c'est un sentier magnifique. Avancez encore de cinq cents mètres environ, ou plutôt huit cents mètres. Le sentier est bordé de beaux grands arbres aux branchages ombrageants. Les feuilles commencent à changer de couleur. Le sentier est un peu tortueux mais relativement plat. Un peu plus loin, sur la gauche, il y a une grande maison blanche…»

Son ami l'a brusquement interrompue et nous a dit: «Suivez le sentier jusqu'au bout, tournez à gauche et vous y êtes.»

Tandis qu'ils s'éloignaient, nous les avons entendus se disputer. Elle devait lui reprocher de l'avoir interrompue, et lui, lui dire que ses remarques étaient hors de propos et qu'elle était trop volubile.

En pédalant le long du beau sentier, je me suis demandé ce qui aurait pu se passer si j'avais été seule à bicyclette ce jour-là et que j'avais rencontré ce cycliste séduisant, seul lui aussi? Aurions-nous communiqué autrement? Je lui aurais probablement demandé mon chemin comme je l'ai fait. Mais, réflexion faite, s'il s'était contenté de m'indiquer brièvement le chemin, je n'aurais pu que le remercier et poursuivre ma route.

J'aurais certes préféré que le bel inconnu me décrive la beauté du sentier, ses sinuosités, ses courbes, les arbres qui le bordent et la couleur des feuilles comme son amie l'avait fait. Nous aurions eu l'occasion de bavarder plus longuement.

En sortant de mes rêveries, j'ai demandé à Phil ce qu'il aurait fait s'il avait été seul à bicyclette et s'était retrouvé face à la belle jeune femme, seule elle aussi. Quelle réponse aurait-il souhaité obtenir en lui demandant son chemin? Phil a répondu sans hésitation aucune.

— En premier lieu, je ne lui aurais jamais posé une telle question.

— Très bien, ai-je répondu, mais qu'aurais-tu fait si tu *avais été* réduit à cette humiliation?

— Je n'aurais pas apprécié son babillage. J'aurais préféré qu'elle me donne de brèves indications.

— Comme l'a fait son ami?

— Ouais!

Implacable, j'ai poursuivi:

— Si la jeune femme avait souhaité entamer une conversation plus longue, qu'aurait-elle dû faire?

— Tu m'énerves, Leil, je ne sais pas!

Mais Phil savait à mon expression que je ne lâcherais pas prise avant d'avoir obtenu une réponse. Il a donc ajouté:

— Elle m'aurait adressé un compliment voilé que la conversation aurait changé de cours et aurait pris une tournure plus personnelle.

— Qu'est-ce que tu entends par un compliment voilé?

— Eh bien, dit-il d'un ton songeur, elle aurait dit: «C'est un long chemin... Mais vous semblez en très bonne forme physique.»

— Oh! Phil, arrête!

— Non, vraiment, je ne plaisante pas.

## SOIXANTE-TROISIÈME TECHNIQUE
### (pour les chasseresses)
### LES FAITS, RIEN QUE LES FAITS

Chasseresses, il faut éviter les longues explications et lui épargner les menus détails.

Si vous voulez prolonger le dialogue et donner à la conversation un ton plus personnel, adressez-lui un petit compliment voilé.

Chasseurs, il faut éviter cette technique. Vous risqueriez de paraître trop direct aux yeux des femmes en adoptant trop vite un ton plus personnel. En revanche, vous pouvez prolonger le dialogue en donnant de plus amples détails.

Et, après cinq ou dix minutes de conversation, il est parfaitement logique de lui proposer une activité comme, par exemple, d'aller prendre un café ensemble.

## SOIXANTE-QUATRIÈME TECHNIQUE
### (pour les chasseurs)
### PEINDRE UN BEAU TABLEAU

Chasseurs, au lieu de vous demander avec inquiétude quelle phrase d'introduction choisir pour aborder une femme, apprenez à étoffer vos paroles, à élaborer sur le sujet et à donner d'amples détails. Si vous lui plaisez physiquement, elle sera ravie de vous entendre lui décrire telle ou telle chose. Brossez-lui une belle image qui la séduira.

# CHAPITRE 35

## Dis-moi ce qui ne va pas
## (Non, ne me le dis pas)

Le pont suspendu qui enjambe le périlleux fossé communicationnel est composé d'autres cordes dont l'une consiste à trouver comment éviter que les nœuds de l'amour ne se défassent quand l'Autre est contrarié.

La solution est plus simple pour les chasseurs. Il leur suffit d'apprendre une seule phrase. Messieurs, quand elle a l'air soucieux, fâché, préoccupé ou contrarié, posez-lui la question magique: «Veux-tu en *parler*?»

Messieurs, quand un ami est contrarié, vous vous contentez de lui donner une tape de sympathie sur l'épaule en lui disant: «Tu vas voir, ça va bien aller. Il ne faut pas t'en faire.» Mais, si vous consolez ainsi votre conquête, elle se dira: «Quel homme insensible, c'est une brute qui ne veut pas que je l'ennuie avec mes problèmes.»

Il faut au contraire lui assurer que vous êtes là pour elle. Même si elle ronchonne: «Non, je ne veux pas en parler», vous ne devez pas lâcher prise. Vous devez insister: «Dis-moi ce qui ne va pas, tu te sentiras mieux après. Fais-moi partager tes sentiments.» Le barrage finira par céder. Vous serez inondé par tout ce qu'elle a sur le cœur. Contentez-vous alors de l'écouter sans mot dire.

Vous devez lui prêter une oreille féminine, soit une oreille attentive ni plus ni moins. L'écoute pour les hommes consiste généralement à ôter la cire de leurs oreilles le temps de rassembler les données qui leur permettront d'offrir des solutions. Les femmes ont besoin de s'épancher. Il faut laisser votre conquête se vider le cœur. Et, quand le fleuve de ses griefs ne sera plus qu'un mince filet d'eau, vous pourriez chercher à éclaircir les choses et, peut-être, lui offrir quelques suggestions pour lui démontrer que ses problèmes vous tiennent à cœur. Mais ce n'est pas à vous de les résoudre. Ce n'est pas votre responsabilité. Vous ne devez pas avoir le sentiment qu'elle vous reproche quoi que ce soit. Vous devez simplement lui prêter une oreille attentive.

---

### SOIXANTE-CINQUIÈME TECHNIQUE
**(pour les chasseurs)**
DIS-MOI CE QUI NE VA PAS

Chasseurs, lorsque votre conquête est contrariée, il faut insister pour qu'elle s'épanche et lui prêter une oreille attentive. Vous y gagnerez des galons d'amour.

---

Mesdames, quand votre bien-aimé est contrarié, troublé ou en colère, vous n'avez tout simplement rien à dire. Il faut garder le silence et respecter le sien comme l'aurait fait un ami. Les hommes ne sont pas habitués à partager leurs émotions, et insister pour qu'il s'épanche, c'est lui demander l'impossible.

L'autre avantage à respecter son silence est de ne pas être associée à son malheur. Une fois l'orage passé, vous serez son refuge contre la tempête intérieure dont il a souffert, au lieu d'en faire partie.

Vous pouvez lui faire savoir que vous êtes là pour le soutenir et que ses soucis vous tiennent à cœur. Vous pouvez lui dire, par exemple: «Je vois bien que tu es contrarié. *Si tu veux en parler,* je serai là pour t'écouter.» Ni plus ni moins. Vaquez ensuite à vos affaires. Son silence ne doit pas vous affecter. C'est, de sa part, vous démontrer du respect en ne vous accablant pas du fardeau de ses soucis.

---

### SOIXANTE-SIXIÈME TECHNIQUE
**(pour les chasseresses)**
LE SILENCE EST D'OR

Chasseresses, si quelque chose le contrarie, ce n'est pas votre faute. Ne l'enfumez pas pour le faire sortir de son terrier. Ne lui reprochez pas de ne pas vous en parler.

Faites-lui savoir que vous serez là s'il veut partager ses émotions, mais laissez-le libre de se terrer jusqu'à ce qu'il soit prêt à émerger seul de son trou.

---

# CHAPITRE 36
## Quel est le plus court chemin
## du point A au point B ?

**« La ligne droite ! », répond-il**
**« Une courbe légère ? », demande-t-elle**

Les femmes ont une habitude particulièrement agaçante aux yeux des hommes, soit celle d'évoquer ce qu'elles aiment ou n'aiment pas sans en faire expressément mention. L'automne dernier, j'étais allée me promener un dimanche en voiture avec Suzanne et Jacques qui sortaient ensemble depuis peu. J'étais assise à l'arrière.

Après une heure de route, Suzanne s'est tournée vers Jacques et lui a demandé :

— Aimerais-tu t'arrêter pour un café ?

— Non, lui a-t-il répondu.

Légèrement vexée, Suzanne s'est tournée vers moi pour me lancer un coup d'œil entendu. Nous nous sommes contentées de hausser les épaules, quelque peu dépitées.

Peu après, Suzanne a demandé à Jacques :

— Est-ce qu'on va bientôt longer une aire de repos ?

— Je n'en suis pas sûr, lui a-t-il répondu.

Une dizaine de kilomètres plus loin, il a passé à toute vitesse devant un café à l'enseigne indiquant en grosses lettres « Café chaud et frais ».

Suzanne s'est tournée vers moi, les yeux ronds de surprise demandant : « Est-ce possible ? » Puis elle s'est calée dans son siège, les bras fermement croisés, en proie à une vive contrariété. Pauvre Suzanne. J'ai finalement décidé d'intervenir.

— Heu! Jacques, je crois que Suzanne aurait aimé s'arrêter et prendre un café.

— Pourquoi ne me l'a-t-elle pas dit? a demandé Jacques sincèrement confus.

— Mais je te l'ai dit! a protesté Suzanne.

— Je n'ai pas dû t'entendre, Suzanne.

Je sentais que Jacques commençait à se demander si sa nouvelle amie n'était pas un peu lunatique.

— Nous allons nous arrêter au prochain restaurant.

Jacques s'est-il montré insensible? Pas du tout. Il n'a fait que répondre littéralement aux questions de Suzanne. Voulait-il du café? Non. Y a-t-il un restaurant non loin sur la route? Il n'en était pas sûr.

La réaction de Suzanne était-elle excessive? Pas du tout. Si Jacques avait réellement ignoré ses désirs comme elle le croyait, elle aurait eu tous les droits d'être contrariée. Mais il ne l'a pas ignorée sciemment. Il n'a fait que suivre un raisonnement masculin.

Lors des premiers rendez-vous, les Suzanne et les Jacques plongent tête première dans le fossé communicationnel. Un grand nombre en émergent blessés, se jurant de ne plus jamais sortir avec l'Autre.

Les touristes avertis qui visitent Rome prennent la précaution d'apprendre quelques mots d'italien pour ne pas que les Romains les ignorent. Des chasseurs et des chasseresses avertis doivent apprendre quelques tournures de phrases propres au partenaire du sexe opposé afin de ne pas le rebuter par inadvertance.

---

### SOIXANTE-SEPTIÈME TECHNIQUE
### (pour les chasseresses)
### ALLER DROIT AU BUT

Chasseresses, il faut vous rendre à l'évidence que vos questions sont prises à la lettre. Si vous voulez obtenir quelque chose, vous devez dire «Je veux» et non «J'aimerais». Si c'est vous qui voulez quelque chose, ne parlez pas au nom de l'Autre en disant: «Aimerais-*tu*... ou «Penses-*tu* qu'on devrait...»

---

Messieurs, c'est tout le contraire pour vous. Ainsi, par exemple, vous faites un long trajet en voiture et vous avez envie de vous arrêter pour déjeuner. Au lieu de dire «j'ai faim» et de prendre la première sortie qui mène à un restaurant, demandez-lui si elle aimerait manger quelque chose. Elle vous posera probablement la question : «As-tu envie de manger ?» Vous répondez par l'affirmative et vous lui demandez ce qu'elle aimerait manger. Vous lui laissez le temps de réfléchir. *Ensuite*, vous pourrez prendre la sortie qui vous mène au restaurant le plus proche.

---

**SOIXANTE-HUITIÈME TECHNIQUE**
**(pour les chasseurs)**
EMPRUNTER DE LÉGÈRES COURBES

Chasseurs, il faut lui demander son avis au lieu de lui imposer le vôtre. Quand votre conquête vous pose une question, ne la prenez pas au pied de la lettre. Sachez lire entre les lignes pour saisir ce à quoi elle fait allusion. Quand elle vous demande «aimes-tu...», cela signifie qu'elle aimerait.

---

# CHAPITRE 37

# Peux-tu m'aider à... ?

Ce qui est bon pour les uns peut être mauvais pour les autres. Je l'ai appris à mes dépens, il y a quelques années. Un ami, Georges, m'aidait à faire quelques rénovations dans la maison. Ce samedi après-midi, il était à la cuisine en train de fixer de nouvelles moulures et moi j'étais au salon luttant avec les fils électriques d'une vieille lampe.

Je jetai un coup d'œil à Georges assis en tailleur, l'air découragé. Il semblait avoir du mal à ajuster les moulures aux angles. Il avait l'expression déçue d'un enfant qui découvre que les pièces de son jeu ne s'emboîtent pas. Je suis allée le retrouver gaiement et je lui ai dit :

— Georges, j'ai une boîte à onglets au sous-sol. Ça te facilitera la tâche. Je vais aller la chercher.

— Non, m'a-t-il répondu, ça va aller comme ça. Merci quand même.

Étonnée qu'il n'ait pas été plus réceptif à mon offre, je suis retournée à mes fils électriques. Mais j'avais de la difficulté à ôter la gaine isolante. J'en ai voulu à Georges de ne pas me proposer de m'aider.

C'est alors que j'ai remarqué qu'il posait les moulures avant de les teindre. J'ai de nouveau affiché un sourire et je me suis précipitée dans la cuisine pour lui dire :

— Tu sais, Georges, j'ai un restant de teinture au sous-sol, ce serait une bonne idée de teindre les moulures avant. Tu n'auras plus à craindre de salir le plancher après.

Georges, qui est habituellement d'humeur égale, m'a dit d'un ton brusque :

— Leil, veux-tu me faire confiance et me laisser travailler en paix?

— Bien sûr, ai-je balbutié, je voulais simplement t'aider.

— Tu m'aiderais plus en restant hors de la cuisine à faire… ce que tu as à faire, m'a-t-il répondu avec quelques décibels de plus dans la voix.

— Ce que j'ai à faire! lui ai-je dit les larmes aux yeux. Je suis là à lutter pour réparer cette maudite lampe et toi, un expert en électricité, tu es assis là, ne remarquant même pas le mal que j'ai à venir à bout de ma tâche et me laissant aux prises avec tous ces fils sans lever le petit doigt pour m'aider. Merci bien! Et je suis sortie en furie de la cuisine. Une mauvaise scène.

Le soir, les émotions calmées, nous avons discuté de notre prise de bec. J'ai soulevé le sujet en disant à Georges que la lampe était réparée (je me suis retenue pour ne pas lui dire que ce n'était pas grâce à lui), mais que ça n'avait pas été une partie de plaisir. Puis je me suis aventurée à lui demander pourquoi il n'était pas venu m'aider. Il a répondu:

— Je ne suis pas venu t'aider, Leil, parce que *je te fais confiance*. Je voulais te montrer que je te savais capable de le faire toi-même.

Ah! La belle révélation! Bien sûr, Georges voulait sentir que je lui faisais confiance pour fixer les moulures. Il est difficile de croire que des êtres intelligents et évolués puissent être aussi primitifs et investir leur ego dans l'accomplissement de bricolages mineurs. Et pourtant, ils le font. À l'inverse, en voulant que Georges m'aide, j'exprimais le désir féminin de le voir manifester de l'attention pour ce que j'accomplissais.

C'est à présent bien imprimé dans ma tête. Les hommes veulent qu'on leur *fasse confiance,* les femmes veulent sentir qu'on *s'intéresse* à elles.

Chasseresses, jusqu'à ce que vous soyez notifiées du contraire avec accusé de réception dûment signé et retourné, vous devez assumer que votre conquête est le type même du mâle qui veut qu'on s'en remette à lui pour bien faire tout ce qu'il y a à faire. Le conseil suivant peut sembler antiféministe, mais il est malheureusement d'actualité. Il ne faut jamais, au grand jamais, donner des conseils à un homme qui accepte de vous aider, même s'il essaie de réparer le robinet qui coule avec du ruban adhésif et que vous connaissez dix autres moyens plus efficaces de le faire. Il faut vous tenir bien coite.

---

**SOIXANTE-NEUVIÈME TECHNIQUE**
**(pour les chasseresses)**
SE TAIRE ET LE LAISSER FAIRE

Chasseresses, lorsque l'être à conquérir vous aide à faire quelque chose, il faut éviter de lui faire des remarques, quelles qu'elles soient, même s'il s'y prend mal. Il faut afficher un sourire appréciateur, à moins que ce ne soit une question de vie ou de mort. Au pire des cas, courez vers un endroit d'où il ne peut pas vous entendre et hurlez à tue-tête s'il le faut: «Stuuuupiiiiiide, ce n'est pas comme ça qu'il faut faire!»

---

Je vous jure, chasseresses, que vous serez ainsi plus heureuses et que votre relation n'en souffrira pas. (Rien ne vous empêche de faire venir le plombier plus tard.) Et l'être cher ne vous reprochera jamais de ne pas lui avoir fait confiance. Un grand nombre de relations sont tombées à l'eau pour des raisons moins graves.

Chasseurs, la morale de cette malheureuse histoire est à l'inverse pour vous.

---

**SOIXANTE-DIXIÈME TECHNIQUE**
**(pour les chasseurs)**
PARLER ET LUI VENIR EN AIDE

Chasseurs, une femme en difficulté a besoin de votre aide. Il faut aller vers elle et lui demander si vous pouvez l'aider. À la différence de vos congénères, elle n'assumera pas que vous mettez en doute ses capacités. Elle interprétera votre geste comme une attention que vous lui portez, et comme quoi vous prenez ses problèmes à cœur.

---

Chasseresses, vous attendrez longtemps si vous espérez qu'il vienne de lui-même vous offrir son aide. Le type même du mâle, comme Georges, hésitera à vous proposer son aide de peur de vous insulter. C'est à vous de l'obtenir.

# CHAPITRE 38
## Les petits mots gagnants

Chasseresses, il faut surveiller vos paroles quand vous lui demandez son aide. Les subtilités du langage qui suintent du fossé communicationnel sont infinies. Supposons, par exemple, que vous êtes sur la plage en compagnie de votre conquête. Vous sortez vos lunettes de soleil du sac, et la petite vis qui retient la monture tombe. Vous relevez la tête vers votre ami et vous lui demandez d'un ton suave : « Pourrais-tu me les réparer ? »

---

**SOIXANTE ET ONZIÈME TECHNIQUE**
**(pour les chasseresses)**
VOUDRAIS-TU ET NON POURRAIS-TU

Chasseresses, c'est d'une grande subtilité, mais quand vous lui demandez une faveur, mieux vaut lui dire *voudrais-tu* que *pourrais-tu*. La bête compétitive en lui perçoit le *pourrais-tu* comme un défi et non comme une requête pour obtenir ses services inestimables.

---

S'il vous prend les lunettes des mains et, d'un ton bourru, vous lance : « Bien sûr que je peux les réparer ! », vous pourriez penser qu'il est un peu brusque. En réalité, il n'a pas saisi le sens que vous donniez à votre requête. Son cerveau mâle traduit le *pourrais-tu ?* par un es-tu *capable* de le faire ?, donc comme un défi voilé.

Il serait plus perspicace de lui demander : « *Voudrais-tu* me les réparer ? », ce qui laisse supposer qu'il est bien sûr capable de le faire et lui offre l'occasion de se montrer galant.

Chasseurs, trois mots vous permettront de captiver son cœur et de la convaincre que vous êtes vraiment un oiseau rare. Il faut lui demander de s'asseoir avant de les prononcer, parce qu'une femme est si peu habituée à les entendre de la bouche d'un homme qu'elle risque de s'effondrer (il est fort probable qu'elle s'effondre... dans vos bras).

Si quelque chose ne tourne pas rond dans votre relation ou si vous avez semé le trouble d'une manière ou d'une autre, il suffit d'oser dire... *« je suis désolé »*.

Les femmes le disent souvent, même trop souvent. Les hommes, jamais. (Le dernier exemple d'un homme qui a dit «je suis désolé» remonte à 1907, à Atlanta, en Géorgie. Après des recherches plus poussées, il s'est avéré qu'il s'agissait d'un conférencier dénommé Rory qui a voulu se présenter alors qu'il avait la bouche pleine.)

---

### SOIXANTE-DOUZIÈME TECHNIQUE
**(pour les chasseurs)**
« JE SUIS DÉSOLÉ »

Chasseurs, il faut avoir le courage de dire «Je suis désolé» quand vous semez le trouble dans la relation. Elle vous sera tellement reconnaissante que vous ne le regretterez pas.

---

# CHAPITRE 39

# Y a-t-il des eaux dangereuses dans le fossé qui sépare les hommes et les femmes ?

Chasseurs, chasseresses, nous n'avons vu que la pointe de l'iceberg des différences entre les hommes et les femmes. Après des décennies de dénégation, les scientifiques ont finalement tourné leurs instruments vers cette merveille d'antan. Plus ils fouillaient ses profondeurs, plus ils réalisaient que le glacier s'enfonçait à des lieues au-delà de notre conscience.

Il ne faut pas laisser votre bateau frapper un iceberg comme le malheureux Titanic. Il ne faut pas laisser votre relation s'abîmer sur une de ces différences acérées entre hommes et femmes. Une relation amoureuse nouvelle est une embarcation fragile qui peut se détacher en morceaux à la moindre secousse. Chaque fois qu'un partenaire amoureux potentiel frappe la partie émergée de votre personnalité, il ou elle doit se méfier de la partie immergée, souvent la plus importante, composée de différences périlleuses. Il faut le ou la guider adroitement à travers ces périls, ou du moins attendre que votre relation soit bien soudée et que vous soyez sur des mers plus calmes pour les affronter.

# SIXIÈME PARTIE
## Les relations sexuelles

*Comment allumer l'électricité sexuelle*

# CHAPITRE 40
## Les zones érogènes

Il y a quelques années, lorsque vous mettiez la main sur un roman érotique, ne tourniez-vous pas les pages rapidement pour arriver aux parties les plus suggestives ? Tout le monde l'a fait. Vous, moi et un million d'autres jeunes ont, à l'âge de la puberté, déchiffré les mêmes paragraphes.

Nous voici rendus aux chapitres croustillants. Vous pouvez dire aux jeunes qui rôdent autour de votre bibliothèque, « voilà la partie *grivoise* de cet ouvrage ». Il y est question de caresses, de massages, de pénétration des zones féminines et masculines les plus érogènes. Ils découvriront tous les coins et recoins des organes les plus érotiques du corps humain et ce qui excite *réellement* les adultes.

Toutefois, vous avez intérêt à prévenir les mômes aguichés qu'ils risquent d'être déçus parce qu'il sera fait très peu mention des organes génitaux comme tels. Il ne s'agit pas de savoir comment caresser le pénis ou exciter le clitoris pour séduire. Il est beaucoup plus important de savoir comment pétrir et masser la zone la plus érogène de toutes, soit *le cerveau*. En acquérant une parfaite maîtrise de la manipulation du cerveau, vous aurez en main une clé magique qui vous ouvrira les portes de l'amour.

Permettez-moi seulement d'ajouter que les méthodes suggérées ne visent pas à vous assurer une satisfaction sexuelle personnelle à vie, elles consistent principalement à éveiller *chez votre partenaire* une euphorie sexuelle ultime qui l'amènera à tomber amoureux de vous. C'est, après tout, le but de cet ouvrage.

principale. Nous parlons, non de ce qui se passe derrière les portes closes des chambres à coucher des voisins, mais de ce qu'ils *souhaitent* qu'il s'y passe. Cela laisse autant de possibilités qu'il y a d'hommes et de femmes dans le monde.

Certains aiment la rudesse, d'autres la tendresse. Certains aiment la dureté, d'autres la finesse. Certains aiment la grivoiserie, d'autres la prévenance. La variété des désirs est stupéfiante.

Il y en a qui rêvent aux stars de cinéma, aux meilleurs amis de leur partenaire, à d'autres couples, à des partouses à trois, quatre ou plus, à des violeurs séduisants et même, à l'occasion, à un berger allemand. Ce sont les fantasmes normaux de gens normaux.

J'en ai pris conscience par hasard dans les années soixante-dix, quand j'ai fondé *The Project,* un organisme à but non lucratif chargé de rassembler des données sur les désirs sexuels des gens. Mes collègues et moi-même avons étudié, pendant plus de dix années, des données recueillies auprès d'hommes et de femmes de toutes conditions sociales. Grâce à la méthode utilisée pour rassembler l'information, méthode basée sur les lettres détaillées que nous recevions et non sur des questionnaires arides, nous avons monté des psychodrames pour présenter intelligemment au public les diverses situations. Nous avons eu des participants qui, ordinairement, ne se seraient pas joints à l'étude. Nous avons présenté nos conclusions à des organismes tels que l'American Society for the Scientific Study of Sex. Des publications importantes, entre autres le *Time, Psychology Today* et le *London Times,* ainsi que les principales chaînes de télévision, ont élogieusement commenté notre travail. Cette publicité fortuite a mis en relief les principes élevés et la confidentialité du programme. Les gens, mis en confiance, nous ont dévoilé leurs désirs les plus profonds. Nous avons reçu des milliers de lettres détaillées sur les états d'âme, les comportements et les atouts sexuels recherchés chez le partenaire idéal.

# CHAPITRE 41

# Il n'y a pas
# deux sexualités pareilles

Nous avons tous des goûts différents en ce qui concerne la nourriture, les films, les livres, les loisirs, les lieux de vacances et ainsi de suite. En fait, nous mettons de l'avant nos choix culinaires ou nos préférences culturelles, mais nous hésitons à faire part à l'Autre de nos désirs sexuels.

On trouve chaque mois dans les revues et les magazines de vastes généralisations au sujet de ce que «chaque» homme veut et de ce à quoi «chaque» femme réagit. Mais toutes les femmes ne rêvent pas d'un homme qui entrelace des roses dans leurs poils pubiens et tous les hommes ne sont pas électrisés à la vue d'une femme nue, enroulée dans du Saran Wrap, tapie derrière la porte de la chambre à coucher. La sexualité, comme les empreintes digitales, est propre à chacun.

Les conseils généraux sur la manière de devenir un bon amant peuvent être utiles à monsieur ou madame tout le monde. Mais vous n'êtes pas monsieur ou madame tout le monde. Votre partenaire non plus. Vous partagez le lit d'un être unique et, pour le séduire sexuellement, vous devez découvrir les désirs qui le caractérisent.

Le chasseur qui réussit à découvrir ce que veut le petit enfant timide tapi à l'intérieur de son élégante et belle conquête vaincra toute concurrence. La chasseresse qui, comme Mata-Hari, réussit à extraire les secrets sexuels enfouis dans le cœur de son bel homme courtois aura en main la clé qui lui ouvrira les portes de son cœur.

Avez-vous l'impression que nous nous aventurons dans les petites ruelles du sexe? Pas du tout. Nous sommes sur l'avenue

## Les désirs sexuels féminins, les désirs sexuels masculins

Quelle est la différence? Elle est considérable en ce qui concerne les fantasmes sexuels, et plus encore en ce qui a trait au rôle qui y est accordé au partenaire.

Fondamentalement, les fantasmes des hommes sont plus extrêmes et plus variés que ceux des femmes. Leurs désirs sont reliés à des actes et à des comportements spécifiques. Les hommes ne portent que peu ou pas d'intérêt à la personnalité et aux émotions de l'Autre. Les fantasmes masculins impliquent souvent un contrôle (un partenaire qui contrôle l'autre). Une de nos conclusions les plus fascinantes est que les hommes peuvent se détacher de la réalité au cours du rapport sexuel et se dispenser de jouer la comédie beaucoup plus que les femmes. (Chasseresses, nous allons revoir cette singularité en parlant des techniques spécifiques pour séduire le cœur d'un homme.)

En contraste, les fantasmes sexuels féminins sont plus compliqués. Ils réfèrent souvent à un partenaire qui n'est pas nécessairement celui qui partage leur couche, et misent surtout sur les relations des personnes qui en sont l'objet. Les rêves érotiques d'une femme incluent les sentiments de son partenaire et ses propres réactions physiques et émotionnelles à ce qui se passe. Dans les fantasmes féminins, à la différence des fantasmes masculins, l'atmosphère et l'ambiance de la rencontre jouent un rôle important. Les femmes, contrairement aux hommes, n'éprouvent pas le désir de faire part de leurs fantasmes à leur partenaire. (Chasseurs, faites attention! Les émotions chaudes et l'amour ont un rôle important dans les fantasmes féminins.)

## Comment expliquer ces différences?

Pourquoi les femmes ont-elles tendance à relier amour et sexe? Les anthropologues l'expliquent en termes de génétique. La femelle doit lutter pour assurer l'unité de la famille afin que les enfants puissent grandir bien nourris et bien protégés.

Les sexologues l'expliquent en termes de vécu. Notre persona et nos désirs sexuels, comme notre personnalité, sont forgés dans l'enfance, principalement entre cinq et huit ans. Au cours de ces années de formation, les petites filles expérimentent plus d'affection que les petits garçons. Les mères, les pères, les tantes, les oncles et même les ami(e) s de papa ou maman cajolent les petites filles et les embrassent. Les petites filles vont s'asseoir sur les genoux de papa pour l'étreindre, ce que les petits garçons font rarement. Il est naturel que, lors de ces câlins, une petite fille ressente ses premières émotions érotiques.

Les petits garçons ne reçoivent pas autant de câlins et de baisers. Ils expérimentent l'affection d'une autre manière. Une tape dans le dos, une salutation enjouée, un «Salut, l'ami!» avec une main posée sur l'épaule. C'est ce qui exprime l'amour pour les petits garçons. Ils apprennent même à éviter les démonstrations d'affection et les baisers en public.

En passant devant la cour d'une école, un matin, vers huit heures, j'ai vu une mère arriver avec ses deux enfants (une fille et un garçon, âgés de sept et huit ans). La maman tenait sa fillette par la main et le garçon trottait devant elles. À la porte, la maman s'est penchée pour embrasser et étreindre sa petite fille qui s'est accrochée à son cou en lui disant: «Au revoir, Maman, à tout à l'heure!», puis elle est partie en trottinant rejoindre ses amies.

La maman s'est ensuite penchée pour embrasser son garçon qui s'est raidi et, le bras levé en bouclier devant le visage, lui a dit: «Non, Maman, s'il te plaît, tout le monde nous regarde!» La maman a souri et lui a dit: «O.K., mon grand, sors donc tes poings!» Ils ont échangé quelques coups enjoués puis le garçon est parti rejoindre sa sœur dans la cour d'école.

Les petites filles n'évitent pas les contacts physiques en jouant ensemble. Elles vont se tresser les cheveux ou s'étreindre quand elles ont peur. Les petits garçons vont se battre ou «se tirer dessus» en jouant aux soldats, aux voleurs ou aux cow-boys et aux Indiens. Est-ce étonnant alors que les filles grandissent en assimilant l'amour aux baisers et aux caresses et que les garçons grandissent en l'assimilant à des jeux de bataille et de pouvoir?

## D'autres différences

Le plus frappant cependant entre les hommes et les femmes, tel que les lettres reçues l'illustrent, n'est pas ce qui concerne leurs fantasmes mêmes, mais ce qu'ils veulent en *faire*.

Il est curieux de noter que les fantasmes sexuels des hommes et des femmes sont à l'opposé de leurs stéréotypes dans la vie réelle. Dans le quotidien, la femme aime partager ses sentiments et l'homme préfère garder ses pensées pour lui-même. Toutefois, dans le contexte sexuel, les hommes aiment faire part à la femme de leurs fantasmes sexuels et certains éprouvent le désir irrésistible de les réaliser avec elle.

## Comment se servir des différences pour captiver son cœur

Chasseresses, les hommes relient étroitement ego et sexe. Les pensées terre à terre de l'homme, telles que: «Qu'est-ce qui se passe dans cette relation?», «Où me mènera-t-elle?», «Que représente cette femme pour moi?», «Qu'est-ce que je représente à ses yeux?», interfèrent avec le désir, lire la *virilité*. Un grand nombre d'hommes ont appris à suspendre la réalité au cours de l'acte sexuel. Si ce qui se passe au lit n'est pas suffisant pour les garder en érection, ils laissent leur imagination faire le travail. La performance des hommes est meilleure quand ils oublient les complexités de leur relation amoureuse et abandonnent leur imagination et leur corps au sexe *cru*. Étant donné que l'homme se sent plus viril dans les bras d'une femme qui partage son comportement et ses fantasmes sexuels, il sera plus à même de tomber amoureux d'elle.

Chasseresses, le plan consiste à explorer d'abord les données du sexe cru, puis à présenter la technique pour déterrer les fantasmes fondamentaux de l'être à conquérir et, finalement, à découvrir comment faire votre jeu de ses fantasmes et l'amener à tomber amoureux de vous.

Chasseurs, en ce qui concerne la technique, faites-leur voir des feux d'artifice au lit et vous n'en serez que plus aimés. Cependant, les femmes ne vous diront que rarement ce qui les satisfait réellement de peur de blesser votre ego. Elles préfèrent jouir de leurs fantasmes dans l'intimité de leur esprit. Quand vient le moment de choisir un partenaire à vie, la femme est plus susceptible de tomber amoureuse et d'être sexuellement attirée par un homme qui satisfait ses fantasmes sexuels et relationnels à la fois. La technique et la relation amoureuse donnent ensemble une *chaude sensualité*.

Chasseurs, pour vous, le plan consiste à vous donner des conseils pertinents dans le domaine du «Comment faire» et les techniques requises pour déterrer les fantasmes relationnels de votre conquête. L'amalgame des deux vous permettra de lui faire connaître cette chaude sensualité dont elle rêve.

La sexualité, comme les empreintes digitales, est propre à chacun. Il y a cependant des différences fondamentales dans la manière dont les hommes et les femmes la perçoivent. Avant de tourner notre télescope vers les besoins sexuels spécifiques de l'être à conquérir, nous allons observer l'univers des similarités.

Le chapitre suivant comprend certes des généralisations, mais nous devons d'abord établir les différences sexuelles entre les hommes et les femmes sur une base solide afin d'être en bonne position pour explorer le terrain unique des désirs propres à l'être à conquérir.

# CHAPITRE 42

# Adieu la règle d'or...
# sous les couvertures

La *règle d'or* dit: Ne fais pas à autrui ce que tu ne voudrais pas qu'on te fasse. C'est une bonne règle de conduite à suivre au travail de 9 h, à 17 h, et avec les amis de 17 h à 21 h. Mais après avoir rentré le chien, mis la voiture au garage, éteint les lumières et sauté dans le lit auprès de votre amoureux, *il faut l'oublier !*

Elle est source de troubles dans le contexte sexuel. Trop souvent, l'homme fait l'amour à la femme comme lui aime le faire (il est parfois trop brusque, trop rapide ou trop peu romantique) et la femme fait l'amour à l'homme comme elle aime le faire (elle est parfois trop lente, trop romantique ou trop émotionnelle). Or, il faut vous débarrasser de la règle d'or dans les bras de votre conquête. Afin de ravir et de captiver son cœur, la femme doit faire l'amour à l'homme comme l'*homme* le veut et l'homme doit faire l'amour à la femme comme la *femme* le veut.

Nous avons tous lu que les hommes aiment les rapports sexuels chauds et sensuels et que les femmes préfèrent les rapports passionnés et tendres. Alors, pourquoi revenons-nous instinctivement à la règle d'or dès que les lumières sont éteintes? Pourquoi nous entêtons-nous à ne pas faire à autrui ce qu'on ne voudrait pas qu'on nous fasse, au lieu de donner à l'être à conquérir ce qu'il ou elle veut?

Il est évident que la lecture des manuels spécialisés et des ouvrages populaires qui soulignent les différences sexuelles entre hommes et femmes ne nous a pas apporté grand-chose. Les hommes continuent d'éteindre la flamme sexuelle de la femme en adoptant leurs techniques triple-X sans romantisme aucun et les femmes continuent d'exaspérer et d'ennuyer les hommes avec les doux besoins de leur point G. Comment résoudre ce dilemme?

## La luxure au masculin, l'amour au féminin

Chasseurs, la dernière fois que vous avez fredonné le refrain mâle favori «C'était aussi bien pour toi, ma chérie?», elle a probablement susurré «Mmm, c'était merveilleux». Mais le pensait-elle vraiment? Ne se disait-elle pas plutôt: «Ouais, pour les cinq minutes que ça a duré!» ou pire: «Quel ronfleur!» Peut-être aurait-elle souhaité que vous fassiez plus ou moins de bruit, que vous poussiez plus ou moins fort, que vous soyez plus ou moins rude, que vous soyez plus ou moins expressif, que vous lui caressiez un point précis où c'est *réellement* bon et non tel autre qui, *selon vous*, lui procure du plaisir. Elle ne vous l'a probablement pas dit. Vous ne devez pas la blâmer. Elle sait qu'il y a beaucoup de votre ego investi dans le sexe, et elle ne veut pas vous blesser. De plus, si elle est comme la plupart des femmes, elle avait certainement en tête un fantasme qui lui donnait du plaisir pendant que vous éjaculiez joyeusement. Peut-être étiez-vous la star de son film érotique secret et peut-être que non. Mais, même en vous donnant le rôle principal, vous seriez dans son imagination cet homme qui dit, qui pense et qui agit autrement que vous.

Pendant des générations, les fantasmes sexuels n'étaient pas du ressort des femmes. Puis, dans les années soixante-dix et quatre-vingt, le sujet a pris une soudaine ampleur à la suite de la publication des ouvrages de Nancy Friday. Au début des années quatre-vingt-dix, il était dorénavant admis que les femmes aient des fantasmes. Les sexologues ont étudié et analysé les fantasmes féminins, et des vidéocassettes ont paru sur l'éducation sexuelle des femmes, leurs fantasmes et les différences sexuelles entre hommes et femmes. Il a été clairement dit que les hommes et les femmes aiment les rapports sexuels ardents et tendres à la fois, sauf que les hommes donnent préférence à l'ardeur et les femmes à la tendresse.

Comment faire l'amour à une femme et les différences qui caractérisent la Vénusienne et le Martien quand ils se rendent des visites terrestres sous les draps sont des questions qui ont fait l'objet de nombreux ouvrages. Est-ce que les hommes les lisent? Oui. Est-ce qu'ils en tiennent compte? Non, du moins si vous avez entendu les mêmes témoignages que moi. Les femmes que j'ai rencontrées et que j'ai interviewées pendant des heures m'ont toutes posé la même question, soit: pourquoi l'homme ne peut faire l'amour comme on voudrait qu'il le fasse? Un grand nombre d'entre elles sont lasses de feindre le grand orgasme.

Aux portes du deuxième millénaire, les hommes ont exploré la surface de la lune mais le corps de la femme les ahurit toujours. La plupart des hommes ignorent encore comment satisfaire sexuellement une femme, mais ils *veulent* tous être des amants parfaits et donner du plaisir à leurs partenaires. Il y va de leur honneur. Chasseurs d'amour, être un bon amant est un facteur important de séduction. Comment y arriver?

# CHAPITRE 43

# Chasseurs, faites-lui l'amour
# comme elle veut être aimée

Permettez-moi d'entreprendre ce chapitre en vous disant que je ne me fais pas d'illusions et que quelques paragraphes explicatifs de plus ne vont pas changer les habitudes sexuelles des hommes. Même les manuels aux schémas explicites n'ont pas appris aux hommes comment masser avec douceur les points féminins névralgiques. Les preuves accablantes à l'effet que les femmes ont soif de caresses, d'idylle, de passion, de sensibilité et de force au lit n'ont rien changé aux habitudes souvent lapines du mâle.

Un grand nombre de rapports ont établi que les hommes ont besoin d'aide et qu'il faut prendre des mesures plus draconiennes. Si, après avoir soigneusement lu des ouvrages tels que *Comment faire l'amour à une femme* et *Comment satisfaire une femme,* le mâle moyen continue d'épuiser la pénétration en moins de douze minutes, il lui faut l'aide que voilà.

## Un cours privé d'une heure qui changera votre vie

Une image vaut mille mots. Une image animée vaut mille images figées. Messieurs, faites le calcul. L'expérience d'une heure que je vous suggère vaut un million de mots.

Le cerveau humain oublie très vite les mots lus, mais les images d'un film ou d'une vidéo s'impriment dans la mémoire. Messieurs, si vous voulez parfaire l'amant en vous, vous avez un avantage unique sur vos aïeuls, vos pères et même vos frères aînés. Vous avez maintenant à votre portée des films érotiques produits par des femmes.

Si les livres ne vous ont rien appris, l'érotisme au féminin saura combler vos lacunes! *Fem-porn* met en relief les subtilités de l'érotisme vues par les femmes. À la différence des films pornographiques masculins, les films érotiques produits par des femmes montrent comment elles aiment être embrassées et caressées, quels sont les mots qui attisent leurs désirs et les gestes qui les embrasent.

À quoi ressemblent ces films? C'est de la pornographie douce et romantique, mais non point du fait de la censure. Il n'y a pas de lois accablantes, ni une pruderie crispée, ni de refoulement. Les productrices ne cherchent pas à cacher quoi que ce soit. L'érotisme au féminin, c'est comment la femme aime qu'on lui fasse l'amour.

Il y a de bons films, des films médiocres et d'autres purement et simplement bêtes. Ils contiennent tous cependant des éléments qui correspondent aux désirs sexuels réels des femmes. La trame y est plus compliquée que dans les films pornographiques masculins. La sensualité ardente remplace le sexe cru. Des liens émotionnels, et même de l'affection, rattachent les partenaires. Les visages pris en gros plan sont expressifs. (Il faut noter, messieurs, que vos expressions attisent le désir de la femme au cours du rapport sexuel.) Le dernier élément mais non le moindre est qu'on y montre les points sensibles de la femme et les caresses qui lui brûlent le corps. Les images reflètent les besoins et les désirs réels des femmes.

Dernièrement, en visionnant un film pornographique masculin pour les besoins de cet ouvrage, j'ai été prise de fou rire. Le héros mâle béait de satisfaction au plaisir qu'il s'imaginait procurer à sa partenaire en lui triturant impitoyablement le clitoris de son majeur. Heureusement pour la pauvre fille qu'il restait à quelques millimètres de son point G, sinon sa douleur aurait été atroce. Messieurs, l'avantage de regarder des films érotiques produits par des femmes est qu'il n'y a pas de pornographie dure. Vous y trouverez des conseils pratiques comme, par exemple, comment enfiler délicatement votre préservatif.

Parmi les productrices de films érotiques, il y a entre autres Candida Royalle, Gloria Leonard et Deborah Shames. Voici un aperçu de ce que chacune vous offre pour vos prochaines soirées-ciné. Les films de Candida Royalle mettent en relief les techniques du toucher et des caresses. Dans les films de Gloria Leonard, l'humour et le sexe vont de pair. Des films de Deborah Shames, vous apprendrez à créer l'atmosphère qu'il faut pour séduire le cœur de votre partenaire.

L'essentiel est que ces films vous donnent les principaux éléments qui attisent les désirs de la femme, soit l'humour, l'idylle, la tension progressive, les caresses sûres mais lentes. Ils décrivent ses attentes au lit, à table, dans l'ascenseur ou sur la plage.

Dans une scène, par exemple, vous verrez une femme sortant d'un bain mousseux, une expression d'ennui sur le visage parce qu'elle doit assister à un bal de charité. Elle ouvre le tiroir de sa chiffonnière et choisit un chemisier en dentelle blanche. Au moment où elle s'apprête à nouer le petit nœud en satin, des bras protecteurs l'entourent de derrière. Elle sent la chaleur d'un baiser sur sa nuque. Les mains, d'un mouvement assuré, défont le petit ruban rose et le chemisier tombe à terre. L'étranger, en silence, dessine lentement des courbes autour de ses mamelons d'un auriculaire fort et sensible.

Vous serez tentés, messieurs, d'avancer le film plus vite pour arriver à la «bonne partie». N'en faites rien, parce que c'est cette partie du film où sont définis les lieux, l'intrigue et les personnages, qui *est* aux yeux des femmes la «bonne partie».

L'érotisme au féminin établit un lien étroit entre le sexe et l'amour. L'excitation des femmes n'atteint son paroxysme que quand elles se sentent aimées et appréciées, et c'est ce qu'on retrouve dans les films érotiques. Les hommes ne peuvent s'empêcher de se demander pourquoi les femmes ne sont pas capables de se contenter d'un rapport sexuel pur dépourvu de romantisme. Eh bien, messieurs, pour une femme, le rapport sexuel *est* amour ou, du moins, une relation amoureuse. En vous aimant, elle vous désire plus. Et en l'aimant, vous attisez son désir.

Toutes les études le prouvent. Un psychologue de l'université de la Louisiane a mené une étude dans le cadre de laquelle il a lu une même histoire érotique à un groupe d'hommes et de femmes, puis il leur a demandé de commenter le texte. La partie qui a marqué les hommes a été celle où il était dit que la femme « s'agrippe au dos de l'homme et l'entoure de ses jambes », alors que celle qui a marqué les femmes a été celle où il était dit « ils se regardaient dans le fond des yeux ».

Dans les films pornographiques masculins, tout le monde est beau, tout le monde est ardent et tout le monde jouit. Dans les films érotiques, tout le monde est aimant, tout le monde est sensible et tout le monde est passionné. En visionnant des films érotiques produits par des femmes, vous saisirez la différence et vous verrez de vos propres yeux comment faire l'amour à une femme comme *elle* le désire.

Chasseurs, si les mots écrits n'ont pas eu d'effet sur vous et si l'expression *faire durer le plaisir* n'a pas été comprise, essayez les films érotiques. En regardant la progression cinématographique prolongée du plaisir, vous allez finir par comprendre qu'il faut ralentir vos préludes et développer votre technique.

---

### SOIXANTE-TREIZIÈME TECHNIQUE
#### (pour les chasseurs)
### L'ÉROTISME AU FÉMININ

Chasseurs, il y a une nouvelle race de femmes qui a décidé de faire connaître au monde ce qui attise le désir des femmes.

Il faut vous débarrasser des films pornographiques masculins qui ne font que renforcer votre désinformation, opter pour les films érotiques produits par des *femmes cinéastes* et... prendre des notes.

---

Messieurs, si c'est votre ami qui tient la vidéothèque et si vous craignez qu'il se moque de vous si vous demandez des titres à l'eau de rose tels que *Le secret de Christine* ou *Un goût d'ambroisie*, le mieux serait de les commander par la poste.

## Un autre cours accéléré pour les hommes

Messieurs, si vous n'avez pas de magnétoscope, tout n'est pas perdu. Vous pouvez trouver des données intéressantes sur la stimulation érotique féminine dans les romans érotiques écrits par des femmes.

Savez-vous que vingt-cinq millions de personnes achètent régulièrement des romans à l'eau de rose? Les livres Harlequin viennent en tête de liste. Si vous croyez que seules les femmes ordinaires éprouvent un plaisir sexuel infini à la lecture de ces romans, vous vous trompez. La majorité des lectrices sont éduquées et ont un salaire moyen de quarante mille dollars par année. Chaque mois, il y a cent cinquante nouveaux titres en librairie dont le héros est généralement un bel homme, un bel inconnu taciturne, un homme d'affaires sans merci qui fond à la vue de sa dulcinée ou même un homme rose.

Chasseurs, je vous conseille d'aller faire un tour chez votre libraire. S'il le faut, dites à la caissière que vous voulez acheter ces livres pour votre sœur ou votre tante… Prenez le temps de les lire pour mieux comprendre la perception féminine de la relation amoureuse.

Voici un extrait d'un roman Harlequin[47]. L'héroïne, Emma, est une auteur célèbre qui doit passer quelque temps dans une maison isolée au bord de la mer pour travailler à la rédaction d'un scénario en collaboration avec Sam Cooper, un homme au talent incontesté, particulièrement séduisant. Emma ne veut pas succomber à la tentation, puis elle décide de satisfaire ses pulsions sexuelles sans aller plus loin. Emma est prête, mais Sam lui dit: «Je ne suis pas un chien de basse-cour! Je n'agis pas sur commande! Il faut qu'on en parle…» Emma dit:

— C'est toi qui as dit qu'il y a entre nous une attirance physique qu'il suffit de satisfaire pour ensuite poursuivre notre travail en paix.

— Je pense qu'il faut y aller tranquillement et laisser la nature suivre son cours.

— Pourquoi? a-t-elle répondu avec une certaine raideur dans la voix.

— C'est... C'est... plus romantique.

— Qui parle d'idylle? demande Emma avec mécontentement.

— Il n'y a pas entre nous une simple attirance physique.

— C'est quoi alors? C'est toi-même qui l'as dit. Alors, passons aux actes et finissons-en.

— Non, tu m'es beaucoup plus chère que je ne le croyais.

Puis d'une voix douce et profonde, il ajouta :

— Tu es belle et tu as un charme auquel je ne suis pas insensible. Je dois être amoureux.

Chasseurs, avez-vous relevé les paroles de Sam le séduisant? Elles évoquent des sentiments traditionnellement féminins. Il veut *parler*, il veut du *romantisme*, il est *amoureux*. Emma, effayée par ses propres émotions, essaie de résister.

En désespoir, elle se détourna et sortit en furie sur la terrasse. Un rideau de pluie gris sombre se rabattit sur elle violemment. Trempée de la tête aux pieds, elle enjamba la rampe et voulut se jeter dans les vagues écumantes qui s'écrasaient sur les galets, à quelques mètres sous ses pieds. Deux bras puissants la saisirent par la taille et la ramenèrent au sol. Sam la tint fermement contre lui.

— Pour l'amour de Dieu, tu as tout compris à l'envers! hurla-t-il au milieu du grondement du vent et des vagues, le visage ruisselant de pluie.

Emma essaya de se dégager.

— Laisse-moi partir, lui dit-elle en sanglotant... à quoi bon continuer puisque tu ne veux pas de moi.

Elle ne savait plus ce qu'elle disait et elle s'en moquait.

Elle se débattait comme une bête sauvage pour échapper à son étreinte.

— Est-ce que j'ai l'air de ne pas tenir à toi ? lui dit Sam en la serrant plus fort contre lui.

Brusquement, ses lèvres chaudes se saisirent des siennes, les couvrant de baisers ardents…

— Ma petite folle d'amour, gémit-il, tu me rends fou. Je ne sais plus ce que je veux. Je ne sais plus ce que je fais. Je ne me reconnais plus moi-même.

Il ponctuait chaque parole de baisers fous, fiévreux.

— Il y a une seule chose dont je suis sûr. J'ai une folle envie de toi et si tu ne te donnes pas à moi immédiatement, j'en mourrai.

Chasseurs, en lisant entre les lignes, vous trouverez tous les éléments de l'érotisme au féminin. Il y a le cadre de la rencontre, la plage exotique, les émotions vives… et surtout, Sam, l'homme au cœur tendre qui a besoin d'elle, qui l'aime. Sam, le fort, le doux, le passionné. Sam qui la désire, *elle,* amoureusement.

Passons maintenant au rapport sexuel comme tel. Quand nous avons quitté Emma et Sam, ils luttaient l'un contre l'autre sous la pluie battante et dans le tumulte des vagues qui s'écrasaient au pied de la maison. Ils sont toujours là, mais à présent, Sam «lui a arraché ses vêtements et ils sont tous les deux nus sous la pluie tombant à verse, leurs gémissements et leurs soupirs emportés par le vent».

Au sommet du plaisir, elle leva la tête. La lumière du chalet donnait à sa peau mouillée un reflet de bronze et sculptait dans son visage des plaines puissantes et des ombres d'encre. Son regard plongea dans le bleu surprenant de ses yeux ardents et elle aperçut ses cils sombres et épais, collés par la pluie. Puis, son corps la recouvrit, ardent et dominant. Elle laissa aller sa tête vers l'arrière, frissonnant sous les vagues de plaisir qui submergeaient son corps et lui arrachaient des cris et des gémissements. Elle sentait ses lèvres chaudes sur son cou. Il fut soudain emporté par un mouvement saccadé furieux, ses bras resserrant convulsivement leur étreinte, tandis qu'il se vidait en elle pour une éternité glorieuse.

Brusquement, tout se figea. On n'entendait plus que le bruit incessant des vagues et le tambourinage de la pluie sur la terrasse, sur l'eau et sur leurs corps.

Lentement, Emma releva la tête. Elle vit ses yeux fermés et, sur son visage, une expression entre la douleur et l'extase. Il lui caressait le dos et l'enveloppait d'une douce chaleur amoureuse en lui murmurant tendrement : « Ma chérie, mon amour, je veux te tenir dans mes bras pour toujours. »

Messieurs, avez-vous relevé que rien des émotions de Sam, des expressions de son visage, de ses gémissements (et même de ses cils !) n'a échappé à la conscience d'Emma, malgré la pluie battante. On lit : « pour une éternité glorieuse », « une douce chaleur amoureuse » et une promesse pour l'avenir ; « je veux te tenir dans mes bras pour toujours ».

---

### SOIXANTE-QUATORZIÈME TECHNIQUE
### (pour les chasseurs)
### LIRE UN ROMAN HARLEQUIN

Oui, chasseurs, je suis très sérieuse. Vous pouvez sourire, vous esclaffer, plaisanter, faire les yeux ronds ou vous tordre de rire, il n'empêche qu'il y a vingt-cinq millions de lectrices de romans à l'eau de rose et que ces femmes ne peuvent pas toutes faire semblant d'aimer ce genre.

Il faut en lire au moins un. Vous pourrez ne pas l'aimer, mais vous aimerez les réactions que vous ferez naître en elle lorsque vous appliquerez les techniques de séduction de Raphaël, Beau, Felipe, Rigg, Sky, Dunstan, Tuck, Kael, Cagney et d'autres chasseurs exotiques Harlequin.

---

C'est un matériel très ardent pour une femme. C'est bébête ? Peut-être. Mais ce n'est certainement pas plus irréaliste que ces femelles en chaleur qui prétendent jouir dans les films pornographiques masculins, en suppliant les hommes de les laisser faire.

Chasseurs, je vous conseille de mémoriser quelques lignes et d'étudier la chorégraphie des mouvements. Même si vous considérez que votre conquête n'est pas du genre à lire des romans Harlequin, des lignes empruntées à ces romans auront sur elle un effet magique, aussi émancipée et sophistiquée soit elle. S'entendre dire « j'ai besoin de toi », « je te désire », « je t'aime », par-dessus le grondement du vent et des vagues, frappe un point sensible du cœur de toutes les femmes ou presque.

# CHAPITRE 44

## Chasseresses, une relation sexuelle qui satisfait ses fantasmes

Chasseresses, la volte-face est un franc-jeu. S'il faut que l'homme apporte plus de romantisme, il serait juste que la femme accorde plus d'importance aux rapports sexuels purs.

Pour la femme, c'est l'amour qui donne plus de passion à un bon rapport sexuel, alors que pour l'homme, c'est un bon rapport sexuel qui donne plus de passion à l'amour. Cependant, des siècles après cette découverte, les hommes et les femmes se retrouvent toujours après l'amour, côte à côte, se contemplant et chacun souhaitant secrètement que l'autre réussisse un jour à lui donner le plaisir auquel il s'attend.

Je l'ai dit. Des auteurs plus qualifiés l'ont proclamé. Il est impossible de passer à la caisse d'un supermarché sans voir la multitude de revues féminines qui nous bombardent de conseils sur la manière de séduire un homme : Soyez plus ardente ! Soyez plus séduisante ! Dévoilez une passion sauvage ! Amusez-vous au lit ! Faire l'amour est un jeu ! Si vous avez la sérieuse intention de captiver le cœur de l'être à conquérir, vous devez certes être plus ardente, plus séduisante, plus passionnée et plus ludique au lit.

Quand vous étiez petite fille, vous vous rouliez dans le bac à sable avec les autres enfants, en riant, en vous trémoussant, en bavardant, en construisant des châteaux et des routes. Vous vous serviez de votre imagination pour vous amuser. Dans l'euphorie du moment, les petites filles qui lancent une poignée de sable dans les airs en criant « Youpiiii ! » ne se tiennent pas un dialogue intérieur. Elles ne se demandent pas « Est-ce que mon ami m'aime vraiment ? », « Est-ce qu'il joue avec moi parce que je l'aide à construire des châteaux de sable ? », « Dois-je faire semblant de m'amuser ? », « Est-ce qu'il me démontre assez d'affection ? », « Pourquoi il ne crie pas youpi comme moi ? », « Ça ne l'amuse peut-être pas ? », « Est-ce qu'il va continuer à jouer avec moi quand nous serons de retour en ville ? »

Les enfants lâchés au pays des plaisirs laissent courir leur imagination. Ils oublient leurs inquiétudes et laissent aller leurs fantasmes. Eh bien, le lit est l'équivalent du bac à sable pour les adultes. C'est l'endroit où il fait bon rire, se trémousser, bavarder et construire des châteaux de fantasmes. C'est l'endroit où il fait bon oublier ses inquiétudes et laisser aller ses fantasmes.

Une des différences surprenantes entre les hommes et les femmes est que, durant le rapport sexuel, bien des hommes conservent cette attitude d'enfant. Comme Alice perdue au pays des merveilles, l'homme se perd au pays des fantasmes. Il réussit mieux que la femme à suspendre le cours de la réalité et à suivre la course de son imagination érotique, mais ce n'est pas parce qu'il a une imagination plus fertile, c'est parce que ses inquiétudes ne risquent pas d'entraver son plaisir et sa virilité.

Chasseresses, cela ne signifie pas que l'homme n'éprouve pas le besoin d'avoir de l'attention, de l'affection, de l'amour. Mais, quand les portes de la chambre sont fermées et les lumières tamisées, il aime se perdre dans une sensualité absolue, soit du sexe et rien que du sexe. « Curieux et curieux », comme dirait Alice, mais le fait est que, après quelques séances extraordinaires de sexe pur, l'homme est plus en mesure de penser à l'amour.

Chasseresses, comment faut-il vous y prendre ? Encore une fois, si l'avalanche de livres, de manuels et d'articles sur le sexe cru ne réussit pas à vous ébranler, un film vaut alors mille mots.


## Les vidéocassettes

Les vidéocassettes en question font partie de ce qu'on appelle les films pornographiques durs. Ils sont obscènes, dégoûtants mais ils offrent un cours accéléré inestimable sur ce que représente le sexe cru. Toute femme clairvoyante doit suspendre son jugement, se mordre la langue et asseoir fermement ses fesses sur le sofa pour en visionner au moins un.

Comment obtenir ce genre de film? Il faut s'aventurer dans l'arrière-salle de n'importe quelle vidéothèque. (Revêtez, s'il le faut, un imper d'homme et enfoncez-vous un chapeau sur la tête.) Vous y trouverez une vaste sélection de films pour parfaire votre éducation.

Il est évident que vous devez faire un choix judicieux. Les films pornographiques, il y en a à toutes les sauces, des réguliers et des bizarres, avec toutes les combinaisons possibles d'hommes et de femmes; parfois, même des chiens, des chevaux, des chèvres y ont un rôle. Choisissez de préférence un « régulier ». Soyez cependant averties que même dans ceux-là, il y a toujours deux femmes ou plus pour un homme ou deux hommes et trois femmes, ainsi de suite. Il ne faut pas vous en faire. Votre objectif est de voir ce que représente une scène de sexe cru.

Vous y verrez comment les personnages féminins gémissent de plaisir, se déhanchent, font des moues sensuelles, dardent leur langue dans les airs.

Par ailleurs, vous y trouverez un étalage inspirant de sous-vêtements affriolants. Des petits hauts en dentelles, des jarretelles, des bas, des négligés, des culottes fendues, des soutiens-gorge savamment découpés aux mamelons, des corsets, des cache-sexe et, comme il se doit, le justaucorps en cuir et le costume de la soubrette française. Je ne vous propose pas de courir sur-le-champ vous procurer ces accessoires. Mais si, le jour de votre anniversaire, votre amour vous offre un présent érotique, le fait d'en connaître l'effet et l'usage vous évitera de grogner malencontreusement: « Mais qu'est-ce que c'est que ça? »

Quoi d'autre à en tirer? La chorégraphie. Vous trouverez certainement de nouvelles positions. Un film pornographique qui se respecte offre en moyenne de cinq à vingt-cinq positions différentes.

À quoi ressemble le scénario d'un film pornographique? Eh bien, à rien de particulier. Après avoir mis la vidéocassette en marche, vous aurez l'impression d'avoir manqué le début parce que, en moins de trente secondes, les personnages sont déjà au cœur de l'action. N'ayez crainte, vous n'avez rien manqué, car dans ces films, il n'y a ni scénario, ni intrigue, ni évolution de personnages, ni réactions émotionnelles. Est-ce ainsi que certains aiment le sexe? C'est plutôt injuste.

Chasseresses, il est évident que je ne vous suggère pas d'adopter les expressions lascives et les contorsions corporelles des personnages féminins des films pornographiques. Le but est simplement de vous donner une idée de ce que le sexe cru représente aux yeux des hommes. Plus la femme est sexuellement en accord avec l'homme, plus il a du plaisir en sa compagnie.

---

### SOIXANTE-QUINZIÈME TECHNIQUE
### (pour les chasseresses)
### LES FILMS PORNOGRAPHIQUES

Chasseresses, vous pouvez rire ou vous moquer, il n'empêche que les films pornographiques durs fournissent des données intéressantes sur le «sexe cru». Les hommes dépensent des millions de dollars par année pour voir des femmes en extase sensuelle devant un corps mâle. Il ne s'agit pas de tomber dans cet extrême et de feindre un orgasme massif à la suite d'un simple baiser. Cependant, pour séduire son cœur, un peu de luxure ne peut causer de tort.

---

## Autre matériel « graveleux »

Chasseresses, si vous n'avez pas de magnétoscope, tout n'est pas perdu pour vous. Vous pouvez vous faire une bonne idée de ce que représente l'entrecroisement des sexes en vous procurant des magazines tels que *Penthouse, Playboy* ou *Gallery*. Il faut lire la section réservée au courrier des lecteurs qui est la partie la plus intéressante pour les femmes.

Les fantasmes masculins comprennent 90 p. 100 de sexe et 10 p. 100 d'intrigue alors que pour les femmes les pourcentages sont inverses. Au lieu de s'attarder sur la couleur des yeux, l'expression du visage, la peau bronzée, le cadre ensoleillé ou orageux, comme dans les romans Harlequin, les fantasmes érotiques masculins tournent autour du symbole ultime de leur virilité qu'ils décrivent avec des superlatifs tels que *grand, énorme, immense, gigantesque, imposant.*

Les personnages masculins au physique d'Apollon et au cœur tendre des romans Harlequin sont remplacés par des personnages féminins sans vergogne comme, entre autres, l'aguichante infirmière, l'épouse de petite vertu, la gardienne d'enfants sexy, la lesbienne lascive, l'auto-stoppeuse déculottée. On ne trouve nulle part dans les revues pornographiques les mots magiques «je t'aime» ou des expressions telles que «ma douce et tendre» ou «ma bien-aimée». Les expressions les plus courantes sont «tu es une chatte en chaleur» ou «tu es une salope insatiable».

Il est évident que les fantasmes masculins n'entrelacent pas l'amour et le sexe.

---

### SOIXANTE-SEIZIÈME TECHNIQUE
### (pour les chasseresses)
### LES REVUES PORNOGRAPHIQUES

Chasseresses, il faut lire les revues pornographiques masculines. La partie réservée au courrier des lecteurs est particulièrement instructive en ce qui concerne les désirs secrets des hommes.

---

# Tableau comparatif

---

**FILMS ÉROTIQUES AU FÉMININ**

### Personnages

Des Apollons au cœur tendre, capables de vivre des passions folles.

### Scénario

Un dialogue qui se tient, des phrases complètes et des expressions tendres, telles que « tu es belle », « je te désire », « je t'aime », « j'ai rêvé toute ma vie d'une femme comme toi ».

### Intrigue

Un bel inconnu au charme irrésistible. Une passion sensuelle qui doit être vécue en cachette. Des variations sur le fantasme « être séduite » (à ne pas assimiler au *viol*).

### Lieux

Vieux châteaux, belles plages, îles exotiques, lits à baldaquin ou en beau cuivre.

### Saveur

Vanille non diluée.

### Épilogue

Une scène d'amour qui porte aux nues les personnages et l'image s'efface peu à peu au son d'une musique douce, après le dernier baiser.

**FILMS PORNOGRAPHIQUES AU MASCULIN**

### Personnages

Des femmes sensuelles, des femmes plus sensuelles, des femmes des plus sensuelles. Le seul point auquel les directeurs artistiques accordent une certaine profondeur, c'est la fente entre les seins.

### Scénario

« Ah ! Oui, Oui ! », « Plus fort ! », « N'arrête pas ! », « Ouiiiiiiii ! » Jamais plus de trois ou cinq mots consécutifs.

**Intrigue**

De très faible à nulle. Hugo rencontre Julie. Hugo baise Julie dans une multitude de positions. (Chasseresses, si vous voulez vous amuser, avancez le film à grande vitesse et regardez le rapport sexuel de Hugo et Julie à une vitesse supersonique.)

**Lieux**

Chambres anonymes, n'importe quel lit, sofa ou plancher.

**Saveur**

N'importe quelle saveur et quelques-unes que personne n'a jamais goûtées.

**Épilogue**

L'homme jouit en grand (l'acteur ayant épuisé sa résistance et «son talent»), et l'écran redevient noir.

# CHAPITRE 45

## Un jeu questionnaire :
## qui est le plus sincère en amour ?

Chasseurs, vous réalisez (je l'espère) que les généralisations (nombreuses), les exagérations (légères), et l'humour (faible) du chapitre précédent ne visent qu'à souligner les différences entre les hommes et les femmes. Si vous avez ressenti tout cela comme une attaque, voici qui va rétablir la paix entre nous.

Les hommes sont réputés être moins romantiques que les femmes. Naturellement, si vous posez la question autour de vous à savoir qui est le plus romantique des deux, la réponse sera, sans hésitation, les femmes[48]. Il est vrai qu'elles le sont quand il s'agit de dire «je t'aime», de se souvenir de la Saint-Valentin et d'accorder de l'importance aux petites délicatesses (un petit diamant, par exemple). Mais quand il s'agit de la vraie définition d'une idylle, les hommes sont indubitablement les grands gagnants.

Messieurs, il a dû vous arriver à un moment ou à un autre d'entendre la femme de vos rêves vous dire sur un ton accusateur (en réponse à une de vos remarques insensibles du jour) que «tous les hommes sont pareils, ils manquent tous de romantisme». Eh bien, le cadeau qui pourrait se révéler utile pour votre autodéfense, je vous le présente sous forme d'un jeu questionnaire à l'adresse de la femme qui vous reproche votre manque de romantisme.

# Qui de l'homme ou de la femme est capable de donner plus d'amour

| QUESTIONS | HOMMES | FEMMES |
|---|---|---|
| Qui tombe amoureux plus vite? | _____ | _____ |
| Qui a une vision plus idéaliste de l'amour? | _____ | _____ |
| Qui prend généralement l'initiative de la rupture? | _____ | _____ |
| Qui souffre le plus de la rupture? | _____ | _____ |
| Qui aime plus ses amours? | _____ | _____ |

## Qui tombe amoureux plus vite? Les hommes!

Dans une étude menée sur le sujet, on a posé à sept cents jeunes amoureux la question suivante: « À quel moment avez-vous réalisé que vous étiez amoureux? » Les réponses ont démontré que les hommes tombent amoureux plus rapidement que les femmes. Vingt p. cent des hommes y succombent avant même le quatrième rendez-vous alors que 15 p. 100 des femmes ont été transpercées au même moment par les flèches de Cupidon. Par ailleurs, 30 p. 100 des hommes comparés à 43 p. 100 des femmes en sont toujours inconscients même après le vingtième rendez-vous[49]. Les femmes sont portées à réfléchir plus longuement avant de s'engager.

## Qui a une vision plus idéaliste de l'amour? Les hommes!

Une autre étude démontre que les hommes ont une vision plus idéaliste et moins pratique de l'amour[50]. Les hommes n'attachent aucune importance ou presque au rang social de la femme ou au montant de ses revenus.

Il y a plus d'hommes que de femmes qui considèrent que si deux personnes s'aiment d'amour, elles devraient vivre un mariage heureux.

## Qui prend généralement l'initiative de la rupture? Les femmes!

Un groupe de scientifiques de l'université Harvard a suivi attentivement la vie de deux cent trente et un couples de Boston. Parmi ceux qui se sont séparés, c'est généralement la femme qui a pris l'initiative de la rupture. Les hommes voulaient tenir bon jusqu'au bout[51].

## Qui souffre le plus de la rupture? Les hommes!

Après une rupture, les hommes ont le sentiment plus exacerbé d'être abandonnés, dépressifs, mal-aimés et ne savent que faire de leur liberté. Ils ont généralement beaucoup de difficulté à accepter de n'être plus aimés et d'être vraiment abandonnés.

Le plus dur pour eux est le sentiment d'être totalement démunis face aux événements qui ont cours. Ils sont hantés par les mots qu'ils auraient dû dire... et les choses qu'ils auraient dû faire.

Selon les statistiques, le taux de suicide est trois fois plus élevé chez les hommes après une relation amoureuse désastreuse.

## Qui aime plus ses amours? Les hommes!

Les hommes accordent beaucoup plus d'amour que les femmes à leurs partenaires. Des chercheurs de l'université Yale ont mené une enquête auprès de participants des deux sexes, âgés de dix-huit à soixante-dix ans. La question posée était la suivante: «Quelle est la personne que vous appréciez et que vous aimez le plus dans votre vie?»[52] Le choix de réponses comprenait le ou la conjoint(e), le ou la meilleur(e) ami(e), les parents, les frères et sœurs.

Il s'est avéré que les hommes aiment et apprécient avant tout leur conjointe alors que les femmes accordent autant d'importance à leur meilleure amie qu'à leur conjoint. Et même, un grand nombre d'entre elles préfèrent les amies au conjoint!

Messieurs, la prochaine fois que votre partenaire vous reproche votre manque de romantisme, brandissez-lui sous le nez ces statistiques instructives. En y repensant cependant, contentez-vous de lui dire tendrement: «Tu sais, ma chérie, tu as raison. Je te promets de faire mieux la prochaine fois. Je t'aime.»

# CHAPITRE 46
## Les désirs sexuels, comme les empreintes digitales, sont propres à chacun

Chasseurs et chasseresses, permettez-moi de tempérer mes recommandations précédentes au sujet des films pornographiques. Si vous avez eu l'impression que tous les hommes ne rêvent que de femmes libertines au corps ondulant et que toutes les femmes ne rêvent que d'être séduites par un bel inconnu sur les plages de Tahiti, détrompez-vous. Comme il arrive souvent dans la vie, c'est au moment où on a l'impression d'avoir trouvé la solution que l'on tombe sur l'exception. En matière de sexe, l'exception est plus courante que la règle. Il n'y a pas deux personnes sexuellement pareilles.

Je l'ai appris à mes dépens la première fois que je suis tombée amoureuse, bien avant que les recherches menées dans le cadre du programme *The Project* ne confirment la diversité incommensurable des désirs sexuels. Il y a quelques années, j'étais entrée dans une galerie d'art à Chicago, la cité venteuse, où Christophe était venu exposer ses œuvres. Il accrochait au mur une toile curieusement abstraite. Je me suis sentie aussitôt subjuguée. Tout en lui correspondait à mon tracé amoureux. Il était artiste, sensible, brillant et il avait une paire de fesses extraordinaire!

Nous avons fait connaissance et c'est parti! Heureusement, il venait lui aussi de New York. Nous avons commencé à sortir ensemble à notre retour dans la grande capitale. Je n'ai pas tardé à tomber follement amoureuse de lui et, bien sûr, je voulais tout faire pour qu'il tombe amoureux de moi. Notre relation était presque idéale. Nous avions beaucoup de choses en commun en ce qui concerne les activités, les amis, les loisirs. Nous aimions tous les deux le théâtre, le ski, les promenades à bicyclette. Nous pouvions passer la nuit à bavarder. Christophe était mon homme. Notre relation s'est transformée en un véritable roman d'amour.

Christophe ne m'a jamais dit «je t'aime» mais tout entre nous était merveilleux, et je ne voyais qu'un seul point noir : nos rapports sexuels. Christophe ne se laissait jamais aller à des manifestations passionnées. Il ne perdait jamais complètement la tête au lit comme les hommes sont supposés le faire lorsque leur partenaire sait les exciter.

Nos rapports suivaient un seul et unique scénario : Nous sommes généralement chez lui et, après le souper, alors que nous sommes assis à bavarder, Christophe m'envoie une charmante petite mimique, puis il pose sa main sur mon épaule, la laisse ensuite glisser le long de mon bras, puis il me prend la main et se lève en disant : «Viens avec moi, ma petite chérie.» Il m'entraîne doucement vers la chambre à coucher. Il est gentil et plein de prévenance (à croire que je vais me refuser à lui !).

Christophe était chaleureux et aimant, mais il était prévisible et ne démontrait aucune passion. Je me suis dit qu'il fallait trouver ses cordes sensibles pour changer les choses. Il fallait épicer nos rapports, mais je ne savais pas quoi faire.

Un après-midi, aux prises avec mon dilemme, je suis tombée sur une annonce dans le journal qui offrait un cours de trois heures intitulé «Apprenez le striptease pour séduire votre homme». L'annonce promettait de «donner plus de piquant à toute relation et d'éveiller des sensations affolantes chez l'homme». C'était ce qu'il me fallait !

J'ai enfilé mes sous-vêtements les plus affriolants et j'ai sauté dans le train qui m'a conduit à l'appartement d'une stripteaseuse, au sixième étage d'un immeuble sans ascenseur, dans un quartier sordide. Dans la seule et unique pièce de l'appartement, quatre femmes et moi-même avons appris ce soir-là comment nous glisser hors de nos jupes en les laissant tomber au sol d'un geste provocant puis à les enjamber d'un pas séduisant. Nous avons appris, étape par étape, comment laisser sensuellement les bretelles du soutien-gorge glisser lentement le long du bras, puis laisser apparaître en premier le sein gauche puis le sein droit et, ensuite, envoyer cet attirail coquet dans les airs d'un mouvement giratoire des hanches. Les plus flexibles d'entre nous ont appris comment s'étirer au sol en tournoyant coquinement les jambes dans les airs.

À la fin du cours, notre professeur est allée dans le fond de sa chambre chercher les gadgets de rigueur à nous vendre, soit une cassette de musique de striptease et des pompons qui, lorsqu'on en maîtrisait la technique, tournoyaient merveilleusement. Mais, peu douée, je n'ai réussi aucun tournoiement. J'ai cependant acheté les deux articles et, la musique du striptease en tête, j'ai pris le train et je suis allée directement à l'appartement de Christophe.

J'avais hâte qu'il m'envoie sa charmante petite mimique, parce que ce soir, c'était moi qui allais mener le bal. Comme il se doit, à 22h45, il a eu son petit sourire et m'a dit: «Allez, viens ma petite chérie», en me prenant par la main pour m'emmener dans la chambre. Mais, ce soir, les choses allaient changer. Je lui préparais une surprise.

Lorsque nous sommes entrés dans la chambre, j'ai repoussé mon amoureux tout étonné vers une chaise, j'ai mis la musique de striptease et j'ai commencé mon numéro. Un jeu de jambes fantaisiste autour de la commode. Un, deux, trois, va-va-voom, coucou, un premier sein. Quatre, cinq, six, va-va-voom, coucou, l'autre sein. Le soutien-gorge qui vole dans les airs et effectue un parfait atterrissage sur ses genoux.

Mais mon professeur avait oublié un point très important, celui de garder un contact visuel constant avec les spectateurs pour juger si tout se passe comme il faut. Or, pendant que je me contorsionnais sur le tapis de Christophe, tournoyant dangereusement mes jambes dans les airs à quelques centimètres de sa lampe de chevet préférée, j'ai complètement omis de le regarder. Si je l'avais fait, j'aurais pu voir son expression horrifiée.

Christophe s'est levé calmement et il a quitté la chambre puis l'appartement. En larmes, j'ai ramassé ma jupe, mon soutien-gorge, ma cassette et mes pompons inutilisés et je suis retournée chez moi en courant. Qu'est-ce qui s'était passé?

Christophe est resté une semaine sans me donner de nouvelles. Finalement, je lui ai téléphoné et je lui ai demandé si nous pouvions nous voir et nous parler. Nous nous sommes retrouvés pour le souper et nous avons longuement discuté. Il a été très direct. J'ai appris que, pour lui, la relation sexuelle consiste à séduire une femme et non à *être* séduit. De plus, il m'a dit qu'une femme qui résiste l'excite beaucoup plus qu'une femme aux attraits flamboyants. Christophe voulait avoir le sentiment d'être un séducteur viril et non, comme il l'a dit, «un gars refoulé et solitaire qui paie pour voir des filles se trémousser devant lui».

Oh! là! là! Quel choc pour moi! J'ai décidé à ce moment de ne plus émettre d'hypothèses sur les désirs sexuels des hommes. Chaque homme est différent (il en va de même pour les femmes, comme nous le verrons plus loin). Il semble, de prime abord, que tous les hommes ne rêvent que d'une seule chose. Mais, comme je l'ai appris, il y a maintes et maintes manières d'inventer cette chose.

## Le sexe, c'est comme une bonne tranche de viande cuite à point

Avez-vous jamais rêvé d'un bon bifteck juteux? Disons que vous avez envie de mordre dans une bonne tranche de bœuf fondante. Le gourmet en vous sait qu'il y a soixante-huit nuances entre la tranche saignante et la tranche bien cuite. Or, ce soir, vous voulez la tranche parfaite. Vous choisissez le meilleur restaurant et vous passez votre commande en prenant soin de donner au serveur tous les détails: «J'aimerais avoir, s'il vous plaît, une bonne tranche de filet mignon, bien grillée de l'extérieur, juste saignante à l'intérieur. Il faut que la viande reste rose et tendre et qu'elle soit bien chaude dans le milieu.» Le serveur vous écoute patiemment et quand vous avez fini, il se retourne vers les cuisines et crie à tue-tête: «Un steak pour la table six!»

C'est la manière dont un grand nombre d'entre nous agissent au moment des rapports sexuels. Même quand le partenaire amoureux potentiel cherche à faire part de ce qui l'excite, l'autre fonce dans le lit comme un boulet de canon. Les rapports sexuels sont agréables mais, à ses yeux, si vous ne saisissez pas les soixante-huit nuances de la manière dont il les perçoit, ce n'est plus une expérience de gourmet. Et cela risque de nuire à votre objectif qui est de captiver son cœur. Le plus malheureux est qu'il ne vous dira jamais pourquoi il en a perdu le goût.

Il y a de l'eau partout sur la planète. Mais il faut parfois creuser assez profondément pour en trouver. Il en va de même en ce qui concerne la sexualité de l'homme. Il faut creuser pour trouver le tournant unique, la vrille particulière où est cachée la clé qui vous ouvrira les portes de son cœur.

## Le désir sexuel numéro un

Les hommes et les femmes ont un seul fantasme sexuel commun, celui de trouver quelqu'un de formidable au lit. Question : Qui est formidable ? Réponse : Quelqu'un qui satisfait tous nos désirs sexuels, quelqu'un qui aime le faire comme on aime que ce soit fait, *sans avoir à lui donner, étape par étape, le mode d'action.*

Un grand nombre d'amoureux hésitent à tracer à leur partenaire un schéma détaillé de leurs besoins sexuels. Ils sont convaincus que « si c'est la personne qu'il me faut, elle *saura* ce que je veux ».

Charles, un ami, était chez moi un soir de Noël et nous nous remémorions des souvenirs en riant de nos expériences d'enfants et comment nous croyions au père Noël. Soudain, le visage de Charles s'est rembruni et il m'a dit : « Le père Noël ne m'a jamais apporté les cadeaux que je voulais. »

— Même après que tu as su que le père Noël n'était autre que ta mère ? lui ai-je répondu.

— Oui.

— Pourquoi ne pas l'avoir dit à ta mère ?

— Parce que, si elle m'avait *vraiment* aimé, elle aurait su ce que je voulais.

La plupart d'entre nous font le même raisonnement en ce qui concerne les rapports sexuels. Nous pouvons ne pas y croire consciemment, il n'empêche que beaucoup s'accrochent obstinément à l'idée qu'un jour, le partenaire idéal apparaîtra et les emportera dans un monde merveilleux où ils seront heureux pour toujours.

Si ces mêmes personnes aussi pleines d'espoir laissent tomber un casse-tête de mille morceaux dans l'escalier, peuvent-elles s'imaginer que les morceaux vont se retrouver d'eux-mêmes, se compléter et s'imbriquer seuls les uns dans les autres ? Or, c'est ce qu'elles croient quand elles foncent tête baissée dans une relation sexuelle. Elles supposent que tous les morceaux vont se mettre automatiquement en place. Il y a une chance sur un million que leurs désirs correspondent parfaitement à ceux de leur partenaire.

Au tout début d'une nouvelle relation, quand tous les morceaux valsent encore dans les airs, les rapports sexuels sont ardents. Grâce à la nouveauté, à la découverte, à la conquête, les nuits sont magiques. Mais, au bout de quelques semaines, de quelques mois ou de quelques années, lorsque les morceaux du casse-tête sont coincés dans les recoins de l'escalier, les déceptions surgissent.

## Pourquoi en perd-on le goût ?

Chasseresses, il cesse de vous appeler. Chasseurs, elle a soudain des choses à faire le samedi soir. Pourquoi ? Qu'est-ce qui s'est passé ? Pourquoi votre partenaire a-t-il perdu tout intérêt ? Il y a bien sûr autant de réponses qu'il y a d'hommes et de femmes sur Terre. Il est cependant possible d'établir quelques règles générales.

Dans le cadre du programme *The Project*, nous avons demandé à un groupe d'hommes et de femmes, célibataires et divorcés, ce qui les avait amenés à mettre fin à leur relation amoureuse. Quand le répondant était le partenaire qui avait pris l'initiative de la rupture, nous lui avons demandé : « Pourquoi ? » et « Qu'est-ce qui a causé l'échec de la relation ? » La raison avancée par les femmes était que, dans l'ensemble, leur partenaire les avait déçues (sa personnalité, ses habitudes, son mode de vie, son comportement à leur égard). La raison avancée par les hommes était avant tout la détérioration des rapports sexuels.

À la deuxième question, « Avez-vous donné à votre partenaire la raison de votre décision de mettre fin à la relation ? », tous ont répondu : « Non, du moins pas la *vraie* raison. » Les hommes ont avoué : « Je ne pouvais pas lui dire que nos rapports sexuels ne me satisfaisaient plus. »

En règle générale, la femme cherche à sortir avec un homme qui est intéressant, attrayant, séduisant et avec qui elle pourrait développer une relation amoureuse. L'homme invite la femme à sortir parce qu'il veut coucher avec elle. Il y a bien sûr des exceptions à la règle.

Nous accusons les hommes de préférer le sexe de peur de s'engager dans une relation amoureuse. Or, il n'en est rien. Le fait est que l'homme qui s'apprête à s'engager pour la vie souhaite que ses rapports sexuels avec l'élue de son cœur soient aussi parfaits que le reste de ses qualités. Le problème est complexe parce que les besoins sexuels de l'homme sont plus variés, plus immédiats, plus pressants et, de ce fait, il lui est plus difficile de trouver la femme parfaite. C'est un dilemme. Souvent, un homme rencontre une femme qui lui semble idéale mais dont les performances sexuelles sont loin de le satisfaire. Pour la plupart des hommes, même de nos jours, le mariage est synonyme de fidélité.

## Cette femme saura-t-elle me satisfaire sexuellement pour la vie ?

Roger est l'exemple type des hommes que j'ai interviewés dans le cadre du programme *The Project*. Il voulait une épouse qui saurait le satisfaire au lit et être une maîtresse de maison accomplie. Roger avait grandi au sein d'une famille de la haute bourgeoisie. Il avait des standards élevés en ce qui concerne les habits, les aliments, le

vin et les femmes. Il ne sortait qu'avec des jeunes femmes élégantes, sûres d'elles, éloquentes et maîtrisant parfaitement toutes les
grâces sociales. Il était à la recherche d'une femme qu'il serait fier
de présenter à ses amis et à sa famille et avec qui il aimerait bâtir
son avenir, «une femme, disait-il en riant, que je pourrais présenter à ma mère».

Quand j'ai rencontré Roger, il était fiancé à Diane qui représen-
tait tout ce que sa famille souhaitait pour lui et tout ce que Roger
avait rêvé trouver chez une femme à l'exception d'une seule chose,
l'ardeur sexuelle. Diane faisait l'amour convenablement. Elle était
aimante, consentante et chaleureuse. Le problème était que Roger,
dans ses fantasmes sexuels profonds, rêvait d'une femme ardente
au lit qui désirerait insatiablement son corps. Il se plaignait que
Diane avait au lit des manières de grande dame.

En faisant l'amour, Roger devait se fier à son imagination pour
se stimuler sexuellement. Il s'imaginait que Diane lui hurlait des
grivoiseries. Il désirait ardemment l'entendre crier en plein cœur
de l'action: «Roger, baise-moi! Baise-moi!» Il est évident que
Diane n'était pas le genre de femme à exprimer ainsi son ardeur.
C'était là le problème. Roger avait de la difficulté à demeurer en
érection avec elle.

Je lui ai demandé s'il avait jamais parlé à Diane de ses fantasmes.
Il s'est écrié: «Non, bien sûr que non, elle serait choquée. En fait, je
n'en ai jamais parlé à personne… avant ce jour.» Roger, comme beaucoup d'hommes, avait honte de ses fantasmes. Pourquoi?

La plupart des garçons grandissent en entendant les adultes leur répéter «il ne faut pas toucher telle partie de ton corps,
ce n'est pas bien», «il ne faut pas regarder ta sœur quand elle
s'habille», «il ne faut pas toucher telle ou telle partie du corps
de maman».

Ils arrivent à l'âge de la puberté avec la crainte que les femmes
ne les réprimandent ou ne les rejettent s'ils expriment un besoin
sexuel flagrant, tel que vouloir entendre la femme leur lancer des
paroles graveleuses. Ils n'osent pas demander à l'élue de leur
cœur de satisfaire leurs fantasmes parce qu'ils craignent son juge-

ment. Ils ont peur qu'elle ne leur préfère un homme qui n'a pas ce genre de pensées grivoises.

La nouvelle génération d'adultes a grandi terrifiée par les bandes dessinées d'épouvante, mais non par leurs monstres, leurs vampires, leurs goules et leurs zombies, mais par les publicités de Charles Atlas qui se trouvaient à l'endos ! La publicité la plus terrifiante était celle où l'on voyait un jeune homme très ordinaire (le lecteur, dans le pire de ses cauchemars) se dorant au soleil sur une belle plage de sable aux côtés d'une très belle fille. Monsieur Muscles arrive, lui envoie du sable dans les yeux et poursuit son chemin. Béate d'admiration devant ce fier hurluberlu, la belle jeune fille se lève et suit l'inconnu aux biceps imposants (l'homme qui sait comment s'y prendre). De telles publicités ont semé la terreur dans le cœur de millions d'Américains. Étant donné que l'amour et le sexe sont des matières grises inséparables dans le cerveau mâle, l'homme qui ne veut pas se contenter de piètres rapports sexuels a le sentiment qu'il va assurément perdre sa conquête au profit d'un autre qui saura jouer le jeu. Et même s'il ne veut qu'arroser ses rapports d'épices exotiques, il garde l'impression que M. Muscles va apparaître, lui envoyer du sable dans les yeux et séduire sa conquête.

Roger se sentait sexuellement insatisfait parce qu'il voulait que Diane soit plus « grivoise » au lit et il pensait que, s'il lui faisait part de ses désirs, elle le fuirait. « Vous *fuira-t-elle vraiment ?* » lui ai-je demandé. Je lui ai suggéré de parler avec Diane et de lui dire que ça l'excitait qu'une femme lui lance des paroles graveleuses en faisant l'amour. « Qui sait, lui ai-je dit, elle pourrait y trouver du plaisir elle aussi. »

Lors de la séance suivante, j'ai demandé à Roger s'il avait parlé à Diane. Il a dit que non parce qu'il craignait sa réaction.

Six mois plus tard, Roger et Diane ont rompu. Roger a dit qu'il aimait et respectait Diane mais qu'il n'y avait plus de passion entre eux. Il ne voulait pas passer le reste de sa vie pris dans un mariage sans flammes. Les rapports sexuels sont, aux yeux de Roger et de la plupart des hommes, très importants.

Je trouve cette histoire triste, car Diane aurait pu satisfaire les fantasmes de Roger et deux personnes autrement parfaitement compatibles auraient pu vivre heureuses ensemble. Roger aurait dû lui faire part de son désir secret de se retrouver dans les bras d'une femme ardente qui fait fi des convenances. Diane aurait pu jouer son jeu, lui dire les mots qu'il voulait entendre et satisfaire son fantasme. Il ne faut pas oublier que les hommes, plus que les femmes, peuvent se dispenser de jouer la comédie ou de prétendre.

Chasseresses, il faut trouver ce qui excite *réellement* l'être à conquérir et apprendre à vous en servir pour captiver son cœur.

# CHAPITRE 47
## Chasseresses, devenez de fins limiers sexuels

Comment découvrir ce qui excite un homme au lit? En règle générale, les chasseresses ont recours aux *tâtonnements*. Elles essaient ceci, elles essaient cela, puis elles observent les résultats. D'autres établissent leur jugement au cœur de l'action en demandant à leur partenaire: «Est-ce que tu aimes ceci ou cela, mon trésor?», «Est-ce que ça te fait du bien?» Les plus audacieuses vont lui demander: «Est-ce que tu veux autre chose?»

C'est bien, mais ce n'est pas assez. Pour brancher l'électricité sexuelle, vous devez vous déguiser en Sherlock Holmes, emprunter sa loupe grossissante et aller à la découverte de toutes les courbes du psychisme sexuel de votre conquête. Vous devez devenir un fin limier sexuel.

Vous n'avez pas besoin de cuisiner votre homme pour obtenir l'information souhaitée. Les hommes sont comme des phares ambulants qui, régulièrement, lancent des signaux pour indiquer ce qui les excite. Mais les chasseresses conduisent leur embarcation d'amour droit vers les rochers comme s'il y avait à la poupe une sirène sourde, muette et aveugle.

Le premier pas consiste à développer une antenne spéciale, ajustée pour capter les bonnes ondes, celles qui transmettent les signaux sexuels de l'être à conquérir. Vous devez être attentive à ses dires, garder vos antennes branchées quand il parle de son enfance, de ses relations passées, de ce qu'il aime, de ce qu'il n'aime pas. Vous devez apprendre à lire entre les lignes pour en savoir plus sur ses comportements et sur ses émotions. Vous devez demeurer à l'écoute de ses références sexuelles pour relever des indices importants. Vous devez garder vos antennes bien branchées au lit, car les mots qu'il prononce dans le feu de l'action, tels que «Oh! Bébé!», «Oh! Chérie!», «Oh! Ma maîtresse!» ou «Oh! Ma belle salope!», révèlent ses fantasmes sexuels.

Il y a des hommes avec qui vous n'avez pas besoin de jouer les détectives. Ils vont parler ouvertement de leurs fantasmes. Ceux qui le font vous lancent la clé maîtresse des portes de leur cœur, espérant que vous l'attraperez. La plupart des chasseresses la laissent échapper. Comment faire pour dresser une antenne qui saisira ses ondes sexuelles? Comment déterminer laquelle des soixante-huit mille nuances de rapports sexuels est celle qu'il lui faut?

Les désirs sexuels sont profondément enfouis dans le psychisme de tous les hommes. Ce qui excite l'être à conquérir remonte loin dans son enfance. S'il veut voir en vous une sirène ardente (comme Roger) ou une douce brebis (comme Christophe), c'est parce que son psychisme a été ainsi programmé quand il était petit garçon. Les expériences de l'enfance marquent de manière indélébile notre personnalité, nos comportements et nos désirs sexuels. Tout incident émotionnel est gravé dans notre tracé amoureux personnel. Nous sommes comme les oisons du D$^r$ Lorenz qui, marqués de son empreinte, le suivaient partout à travers son laboratoire. Nous pouvons nous souvenir ou non de l'incident, mais l'empreinte sexuelle de l'expérience est là. Roger se souvient de l'origine de son désir. Il se souvient du jour où il marchait aux côtés de son père le long de la 8$^e$ Avenue, à New York, lieu de rendez-vous des prostituées. En chemin, une fille de joie a interpellé son père: «Eh! Mon grand, tu ne veux pas baiser? Allez, viens, baisons!» Le père de Roger, pris au dépourvu, s'est hâté de monter dans le premier taxi en vue, prenant soin de boucher les oreilles de son fils. Roger croit que la réaction profonde de son père aux mots «baise-moi!» est ce qui a gravé l'expérience dans la banque de sa mémoire psychosexuelle. Le lendemain matin, au petit-déjeuner, Roger a demandé à son père ce que signifiait «baise-moi» et son père, habituellement maître de lui-même, a rougi. Roger affirme avoir éprouvé à cet instant un sentiment intense de pouvoir sur son père qu'il n'avait jamais senti auparavant. Le pouvoir est très cérébral chez les hommes. C'est la raison pour laquelle, jusqu'à ce jour, Roger réagit aussi puissamment à une femme qui utilise un langage graveleux. L'empreinte sexuelle se poursuit au-delà de l'enfance. Selon Freud, il n'y a pas deux personnes au lit, mais six : vous, votre amoureux, votre mère, votre père, la mère et le père de votre amoureux. J'aimerais allonger la liste et ajouter les partenaires de l'homme qui ont eu un impact sur ses désirs sexuels. Pour conclure, l'appétit sexuel fondamental de l'homme ne change pas, c'est le désir d'explorer de nouvelles avenues et de vivre de nouvelles expériences qui évolue tout au long de la vie.

## Je suis une aventureuse, mon chéri

En pratique, aucun homme ne veut abandonner l'exploration de sa sexualité. Ils sont tous sexuellement stimulés par les femmes ouvertes aux expériences nouvelles. Dans le cadre du programme *The Project*, j'ai interviewé un homme qui venait de faire la connaissance de sa petite amie, Tania. Selon Jean, leurs rapports sexuels étaient excellents. Tania était ouverte à tous ses désirs. Il avait le sentiment de tomber sincèrement amoureux. Un jour, en se promenant le long d'une belle route isolée de campagne, ils sont passés dans un bois enchanteur. Jean a senti monter en lui les fourmillements familiers du désir. Il s'est tourné vers Tania et lui a demandé : « Que dirais-tu si nous faisions l'amour là, dans le bois ? » Selon Jean, Tania l'a regardé comme s'il venait de perdre la tête. Le soir, à la maison, alors qu'ils s'apprêtaient à se mettre au lit, Jean a eu une autre envie érotique. Après avoir jaugé la hauteur de la commode, il s'est tourné tout excité vers Tania et lui a demandé : « Chérie, tu veux t'asseoir sur la commode pour faire l'amour ? » Tania lui a de nouveau jeté un regard ahuri, se demandant s'il était sain d'esprit. Mais elle a accepté et ils ont fait l'amour, lui debout et elle assise sur la commode. Mais sa réaction première avait donné à Jean le sentiment d'avoir mal agi. Depuis, il n'a plus jamais osé lui proposer d'autres lieux ou d'autres positions sexuelles inhabituels. Jean avait beau aimer Tania, c'était le commencement de la fin pour eux deux.

La plupart des hommes rêvent de femmes aventureuses qui accepteraient leurs requêtes à bras ouverts ou du moins avec un esprit ouvert. Comme Diogène à la recherche éternelle de l'homme honnête, les hommes sont à la recherche éternelle de la femme qui satisfera tous leurs fantasmes. Chasseresses, vous devez être cette femme pour captiver son cœur.

## Découvrir ses fantasmes les plus secrets

Pour déterrer les préférences sexuelles fondamentales d'un homme, vous devez ôter les couches protectrices qu'il a passé des années à tisser soigneusement autour. C'est avec beaucoup de naturel que nous demandons à un homme ce qu'il aime boire ou manger, les livres qu'il aime lire, les films qu'il aime voir, la musique qu'il aime entendre, les activités qu'il aime pratiquer, mais nous passons sous silence l'élément le plus important, soit oser le regarder droit dans les yeux et lui demander : « *Qu'est-ce qui t'excite ?* »

Poser une telle question à un homme exige plus de finesse que lui demander : « Quel est ton film préféré ? » Il faut choisir le moment opportun, le lieu, l'atmosphère et l'attitude qui conviennent. Le *moment* opportun c'est quand vous êtes tous les deux détendus et libérés de la fièvre d'un rapport sexuel immédiat. Le *lieu* doit être privé mais ne pas inclure la chambre à coucher. L'*atmosphère* doit se prêter aux longues confidences, à l'écart de toute interruption intempestive. L'*attitude* doit être enjouée, taquine et prometteuse.

Il faut poser la question de manière à lui faire comprendre que vous tenez à savoir ce qui l'excite *réellement*. Il faut qu'il sente qu'il peut *tout* vous dire et que, plus c'est juteux, mieux c'est. Votre objectif est de l'amener à seriner comme un moineau heureux.

## L'amener à vous confier ses désirs les plus profonds

Si vous voulez qu'il se confie à vous, il faut lui donner le sentiment qu'il peut en toute sécurité répondre honnêtement à la question : «Qu'est-ce qui t'excite ? » Pour cela, faites-lui savoir que rien ne saurait vous choquer ou vous rebuter, que vous ne vous érigerez pas en juge et que vous êtes une femme ouverte d'esprit qui, en fait, apprécie les histoires graveleuses.

Comment faire ? Vous devez préparer votre conquête en lui contant une histoire quelconque comme les animateurs qui échauffent le public avant le début du spectacle. Vous pouvez l'amener à vous raconter ses histoires sexuelles en lui racontant une des vôtres, une aventure sexuelle qui vous est arrivée ou qui est arrivée à l'une de vos amies.

Lorsque l'histoire vous concerne, projetez-vous comme une femme candide mais sexuellement audacieuse. Donnez-lui l'image d'une femme à l'imagination sexuelle vive, mais qui n'est pas pour autant immorale. Il faut surtout éviter de heurter son ego ou de le rendre jaloux. Il est préférable de raconter l'expérience sexuelle excitante d'une «amie». A-t-elle été la maîtresse d'un homme marié ? Est-elle allée au bout du fantasme délirant de son partenaire amoureux ? Si oui, racontez-le à votre conquête avec un soupçon d'envie dans le regard comme si vous aviez voulu être à la place de cette amie et avoir la chance de tomber sur un amoureux aussi plein d'imagination.

Si vous n'avez aucune expérience personnelle à partager avec l'être à conquérir, laissez-moi vous raconter l'histoire de mon amie Alicia. Je vous autorise à utiliser Alicia comme «votre amie» en vue de régaler votre conquête de votre esprit sexuellement aventureux.

Le fantasme d'Alicia était de se faire «violer» au sens fantasmatique et non réel du terme. C'est un fantasme féminin assez courant. Alicia sortait avec Jim qui voulait désespérément coucher avec elle. Il y faisait allusion, il l'implorait, il la suppliait, mais Alicia tenait bon. Elle était une femme du monde qui, lasse de ses aventures antérieures, avait décidé qu'elle ne coucherait avec Jim que lorsqu'elle pourrait le faire *comme elle le voulait*.

Un jeudi soir, après le cinéma, Jim a reconduit Alicia à sa maison de campagne, dans un endroit isolé, à des lieues du plus proche village. Il l'a accompagnée jusqu'à la porte et l'a suppliée de le laisser entrer. Alicia a de nouveau soulevé des objections, ajoutant cependant: «Jim, tu ne peux pas entrer maintenant. Pas ce soir. Ni demain soir.» Elle voyait l'expression déçue de Jim. «Mais», a-t-elle ajouté, jouant avec les clés de la porte, «n'importe quel autre soir après, ne me dis pas quand, je veux que...»

Et Alicia a poursuivi en détaillant à Jim ce qu'elle voulait qu'il fasse. Il viendrait en voiture aux petites heures du matin. La porte ne serait pas fermée à clé. Elle serait couchée. Jim entrerait dans sa chambre sur la pointe des pieds et se dirigerait vers la salle de bain en passant près de son lit. Il trouverait un préservatif dans la petite armoire. Il devrait se déshabiller, mettre le préservatif et s'approcher du lit à pas furtifs.

Alicia voulait que Jim lui couvre la bouche d'une main et lui arrache sa chemise de nuit de l'autre. Elle résisterait. Elle crierait au secours, au viol. Mais comme elle habite au milieu de nulle part, personne ne l'entendrait. Elle s'échapperait et chercherait à téléphoner à la police, mais Jim la maîtriserait et la «violerait».

C'est exactement ce qui est arrivé. Alicia affirme qu'elle n'oubliera jamais la silhouette de Jim se profilant dans un rayon de lune qui passait à travers la porte de la salle de bain. La seule variation apportée est que Jim ne l'a pas «violée» une seule fois cette nuit-là mais deux fois. Et ils ont refait l'amour au lever du soleil.

Raconter l'histoire d'une tierce partie comme celle de Jim et Alicia a un double effet. Vous n'admettez aucune extravagance qui risquerait de venir vous hanter ultérieurement dans la relation et vous attribuez l'histoire à une femme, et non à un homme, protégeant ainsi les secrets des autres hommes qui ont passé dans votre vie. Le plus important est que vous stimulez votre conquête à vous raconter son histoire préférée. Et, la tradition masculine étant ce qu'elle est, il va vouloir prouver «qu'il peut faire mieux».

En racontant vos histoires, observez les réactions de l'Autre. Il va probablement vous voir sous un nouveau jour. Il va se dire : « Cette femme a une imagination passionnante. Quelle audace ! » Il y a des hommes qui n'aiment pas les femmes qui ont une vaste expérience sexuelle ; cependant, tous veulent une femme qui aime vivre des expériences sexuelles nouvelles, mais avec eux.

Votre histoire donnera lieu à des réactions diverses chez l'homme. Ainsi, par exemple, il peut, les yeux écarquillés d'étonnement, vous demander si vous aimez être « violée » (ou toute autre chose survenue à l'héroïne). « Non, pas exactement », lui direz-vous en riant. Puis, vous lui ferez un clin d'œil et vous lui demanderez : « As-tu d'autres suggestions ? » C'est ainsi que vous le mettrez à l'aise et l'amènerez à vous faire part de ses désirs sexuels profonds. Vous risquez soit de ne rien obtenir soit de déterrer la clé qui ouvre les portes de son cœur. Vous trouverez ci-après les fantasmes masculins les plus courants.

Le premier consiste à faire l'amour à deux femmes à la fois. Le deuxième est de regarder deux femmes faire l'amour ensemble. Puis, par ordre d'intérêt décroissant, regarder les ébats d'autres couples, regarder une femme qui se masturbe, être l'esclave sexuel d'une femme ou être un dominateur, ainsi de suite. La liste devient au fur et à mesure plus extravagante et ésotérique.

Transporté par le plaisir d'être en compagnie d'une femme aussi libre d'esprit, l'homme ne tarde pas à lui livrer tous ses désirs sexuels cachés.

---

**SOIXANTE-DIX-SEPTIÈME TECHNIQUE**
**(pour les chasseresses)**
QU'EST-CE QUI T'EXCITE ?

Chasseresses, faites-lui part de vos désirs sexuels sur le ton de la confidence. Racontez-lui l'histoire d'une « amie » comme, par exemple, celle d'Alicia, puis demandez-lui avec un sourire coquin : « Qu'est-ce qui t'excite, *toi* ? » Sa réponse vous donnera la clé de l'énigme et… de son cœur.

---

## Un ton de confidence sensuel

Chasseresses, votre travail n'est pas encore terminé. Il ne fait que commencer. Quelle que soit sa réponse, il faut feindre l'excitation et lui dire, les yeux pétillants : « Ah ! vraiment ! » Il faut vous mordre légèrement la lèvre comme pour retenir votre exaltation et lui demander d'un ton suave : « Veux-tu me donner d'autres détails ? » Ponctuez son monologue de Oh !, de Ah ! et de sourires aguichants. Votre but est de le faire parler de ce qui le stimule sexuellement.

Il faut éviter tout froncement de sourcils désapprobateur pendant qu'il vous fait part de ses moments intimes. Les femmes savent qu'elles doivent se montrer impressionnées la première fois qu'elles voient le pénis de leur amoureux. Or, lorsqu'un homme dévoile ses fantasmes, il met à nu ses parties génitales mentales et devient ainsi sensible à vos moindres expressions. Il suffit d'un seul regard désapprobateur pour qu'il se transforme en carpe, parfois pour toujours.

---

**SOIXANTE-DIX-HUITIÈME TECHNIQUE**
**(pour les chasseresses)**
UN TON DE CONFIDENCE SENSUEL

Quelle doit être votre réaction au moment où l'être à conquérir se décide à vous dévoiler ses fantasmes ?

Répondre par des onomatopées approbatives, prendre un ton de confidence sensuel et, pourquoi pas, afficher un sourire coquin et passer la langue sur les lèvres comme le font les personnages féminins des films pornographiques.

---

## Ont-ils tous un secret sexuel ?

Les statistiques sont surprenantes. Les rapports des thérapeutes indiquent que 90 p. 100 des hommes ont un désir secret qu'ils n'ont jamais avoué ni à leur conjointe ni à d'autres. Le *New York Times* a titré : « Trop, c'est pervers[53] ! » Nous y reviendrons plus loin. Nous allons maintenant parler des fantasmes masculins les plus courants.

Quels sont les fantasmes que les hommes nourrissent? Rien de scandaleux. Rien de choquant. Des pensées grivoises qu'ils craignent que leurs mères ne leur reprochent, telles que les six fantasmes courants énumérés plus haut.

Il faut noter toutefois que la technique *Qu'est-ce qui t'excite?* est excellente pour savoir si, à long terme, vous êtes faits l'un pour l'autre sur le plan sexuel. Certains hommes ont des habitudes sexuelles et des inclinations intéressantes à découvrir mais pas à partager pour la vie.

Supposons que vous êtes au restaurant. La lumière des chandelles se reflète dans vos verres de vin et vacille sur votre visage souriant. Vous lui avez posé la question «Qu'est-ce qui t'excite?» et vous attendez sa réponse. Il se met à vous raconter un fantasme bizarre que vous ne pourriez jamais accepter de partager. Que faire? Hurler? Attraper votre sac et fuir à toute allure? Lui dire «c'est dégoûtant» ou «tu es un malade mental»?

Non. Il faut l'écouter coûte que coûte et réagir comme s'il vous racontait quelque chose de stimulant. Vous pourrez après vous réfugier dans les toilettes si ses histoires vous ont donné des haut-le-cœur, mais vous ne devez pas lui montrer votre dégoût sur-le-champ. Vous l'avez amené à se confier, ce ne serait pas juste de lui «lancer du sable dans la figure».

Par ailleurs, vous ne devez jamais dévoiler les secrets de votre homme à quiconque, même pas à votre meilleure amie. Vous l'avez en quelque sorte dupé pour le faire parler, vous devez jouer franc jeu. Il y a de fortes chances que le fantasme de votre conquête soit bien ordinaire, mais si vous voulez qu'il tombe amoureux de vous, vous devez lui faire croire que vous trouvez ses désirs secrets (très quelconques) merveilleusement excitants.

## Les questions désarmantes

Vous devez maintenant faire semblant que vous suivez un cours de science politique portant sur l'obstruction parlementaire. C'est l'examen final et vous devez montrer votre capacité à maintenir un monologue (le sien) en cours. Vous devez lui poser toutes les questions possibles et imaginables au sujet de ses fantasmes. Il risque d'être quelque peu surpris au départ, mais je vous garantis qu'au bout de quelques minutes, il sera emporté par le tourbillon et ravi de votre curiosité.

Le fantasme masculin qui occupe le premier rang est d'être au lit avec deux femmes ou de regarder deux femmes faire l'amour. Disons que vous venez de poser la question *Qu'est-ce qui t'excite?* et que, *sur un ton de confidence sensuel,* vous approuvez ses révélations:

*Vous*: Ah! (léger ronronnement). C'est excitant. Comment sont-elles?

Il répond.

*Vous*: Vraiment? (un petit regard pétillant). Oh! Étaient-elles vêtues?

Il répond.

*Vous*: Sensass! (un sourire espiègle et grivois à la fois). Est-ce que l'une est plus entreprenante que l'autre ou sont-elles en parfaite harmonie?

Il répond.

*Vous*: Mmmm! J'aime ça (un brin de curiosité sincère). Est-ce leur première expérience entre femmes?

Il répond.

*Vous*: Ont-elles un prénom dans tes fantasmes? (Si oui, commencez à les utiliser.)

*Vous*: Mmmm! (humectez vos lèvres). Barbara et Dora s'embrassent-elles?

Il répond.

*Vous*: Extra! (vous êtes prise au jeu à présent). Barbara et Dora sont-elles lesbiennes ou sont-elles simplement irrésistiblement attirées l'une par l'autre?

Ainsi de suite.

L'être à conquérir est emporté. Son excitation grandit. La table où vous êtes assis est sur le point de léviter sous l'élan de son érection grandissante. Il est vrai, chasseresses, que j'exagère, mais il faut continuer à le bombarder de questions. Vous apprécierez le nouveau regard qu'il portera sur vous. Il vous trouvait excitante? Vous serez dorénavant bien plus palpitante à ses yeux.

Il ne faut pas vous sentir diminuée ou négligée parce qu'il vous parle de Barbara et de Dora ou de n'importe qui d'autre faisant partie de ses fantasmes. Il faut me croire quand je vous dis que votre ouverture d'esprit sera très appréciée et que vous ne tarderez pas à accaparer ses pensées.

---

### SOIXANTE-DIX-NEUVIÈME TECHNIQUE
### L'INTERVIEW PORNO

Il faut le faire parler et parler et parler quand il accepte de vous faire part de ses fantasmes sexuels.

Il faut faire semblant que vous êtes l'hôtesse d'une émission télévisée interviewant une star de cinéma sur son dernier film. Il faut poser à l'être à conquérir toutes les questions possibles et imaginables sur ses fantasmes.

Il faut ponctuer ses réponses de ronronnements sensuels, de petites plaintes de plaisir, passer la langue sur vos lèvres et lui donner d'autres signes subtils d'approbation.

---

Chasseresses, vous devez vous faire une image claire du but de ses fantasmes. Il faut lui demander s'il préfère y penser, en parler, ou les satisfaire au cours du rapport sexuel. C'est une question piège et il peut saisir l'occasion pour vous demander de satisfaire son fantasme. Ne dites pas non. Ne dites pas oui. Laissez-le dans l'embarras tout en lui donnant l'impression que vous avez un esprit ouvert.

S'il vous révèle, par exemple, qu'il désire faire l'amour à deux femmes, vous pourriez lui dire: «Je n'ai jamais été au lit avec une autre femme, mais ça semble excitant. Il faudrait que j'y pense.» Croyez-moi, vous n'aurez jamais à aller au lit avec une autre femme si vous ne le voulez pas. Le fantasme seul le tiendra en haleine pendant des années. En fait, bien des hommes *préfèrent* le fantasme comme tel.

## Les mots gâchettes

Chasseresses, nous avons souvent entendu que l'homme est visuel en ce qui concerne le sexe, mais saviez-vous qu'il est aussi très auditif ? Comme l'enfant qui aime qu'on lui raconte tous les soirs la même histoire au lit, l'homme aime entendre et réentendre sans cesse les mots magiques qui l'excitent. Ce sont ce que j'appelle les *mots gâchettes*, parce qu'ils sont comme des balles qui vont droit au cœur de la cible. Ceux qui vont droit au cœur de la femme sont des survolteurs relationnels, ceux qui touchent les désirs sexuels de l'homme sont des aphrodisiaques puissants.

L'homme peut fermer les yeux et s'évader du monde concret du travail, de la famille, des factures, et se plonger dans un univers de fantasmes sexuels. Quand vous murmurez les mots qui déclenchent son désir, vous le propulsez dans un autre monde où il vous entraînera avec lui.

Les hommes aiment parler de sexe avec une femme qui ne passe pas de commentaires négatifs. S'il y a des hommes prêts à payer de jolies sommes pour partager leurs fantasmes avec une inconnue au bout d'une ligne téléphonique, cela signifie qu'il est important pour eux d'exprimer leurs fantasmes.

Beaucoup d'hommes, incapables d'en parler avec leur conjointe ou leur partenaire, ont recours aux lignes téléphoniques érotiques pour exprimer leurs fantasmes.

En quoi consiste un appel téléphonique érotique ? C'est une femme à la voix langoureuse qui demande (après que vous ayez payé les frais requis, bien sûr) : «À quoi tu penses ? Quels sont tes fantasmes les plus sensuels, les plus profonds, les plus *érotiques* ? Mmmm? Raconte-moi tout.» Elle n'a besoin que de quelques phrases pour entretenir la conversation. Le demandeur peut raconter ce qu'il veut, elle se contentera de feindre une grande excitation en susurrant d'une voix chaude «Ah! Vraiment?», «Mmmm! J'aime ça», ainsi de suite.

Une professionnelle des appels érotiques est entraînée à relever les mots clés du discours du demandeur, puis à utiliser la *tech-*

*nique de l'écho* dont nous avons parlé plus tôt. Elle inventera une histoire fantasmatique en utilisant les termes du *demandeur*.

Reprenons l'exemple du fantasme où deux femmes font l'amour ensemble. Supposons que le demandeur raconte à l'inconnue en ligne «qu'il aime regarder les ébats amoureux de deux blondes». C'est tout ce dont la professionnelle des lignes érotiques a besoin. Ce sont les mots gâchettes qu'il lui faut pour lui en donner pour son argent. L'appel se déroulera plus ou moins ainsi:

*Elle*: Ah! Tu aimes regarder les *ébats amoureux* de deux femmes? Mmmm? J'aime les femmes, surtout les *blondes*.» (Avez-vous remarqué que la professionnelle n'a pas utilisé des expressions telles que avoir des *rapports sexuels, faire l'amour* ou *baiser*. Elle a repris l'expression même du demandeur, *ébats amoureux*).

*Lui*: (le souffle court) Vous aussi?

*Elle*: Oh! Oui. J'ai eu des *ébats amoureux* avec beaucoup de femmes. C'est drôle, en y repensant, elles étaient toutes *blondes*.

*Lui*: (en haleine) Êtes-vous blonde?

*Elle*: Oui, j'ai de longs cheveux blonds. Je mesure un mètre soixante-dix.

Il reste figé à l'autre bout de la ligne.

L'opératrice forge à présent son histoire. Le compteur roule après tout, et elle a intérêt à entretenir la conversation le plus longtemps possible. Elle lui dit: «L'été dernier, allongée au bord de la piscine, j'ai vu Sheila assise de l'autre côté. Elle brossait ses longs cheveux *blonds*. Elle s'est levée. Elle était *grande* et svelte, un corps magnifique. J'ai été *séduite*. Je me suis levée et je suis allée vers elle et...»

Il est évident qu'il n'y a jamais eu de Sheila, ni de piscine ni de sexe entre l'inconnue au téléphone et une autre femme. L'opératrice n'est probablement ni blonde ni grande. Elle peut même être un travesti à la voix féminine, il y en a beaucoup qui travaillent comme opératrices de lignes érotiques. Mais ces détails ne sont pas pris en considération, l'important pour le demandeur c'est le fantasme et les mots gâchettes qui l'embrasent.

## QUATRE-VINGTIÈME TECHNIQUE
### (pour les chasseresses)
## LES MOTS GÂCHETTES

Il faut écouter attentivement les révélations sexuelles de l'être à conquérir. Entre les mots femme, femelle, dame, poule, fille, poupée et bébé, lequel utilise-t-il ? Pour l'émoustiller, il faut être *érotiquement* correct et non politiquement correct.

Entre les mots seins, nichons, nénés, ballons et tétons, lequel utilise-t-il quand il se sent l'âme érotique ?

Il faut oublier vos euphémismes de grande dame durant le rapport sexuel. Il faut utiliser ses mots à lui.

L'être à conquérir n'a pas nécessairement des fantasmes sexuels aussi précis que celui dont nous nous sommes servis en exemple. L'essentiel est de l'amener à parler de sexe ou de n'importe quoi qui a rapport au sexe. Demandez-lui de vous parler de ses expériences antérieures, de ce qu'il pense de la masturbation (tous les hommes se masturbent), de ce qu'il imagine être l'expérience sexuelle la plus excitante.

Soyez attentive à son choix de mots. Quand il est détendu et qu'il parle de son pénis, quel terme utilise-t-il ? Il ne faut pas copier les termes dont il se sert dans une conversation polie. Il faut relever ceux qu'il utilise dans le feu de l'*excitation*.

En omettant d'*utiliser* les mots gâchettes, vous risquez de refroidir ses élans. Dans le cadre du programme *The Project*, un homme que j'avais interviewé m'avait dit que le verbe *baiser* l'excitait au plus haut point, mais que sa partenaire disait toujours *faire l'amour*. Il l'aimait bien sûr, mais il aurait tellement voulu qu'elle lui dise, ne serait-ce qu'une seule fois : « Mon chéri, *baise*-moi ! »

Chasseresses, accordez-lui un traitement particulier, donnez-lui des frissons érotiques, ce qu'une partenaire néglige généralement de faire. Vous pouvez les lui procurer à tout moment, en tout lieu, au téléphone, à table, au centre commercial. Il suffit de lui murmurer à l'oreille ses mots gâchettes.

## Les discussions érotiques au lit

Pour lui, le pinacle d'une expérience sexuelle auditive est d'entendre ses propres mots érotiques dans la bouche de sa compagne au lit. Sous les couvertures, utilisez *ses* mots et non les vôtres. S'il vous a dit qu'ils l'excitaient, il faut le croire, même s'ils vous semblent absurdes.

---

**QUATRE-VINGT-UNIÈME TECHNIQUE**
LES DISCUSSIONS ÉROTIQUES AU LIT

Chasseresses, il faut vous souvenir des moindres détails de sa réponse à la question: «Qu'est-ce qui t'excite?» Il faut que ces fantasmes sexuels accompagnent vos ébats amoureux. Inventez des histoires érotiques et prenez le rôle de l'opératrice de lignes érotiques au cours du rapport sexuel.

---

Il faut que ses mots et ses fantasmes soient vos compagnons de lit. Il faut trouver le moyen d'évoquer les histoires érotiques qu'il vous a racontées. Ainsi, par exemple, s'il vous a fait part de son fantasme «Barbara et Dora», demandez-lui lors de vos préludes amoureux, en lui lançant un regard malicieux: «Alors, comment vont Barbara et Dora?» Si c'est la première fois que vous utilisez cette technique avec lui, il vous répondra sans doute en marmonnant: «Heu! Mais c'est à *toi* que je pensais, ma douce chérie.» Vous devez alors lui dire: «Moi, je ne pensais pas à toi. Je pensais à Barbara et à Dora. C'est ça qui est très excitant.»

Les *discussions érotiques au lit* consistent à évoquer les fantasmes de l'homme au cours du rapport sexuel. Chasseresses, ce n'est pas une technique totalement désintéressée. Une bonne conversation érotique au lit vous apportera plus de plaisir que la méthode rudimentaire du tâtonnement.

# CHAPITRE 48

## Chasseurs, faut-il utiliser les mêmes techniques ?

Encore une autre goutte à verser dans l'océan infini des différences entre hommes et femmes. Vous ne ferez pas plaisir à une femme si, dès le premier rendez-vous, vous l'interrogez sur ses fantasmes sexuels. Vos intentions seront mal interprétées si vous lui posez la question « Qu'est-ce qui t'excite ? » au début de votre relation amoureuse. Vous seriez un grossier personnage à ses yeux. De plus, les femmes sont plus secrètes et n'éprouvent pas comme les hommes le besoin de faire part de leurs fantasmes.

Toutefois, messieurs, vous devez obtenir une réponse. L'objectif est donc le même, mais la méthode pour y arriver est différente. Vous pouvez d'abord (avec beaucoup de tact) lui poser des questions sur ses relations amoureuses antérieures, ce qu'elle aimait et ce qu'elle n'aimait pas, et lui dévoiler le motif qui vous pousse à vous renseigner, soit le désir de lui donner autant de plaisir qu'elle vous en donne et non une simple curiosité. C'est ce qui la motivera à vous donner des indices ou à vous indiquer le chemin à prendre.

Si elle semble réticente, n'insistez pas. Il faut tisser votre toile avec beaucoup de délicatesse. Vous avancerez plus vite si vous réussissez à tirer des renseignements utiles sur ses comportements et ses préférences sexuels du peu qu'elle consent à vous dévoiler.

Il ne faut pas oublier, messieurs, que la femme est attirée par l'homme dans son ensemble. Sa sexualité n'est pas aussi spécifique que la vôtre. Votre technique entre les draps est importante mais ce n'est pas tout aux yeux de la femme. Son intérêt est aiguisé par l'ensemble de vos qualités et de vos actes merveilleux, au lit et ailleurs. C'est ce qui avive l'excitation que vous faites naître en elle.

Lorsque je demande à une amie ce qui la stimule sexuellement chez son partenaire amoureux, j'obtiens des qualificatifs tels que *brillant, sensible, responsable, honnête* et une myriade d'autres qui, aux yeux des hommes, n'ont rien à voir avec ce qui se passe sous les couvertures. Pourtant, ces qualificatifs attisent les sensations vives que vous lui procurez, même dans le noir de la chambre à coucher.

Il y a une autre technique qui permet aux chasseurs et aux chasseresses de traquer leur proie. Elle est cependant plus importante pour les chasseurs qui doivent lui accorder plus d'attention. Il s'agit de découvrir un autre type de fantasme, un fantasme plus profond qui comprend les besoins psychosexuels de l'Autre.

## Effeuiller, dévoiler, mettre à nu ses fantasmes les plus profonds

Chasseurs, les femmes ont elles aussi des fantasmes érotiques, des fantasmes intenses et des fantasmes récurrents. Si vous réussissez à les satisfaire, vous serez sur la bonne voie pour captiver son cœur. Vous irez cependant plus vite et plus sûrement si vous comblez ses fantasmes *relationnels* qui sont, comme les fantasmes sexuels, propres à chacune. Il n'y en a pas deux pareils. Une autre généralisation consiste à dire que les femmes ont plus de *désirs relationnels* spécifiques tandis que les hommes ont plus de *désirs sexuels* spécifiques.

Une amie, Dana, âgée de trente-six ans, est chanteuse. C'est une jolie brunette dont la beauté physique surpasse le talent, ce qui ne l'empêche pas d'être sollicitée pour chanter dans les bars des grands hôtels à travers le pays. Dana sait qu'elle ne fera pas une longue carrière dans la chanson, et elle est à la recherche d'un mari. Elle rencontre des centaines d'hommes chaque année, mais elle n'a pas encore trouvé son prince charmant.

J'ai perdu de vue Dana pendant quelques années. Nous nous sommes retrouvées récemment dans la même ville. Elle chantait dans un club situé près de l'hôtel où j'étais descendue. J'ai assisté à son tour de chant, puis elle est venue me rejoindre à ma table pour bavarder du bon vieux temps et des années qui ont passé. Je lui ai demandé ce qu'elle devenait. Elle m'a dit qu'elle se sentait « seule ». Elle était encore et toujours à la recherche de Monsieur Parfait.

— Dana, lui ai-je demandé, tu as l'occasion de rencontrer tant d'hommes et j'en connais beaucoup qui sont fous de toi. Qu'est-ce que tu attends ?

— J'attends l'homme parfait.

— Comment est-il ?

— Eh bien, c'est quelqu'un qui m'aimera réellement.

— Je suis sûre qu'il y a beaucoup d'hommes qui pourraient t'aimer. Qu'est-ce que tu veux dire par là ?

— Je veux quelqu'un qui m'aimera comme j'ai besoin d'être aimée.

— Comment as-tu besoin d'être aimée ?

Cette question a ouvert les digues de son cœur. Dana a passé les deux heures suivantes à me raconter qu'elle rêve du jour où, dans un club, *il* sera là. Elle sera sur la scène et il ne la quittera pas des yeux. À la fin de son tour de chant, il l'invitera à sa table et lui dira qu'elle a une voix divine et qu'en l'écoutant il avait l'impression d'entendre la voix ensorcelante de la sirène des mers. Les phrases *elle a une voix divine* et *la voix ensorcelante de la sirène des mers* sont revenues à maintes reprises dans le monologue mélancolique de Dana. Il était évident qu'elles déclenchaient en elle de vives émotions.

Je réalisais alors que Dana voulait être aimée d'une manière très spécifique, plutôt inhabituelle. Elle cherchait un homme qui l'adulerait au point de laisser sa voix ensorcelante le détruire. Dana était certes belle, mais sa voix laissait à désirer. L'homme qu'elle rêve de séduire par sa voix ne sera pas facile à trouver. Mais c'est cet homme qu'elle attend.

Nous avons continué à bavarder et Dana m'a raconté que, quand elle était petite fille, sa mère lui racontait l'histoire des sirènes qui charmaient de leurs chants les marins et les emportaient dans les profondeurs de l'océan. Fascinée, Dana avait pris l'habitude de chanter en prenant son bain et elle s'imaginait que les canetons en plastique qui flottaient dans la baignoire étaient les marins que sa voix enchanteresse ensorcelait et entraînait dans les profondeurs maritimes. Étrange ? Bien sûr. Mais selon les divers témoignages reçus dans le cadre du programme *The Project*, il y a un grand nombre de femmes dont les attentes amoureuses ont une tournure insolite.

Chasseurs, vous avez peut-être rencontré de belles femmes accomplies qui auraient pu avoir n'importe quel homme et qui, pourtant, sont seules. Elles disent à leurs amies qu'« elles n'ont pas encore trouvé l'homme qu'il leur fallait ». Cet énoncé est vrai parce que leur définition de l'homme qu'il leur faut est très spécifique. Il est important pour une femme *d'être aimée comme elle a besoin de l'être.*

Dans le cadre du programme *The Project*, j'ai demandé à mes amies de me dire comment elles voulaient être aimées. La diversité des réponses m'a stupéfaite.

Catherine, âgée de quarante-deux ans, n'a jamais été mariée. L'homme de ses rêves ne devait avoir aucune autre attache qu'elle dans sa vie et aucune autre personne à charge plus importante à ses yeux incluant les ex-épouses et les enfants.

Catherine était parfaitement consciente que ses attentes n'étaient pas réalisables. La plupart des hommes de son âge étaient ou avaient été mariés et un grand nombre d'entre eux avaient des enfants. Elle m'a dit avoir rompu avec Bill parce qu'il était très attaché à ses enfants d'un précédent mariage. Catherine savait que son souhait d'occuper la première place était injuste, irrationnel, mais il lui était impossible de changer.

Au fil de la discussion, j'ai appris que Catherine venait d'une famille déchirée. Ses parents avaient divorcé quand elle était petite et elle se rappelait cet instant terrible où elle était debout dans le salon, accrochée au bras de sa mère, et son père qui hurlait à sa femme « Tu n'es plus ma *priorité première* dans la vie ! Adieu ! » avant de franchir la porte à jamais. En me racontant cela, Catherine a inconsciemment porté ses mains sur ses oreilles comme pour ne plus entendre les paroles terribles de son père.

En me voyant profondément émue, Catherine s'est enhardie et m'a dévoilé un secret qui lui tenait à cœur. Quand elle sortait avec Bill, elle faisait un cauchemar où elle se voyait dans une embarcation en détresse avec les deux filles que Bill avait eues d'un précédent mariage. Bill venait à leur secours dans une barque où il n'y avait de la place que pour une seule personne. Qui allait-il sauver?

Elle m'a dit avoir posé la question à Bill qui lui avait répondu à juste titre : « Catherine, ta question n'est pas juste. Il y a différentes manières d'aimer. Toi, tu es la *femme* de ma vie, tu ne peux pas comparer l'amour que je te porte à celui que je porte à mes filles. » Il avait raison, bien sûr, et Catherine le savait. Elle avait beau se dire que son besoin était illogique, elle était incapable de s'en débarrasser. La cause de sa rupture avec Bill est qu'il n'a pas voulu lui accorder une *première place* incontestée.

Catherine est maintenant très amoureuse de Dan qui, lui, semble avoir compris ses besoins et n'hésite pas à lui dire : « C'est toi qui occupes la *première place* dans ma vie. » Des mots qui sont pour Catherine des stimulateurs sexuels. Elle espère que Dan lui proposera bientôt le mariage.

Les fantasmes relationnels de certaines femmes sont parfois plus masochistes que ceux de Catherine. N'en avez-vous jamais connues qui se retrouvent toujours avec un malotru qui les maltraite? C'est même tellement courant que certains hommes craignent que les gentils ne soient relégués aux derniers rangs, ce qui risque de leur arriver avec ce genre de femmes. À l'inverse, les plus heureuses sont plus réalistes et leurs fantasmes relationnels ne sont pas étrangement tordus. Elles veulent un homme aimant, bon, gentil, d'un grand soutien, bon époux, bon père, qui adorera sa femme et ses enfants et qui sera toujours fidèle. (À bien y penser, est-ce que *ce* fantasme relationnel est bien réaliste?)

## L'aimer comme elle veut être aimée

Les femmes sont plus exigeantes que les hommes en ce qui concerne les qualités requises chez le partenaire amoureux. La plainte unanime est qu'« il n'y a pas d'hommes *bien* dans ce monde », mais cela ne signifie pas littéralement qu'il n'y en a pas. C'est qu'il y a peu d'hommes qui répondent à la définition féminine du terme *bien*. Chasseurs, il faut garder en tête que cette définition est très subjective.

Le bonheur est intimement lié au degré de correspondance de la réalité à nos fantasmes relationnels. Une étude fascinante a comparé la manière dont les partenaires pensent être aimés et celle qu'ils auraient *souhaitée*[54].

Considérons le couple Jean et Suzanne, dans le cadre de cette étude. Le questionnaire à remplir comprend trois volets : les sentiments de Jean à l'égard de Suzanne, l'image que Suzanne se fait du partenaire amoureux idéal et la perception que Suzanne a des sentiments de Jean à son égard.

Les résultats montrent que plus Suzanne est convaincue que Jean l'aime *comme elle veut être aimée*, plus elle est heureuse dans sa relation. Tous les Jean et les Suzanne sont plus heureux quand ils sentent que leur partenaire les aime comme ils veulent être aimés.

Chasseurs, pour captiver le cœur de votre dulcinée, il ne suffit pas de lui faire sentir qu'elle est aimée. Il faut trouver *comment* elle a besoin d'être aimée, à quel point et pour quelles qualités. Il faut lui faire sentir qu'elle est aimée comme elle veut l'être. Vous remporterez alors la palme même face à des concurrents plus puissants, plus beaux, plus riches ou plus intelligents. Il est très important pour la femme d'être aimée selon sa conception de l'amour.

## Les mots magiques pour la séduire

Il est aussi important pour les chasseurs d'utiliser les mots justes qui alimentent les fantasmes relationnels de la femme que pour les chasseresses d'utiliser les mots justes qui alimentent les fantasmes sexuels des hommes. Comment trouver ces mots ? En posant des questions, en écoutant les réponses et en gardant vos antennes dressées. Il faut relever les signaux qu'elle émet en parlant de ses amours passées, de sa relation avec ses parents, de ce qu'elle aime ou n'aime pas chez ses amis.

Il faut trouver le moyen d'atteindre le noyau dont vous avez besoin pour planter les graines de l'amour. Demandez à votre partenaire ce que signifie l'amour pour elle. Choisissez le moment opportun. Un souper au restaurant dans une atmosphère détendue. Racontez-lui que vous lisez un livre sur les différentes manières dont les gens aiment être aimés et sur les différentes perceptions de la relation amoureuse.

Demandez-lui simplement: «Si quelqu'un tombe amoureux de toi, comment aimerais-tu être aimée?» Elle aura un moment d'hésitation gênée, mais ne lâchez pas prise. Vous obtiendrez vos munitions, votre noyau. Posez la question à dix femmes et vous obtiendrez dix réponses différentes. Posez-la à mille femmes et vous obtiendrez mille autres réponses. Vous serez stupéfait par la diversité des réponses. Mais une seule chose demeure conséquente. Il y a des mots propres à chaque femme qui reviennent constamment dans la conversation.

Chasseurs, si vous voulez captiver le cœur de mon amie Dana, vous lui direz: «Dana, *ta belle voix causera ma ruine.*» Si vous avez des visées sur Catherine, vous lui direz: «Catherine, tu occupes la *première place* dans ma vie.» Ce sont les mots gâchettes, les clés en or qui vous ouvriront les portes de leur cœur.

---

### QUATRE-VINGT-DEUXIÈME TECHNIQUE
#### (plus importante pour les chasseurs)
### LES MOTS GÂCHETTES RELATIONNELS

Il faut d'abord lui demander «Qu'est-ce que l'amour pour toi?» pour déterminer comment elle veut être aimée.

Il faut écouter attentivement sa réponse et relever les mots gâchettes. Mais il ne faut pas les utiliser sur-le-champ. Il faut les insérer dans vos phrases quand viendra le temps de lui dire «je t'aime».

---

## Les mots gâchettes relationnels

Les hommes aussi aiment être aimés de certaines manières. Il y a toutefois un autre moyen pour les découvrir. Il faut trouver la source de son orgueil et utiliser les mots magiques qui le décrivent.

Il y a l'homme qui veut que la femme l'aime pour son intelligence, celui qui veut se sentir sexuellement irrésistible, cet autre qui rêve d'être Peter Pan et d'être aimé comme un enfant, ainsi de suite.

Jules, un ami avocat, s'est fiancé dernièrement. Jules est très fier de s'être « fait tout seul ». C'est son expression favorite, que j'ai entendue maintes et maintes fois. Son père était nettoyeur de rues. Jules a travaillé d'arrache-pied pour entrer à l'université et pour poursuivre des études en droit.

Un jour, nous parlions de sa fiancée, Lisa, et Jules m'a dit : « Lisa comprend que *je me suis fait tout seul* et m'admire pour cela. » Je me suis demandée si Lisa admirait cela réellement ou si elle était assez perspicace pour comprendre que Jules en tirait une grande fierté.

J'avais un locataire, Carl, un jeune policier bien de sa personne, qui sortait avec beaucoup de femmes. Sachant que je m'intéressais à l'étude des rapports amoureux, il me racontait souvent ses relations avec sa copine du jour. La phrase récurrente chez Carl était : « Je crois qu'elle est folle de moi. » Aucune d'entre elles ne lui a probablement dit « Carl, je suis folle de toi », mais s'il y en a une assez perspicace pour relever l'expression et la lui répéter, elle visera un point névralgique.

Chasseresses, faites-lui sentir que vous l'aimez et que vous l'admirez pour ce dont il est fier. Souvent les hommes vous révèlent par inadvertance les mots relationnels qui les stimulent. Chacun a les siens. Il faut saisir ces mots et les lui répéter, car ils sont la clé qui vous ouvrira la porte de son cœur.

## CHAPITRE 49
## Comment séduire
## le célibataire endurci

De temps à autre, les chasseresses se rongent d'inquiétude et s'arrachent les cheveux en cherchant à séduire le cœur d'un célibataire endurci, un bel homme avec une certaine prestance qui n'a jamais été marié. Vous connaissez ce genre d'hommes. Vous pourriez croire qu'il a le choix. Il sort avec de belles femmes et il a de nombreuses liaisons amoureuses. Mais ses relations ne durent qu'un temps. Quand ses amis lui demandent ce qu'il attend, il se contente de sourire et de répondre en haussant les épaules: «Je n'ai pas encore trouvé la femme qu'il me faut.»

Est-ce qu'il raconte des histoires? Est-il décidé à rester célibataire pour la vie? Généralement, non. Il ne raconte pas d'histoires et il est bien vrai qu'il n'a pas encore trouvé la femme qu'il lui faut. Mais ce qu'il ne dit pas c'est qu'il n'a pas trouvé la femme qu'il lui faut *sexuellement* parlant.

Jérémie est le parfait exemple du célibataire que tous considèrent déterminé et persévérant. Il était un bon parti pour la gent féminine de sa ville natale. Bel homme dans la quarantaine, il animait un talk-show télévisé local. Il arrivait souvent que ses invités lui demandent en direct: «Dis, Jérémie, quand vas-tu te marier?» ou «Jérémie, toutes les filles de la ville rêvent de toi, laquelle sera l'heureuse élue?» La réponse de Jérémie était toujours la même: «Je n'ai pas encore trouvé la femme qu'il me faut.»

Si vous êtes attirée par ce type de célibataire endurci, vos chances mathématiques de le séduire sont très minces à moins que vous n'ayez des munitions particulières, des armes que les autres chasseresses ne possèdent pas. En sachant cela, vous augmentez vos chances d'être «la femme tant attendue» d'un célibataire endurci comme Jérémie.

J'ai rencontré Jérémie au moment où je faisais mes recherches dans le cadre du programme *The Project*. J'étais souvent «l'invitée-experte» de son émission et nous sommes devenus de bons amis. Un soir, après l'émission, nous sommes allés dîner dans un restaurant près de la station de télévision. Quand j'ai posé à Jérémie la question que tout le monde lui posait à savoir pourquoi il n'avait pas encore trouvé la femme qu'il lui fallait, il a senti qu'il pouvait me faire confiance et il m'a tout révélé.

Jérémie avait un secret qui lui pesait mais dont il ne pouvait parler à personne. En tailladant son filet de sole et en se tordant les mains, il m'a confié à voix basse: «Quand je suis au lit avec une femme, je fantasme que je suis la femme et qu'elle est l'homme. Je veux qu'elle prenne les devants et me séduise.»

— Et puis après? lui ai-je répondu, il n'y a rien là.

— Le problème, a-t-il poursuivi nerveusement en jetant des regards furtifs autour de lui pour s'assurer que personne ne l'entendait, c'est que je m'imagine dans ses vêtements.

Et, reposant sa fourchette, il s'est enfoui le visage dans les mains.

— Jérémie, ce n'est pas si grave. C'est un fantasme très courant.

Il m'a lancé un sourire reconnaissant qui a récompensé mon exagération. Puis il m'a dit que, lorsqu'il sort avec une femme, il fait quelques allusions pour juger ses réactions. Il va, par exemple, regarder ses souliers à talons hauts et lui lancer: «C'est une belle paire de souliers, de quoi aurais-je l'air si je les portais? Ha! Ha! Ha!»

Jérémie étudie *très attentivement* ses réactions. Si la femme répond «tu auras un air parfaitement ridicule», son élan érotique est aussitôt refroidi. Si elle répond «pas mal», il la juge avenante. Si elle lui dit «tu serais vraiment mignon dans ces souliers», il est envahi d'un désir fou. Voilà combien la sexualité des hommes est arbitraire!

La femme éteint souvent le désir de l'homme en ne réagissant pas à ses allusions sexuelles comme il aurait souhaité qu'elle le fasse. Toutefois, si la femme n'a pas l'expérience ou la connaissance qu'il faut dans le domaine des fantasmes singuliers, il est difficile de s'attendre à ce qu'elle donne la bonne réponse.

Les fantasmes singuliers souvent affichés dans les tabloïds et analysés dans les talk-shows télévisés sont déroutants. En règle générale, les hommes qui aiment s'adonner à des jeux érotiques bizarres sont considérés comme des fous à lier. Or, il faut comprendre que tout n'est pas toujours noir ou blanc, normal ou singulier. Il y a un grand nombre d'hommes qui éprouvent des désirs peu conventionnels, ni trop puissants ni trop désespérés pour les pousser à aller en parler dans un talk-show télévisé et s'humilier devant la nation entière, mais assez forts pour les empêcher de se marier, à moins que la femme n'accepte leurs goûts particuliers.

Jérémie m'a dit que lorsque sa partenaire *répondait* positivement à ses allusions, il avançait d'un autre pas. Après un certain nombre de nuits passées ensemble, il lui suggérait d'inverser les rôles. «Ce soir», disait-il en riant, «tu seras l'homme et moi la femme. À toi de me séduire». La plupart de ses partenaires acceptaient d'essayer sans grand enthousiasme. «Je pouvais dire si elle l'appréciait ou non. Si elle ne l'appréciait pas, je ne pouvais rien y faire mais je perdais tout intérêt sexuel à son égard. Lorsque je rencontrerai la femme qui aura du plaisir à me laisser revêtir ses atours, je l'épouserai sur-le-champ.» Il était très sérieux.

Il y a des millions de Jérémie dans le monde. Ils ne veulent pas tous revêtir vos vêtements, mais ils veulent quelques saveurs exotiques autres que la vanille dans leurs plats.

## Qu'est-ce qui explique ses extravagances sexuelles ?

Comme nous l'avons déjà vu, tous les besoins sexuels prennent racine dans l'enfance. Une psychanalyse dégage leurs origines, mais certains hommes n'ont pas besoin d'une telle démarche pour retracer l'origine de leurs fantasmes sexuels.

Jérémie se souvient qu'un jour, quand il avait cinq ans, sa sœur aînée et plusieurs de ses amies l'ont déshabillé et lui ont fait porter leurs sous-vêtements en dentelles. Il se souvient de s'être regardé vêtu de ces jolies petites culottes et d'avoir vu un petit renflement, sa première érection. Il était humilié d'être contrôlé par les filles tout en appréciant leur attention. Cette scène s'est imprimée pour toujours dans son tracé amoureux.

Chasseresses, prêtez bien l'oreille pour relever les allusions à des jeux érotiques impliquant un contrôle. Le jeu dominant/ dominé est le bulbe exotique le plus commun qui se retrouve dans les jardins secrets des hommes. Cela surprend bien du monde, mais la vérité est que, dans ce jeu, le dominé est le plus envié.

Les femmes, dont le rôle traditionnel est d'être soumises, ne sont pas rebutées par le fait d'être sexuellement dominées. Leur fantasme classique «d'être prises» par un bel inconnu qui les emmène de force dans son château et les séduit n'est pas embarrassant à leurs yeux. En revanche, un homme qui aurait le fantasme concomitant d'une femme forte qui le ligote aux fers du lit et qui abuse de lui sexuellement en serait mortifié.

Pourquoi les fantasmes de domination sont-ils aussi présents? La plupart des petits garçons vivent leur premier plaisir sexuel très jeunes quand leur mère est encore le centre de leur univers. C'est elle qui leur donne le bain, change leurs couches, leur tapote les fesses, poudre leur pénis, leur donne un lavement et toute autre attention intime à caractère féminin. La mère est la protectrice mais aussi la première figure d'autorité, le dictateur. C'est elle qui les punit quand ils font des bêtises. Ils sont sans recours et complète- ment à sa merci tout en sachant au fond d'eux-mêmes qu'elle leur porte un amour à toute épreuve. C'est ce qui procure le sentiment de sécurité.

À l'âge adulte, loin du contrôle et de la protection maternels, l'homme est livré à lui-même. Nous sommes tous continuellement à la recherche de moyens pour faire face à ce sentiment d'être seul, d'être étranger. Certains hommes trouvent le réconfort dans leurs fantasmes sexuels. S'il ne peut ramener sa mère, l'homme se trouve une autre belle femme qui, non seulement lui dira quoi faire, mais aussi comment le faire et, peut-être, le punira s'il ne le fait pas correctement. Ce genre d'hommes recherche une partenaire sexuelle qui lui permettra de s'épancher, de pleurer, de supplier, d'être à nouveau un enfant sans défense.

D'autres retournent le fantasme et cherchent à faire aux femmes ce qu'ils ne peuvent pas admettre qu'ils veulent qu'on leur fasse. Ce genre d'hommes garde ses fantasmes enfermés dans son psychisme sexuel personnel jusqu'à ce qu'une chasseresse perspicace frotte la lampe d'Aladin, libère ses fantasmes et les lui fasse accepter.

Chasseresses, si vous sentez que vous serez heureuses avec un Jérémie, il y a un chemin qui vous mènera sûrement à son cœur. Il suffit de satisfaire ses fantasmes. Tous les Jérémie ne désirent pas se vêtir d'atours féminins. Il y en a qui préfèrent épicer leurs ébats amoureux avec des jeux tels que des fessées, la lutte ou l'utilisation de gadgets pour tous les deux au lit.

## Des fantasmes singuliers

Certains célibataires endurcis ont des secrets encore plus profonds et plus sombres. Comme les oisons qui identifient comme leur mère le premier objet mobile qu'ils aperçoivent en quittant l'œuf, certains jeunes garçons éprouvent tout au long de leur vie une attraction incurable pour une expérience ou un objet qui les a profondément marqués. Si les désirs sexuels d'un jeune garçon manquent leur but, ils peuvent être rattachés au tablier de caoutchouc qui frottait contre ses organes génitaux pendant que sa mère changeait sa couche ou aux pieds nus qu'il voyait se déplacer autour de son berceau. Pour quelques hommes, ces choses deviennent des objets de fétichisme. Étant donné que les fétiches sont pratiquement inexistants chez les femmes, un grand nombre d'entre elles n'en comprennent pas la signification.

Pouvez-vous changer les désirs de votre conquête? Pouvez-vous l'aider à s'en débarrasser? Non. Tous les thérapeutes le disent. C'est une bataille perdue d'avance que d'essayer de transformer un homme aux goûts singuliers, comme il est pratiquement impossible de transformer un homosexuel en hétérosexuel. La plupart des fantasmes originaux, comme le désir de Jérémie de se parer de vêtements féminins, sont déroutants, mais ils tombent généralement dans des catégories définissables.

Je me contenterai de dire que si vous vous retrouvez attirée par un Jérémie ou toute autre espèce sexuellement exotique, il suffit de retourner à la vidéothèque et de demander «hum, j'aimerais avoir un film sur le servage» (ou autre, selon ce qui l'émoustille).

# CHAPITRE 50
## Se rincer l'œil, pourquoi pas ?

Revenons à présent à un problème que *tous* les hommes et les femmes doivent affronter quand ils sortent avec leur partenaire amoureux.

Richard et Laura se promènent main dans la main sur le trottoir. Une très belle femme arrive dans la direction opposée. « Zut alors ! pense Laura, je parie que Richard ne pourra pas s'empêcher de la contempler. Qu'il ose le faire ! »

« Oh ! » pense Richard. Elle est rudement bien roulée, mieux vaut que Laura ne me surprenne pas en train de la regarder. Je vais garder la tête droite et jeter un coup d'œil quand elle sera à ma hauteur. »

Richard et Laura continuent à marcher nonchalamment, feignant de ne pas prêter attention à la belle qui approche de l'autre côté. Richard sourit à Laura et lui serre la main pour la rassurer. Laura affiche un sourire de contentement.

La belle va bientôt être à leur hauteur, le moment pour Richard de jeter son coup d'œil. C'est maintenant ou jamais. Il laisse son regard errer une fraction de seconde. Va-t-il s'en sortir indemne ?

Jamais de la vie ! Selon Laura, les yeux de Richard sortaient de leur orbite et pendaient au bout de leurs nerfs optiques au moment où la belle passait. Envahie par la peur ou par un sentiment d'insécurité, elle ne peut se retenir de lui faire la réflexion classique : « Quoi ! Tu n'as jamais vu de femmes de ta vie ? » C'est une mauvaise scène.

## QUATRE-VINGT-TROISIÈME TECHNIQUE
### (pour les chasseurs)
## IL NE FAUT AVOIR D'YEUX QUE POUR VOTRE PARTENAIRE

Chasseurs, pour gagner le cœur de votre conquête, mettez vos œillères chaque fois que vous êtes avec elle. Faites suivre à votre globe oculaire un régime sévère.

En fait, priez qu'une séduisante personne passe près de vous afin de prouver à votre partenaire que vous n'en avez que faire et qu'elle est la seule et l'unique qui compte à vos yeux.

Chasseresses, voici un stratagème qui vous aidera à captiver le cœur de l'être à conquérir lorsqu'arrive l'inévitable. Je vous le présente sous forme de controverse juridique :

ATTENDU que tous les hommes aiment se rincer l'œil... malgré toutes leurs dénégations ;

ATTENDU que les hommes aiment que la femme leur donne la permission de faire ce qu'ils ont toujours envie de faire, mais n'osent pas parce qu'ils savent qu'il ne le faut pas ;

PAR CONSÉQUENT, pour gagner le cœur de votre conquête, vous devez l'aider à faire ce qu'il a toujours envie de faire, lui donner des gâteries sans le culpabiliser, porter à son attention des gâteaux alléchants ou, en d'autres termes, ne pas l'empêcher de regarder les autres femmes.

Au contraire, attirez son attention sur les femmes dans la rue, dans les soirées, à la télévision ou ailleurs. Repérez les belles et les séduisantes dans la foule et donnez-lui l'occasion de se rincer l'œil sans restriction. Il ne vous en aimera que plus. Richard aurait été tellement plus reconnaissant à Laura si elle lui avait dit en voyant apparaître la belle jeune femme : « Richard, je suis sûre que la fille qui arrive là-bas va te plaire. »

## QUATRE-VINGT-QUATRIÈME TECHNIQUE
### (pour les chasseresses)
## IL FAUT LE LAISSER SE RINCER L'ŒIL

Chasseresses, en lui faisant remarquer telle ou telle belle femme, vous lui donnez la permission de les regarder. Dites-lui, par exemple : «Regarde, cette femme a beaucoup d'allure» ou «Oh! Tu ne trouves pas qu'elle est très belle?»

S'il est perspicace, il protestera probablement et murmurera quelque chose pour dire que vous êtes beaucoup plus belle à ses yeux. Puis il filera un coup d'œil sans se culpabiliser et vous aurez un paon beaucoup plus heureux à vos côtés.

# CHAPITRE 51
## Le dernier point à soulever

Nul ne saurait dire que nous n'avons pas remué ciel et terre pour explorer à fond ce qu'il faut pour *Séduire à coup sûr*. Pour compléter nos recherches et boucler la boucle, il reste à examiner une dernière voie qui mène au cœur de l'être à conquérir, soit la voie nasale ou les phéromones. Quoi?!

Les *phéromones* sont des substances chimiques qui, émises à dose infime par un animal dans le milieu extérieur, provoquent chez ses congénères des comportements spécifiques.

Il a été prouvé que chez les insectes et certains animaux, elles ont un effet puissant. Elles expliquent les réactions olfactives vives de certaines bestioles. Et, quand la truie en reçoit une petite dose émanant d'un cochon moite de sueur, elle écarte les narines et tourne sa croupe vers lui en émettant des grognements séducteurs.

Chez l'espèce animale humaine, la transpiration, l'odeur des pieds, les fluides vaginaux (ces odeurs que les Américains cherchent à éliminer en donnant des fortunes aux fabricants de désodorisants) sont des phéromones. Ont-ils de l'effet? Est-ce que les odeurs du corps humain ont le même effet sur le sexe opposé que chez les animaux?

Il y a des humains qui répondent ouvertement aux odeurs corporelles. Un grand nombre d'hommes aiment le parfum des aisselles d'une femme. On dit que Napoléon a écrit à sa bien-aimée Joséphine l'implorant: «J'arrive à Paris demain soir. Ne vous lavez surtout pas!» De nos jours, le conjoint qui demande à sa femme de le laisser jouir de son parfum vaginal est aussitôt envoyé par la belle consulter un sexologue.

Certaines recherches permettent d'entretenir de grands espoirs pour les phéromones humaines. Six scientifiques croient avoir découvert un nouvel organe sensoriel dans la cavité nasale, soit l'organe voméronasal ou OVN. Selon eux, si les anatomistes l'ont négligé pendant des siècles, c'est parce que ce n'est rien de plus qu'un noyau minuscule sans importance situé au bas de la cloison septale qui sépare les deux parties du nez. Cette bosse infime est supposée déceler les signaux chimiques que les êtres se transmettent inconsciemment.

Afin de prouver cela, ces scientifiques ont fait ce que tout bon scientifique doit faire. Ils ont effectué plusieurs expériences. Mais leurs sujets étendus sur le dos, les narines dilatées pour les besoins de la science, n'ont démontré aucune réaction sensorielle. Des femmes à qui on a fait sentir des tampons que des hommes avaient portés sous les aisselles pendant plusieurs jours ont connu un changement dans leur cycle menstruel, mais elles n'ont éprouvé aucun attrait sexuel.

Les scientifiques entreprenants, toujours à la recherche d'une découverte sensationnelle, ont poursuivi leurs recherches. L'espoir (et la publicité?) est que, en mettant en bouteilles certaines odeurs corporelles, les humains généreront une réaction semblable à celle de la truie qui reçoit une petite dose de souffle de cochon. Un manufacturier clairvoyant a déjà mis en bouteilles une nouvelle forme d'odeur corporelle qu'il vend à soixante-dix dollars les cinquante millilitres. Les commandes par la poste ont connu une hausse soudaine. On dit dans la publicité que ce parfum à base d'ingrédients secrets retirés du corps humain garanti d'hypnotiser et d'attirer les membres du sexe opposé.

J'ai mené une petite recherche dans le domaine et, selon mes propres observations scientifiques, si vous vous mettez une touche de phéromones derrière le lobe de l'oreille, vous risquez d'attirer une horde d'insectes au-dessus de votre tête. Je n'ai aucune preuve à l'appui du fait que les phéromones provoquent les mêmes réactions chez les humains que chez les animaux.

L'effet de l'odorat est certes puissant. Un jour, peut-être, les recherches scientifiques aboutiront à quelque chose de révolutionnaire. Mais ce dont il faut prendre conscience en attendant c'est de l'effet que les odeurs corporelles provoquent chez l'être à conquérir.

---

**QUATRE-VINGT-CINQUIÈME TECHNIQUE**
QUI A DU NEZ?

Votre parfum seul ne fera pas tomber l'Autre éperdument amoureux de vous. Mais, étant donné que les phéromones jouent un rôle érotique important chez les animaux, mieux vaut protéger vos paris. Donnez à votre relation amoureuse un élan olfactif en le ou la laissant choisir votre parfum ou votre lotion après-rasage.

---

# Le mot de la fin

Nous sortons des entrailles de nos mères, et nous sommes seuls. Nous vivons notre vie dans une solitude délimitée par notre esprit et notre corps. Nous sommes seuls quand nous quittons notre existence terrestre. Si, entre-temps, deux solitudes se rejoignent dans une parfaite communion, elles connaîtront un vrai bonheur. Mais l'amour est un luxe et non un droit. Or, pour acquérir l'amour, il faut, comme pour le luxe, utiliser les moyens les plus puissants qui y mènent.

On attend que les recherches scientifiques nous disent *pourquoi* les êtres tombent amoureux, et on ajuste nos faits et gestes pour répondre aux besoins du mortel dont nous voulons captiver le cœur. Mais, comme l'a écrit le poète anglais Samuel Taylor Coleridge dans une lettre adressée à un de ses collègues : « Il faut l'âme de cinq cents Sir Isaac Newton pour donner un Shakespeare ou un Milton. »

Il en va de même en amour. Il faut prêter attention aux conclusions des études qui parlent des six éléments que nous avons explorés, soit :

- l'impact de la *première impression* ;
- l'influence de la *similarité* ;
- l'estimation erronée de l'*équité* ;
- le narcissisme de l'*ego* ;
- la magnitude des *différences* inhérentes aux deux sexes ;
- la joie et l'enchantement des *relations sexuelles*

et garnir vos flèches de cette sagesse et des techniques que la science a engendrées. Mais, en visant le cœur de l'être à conquérir, vous ne devez jamais oublier l'art, la créativité et la *magie* de l'amour. Un grand artiste passe sa vie à étudier les techniques, mais lorsqu'il se retrouve sous le feu des projecteurs, ces années épuisantes d'exercices et de répétitions s'évanouissent dans le passé. Les artistes triomphants se donnent entièrement à leur représentation et laissent la magie se dérouler naturellement. Il en va de même en amour. Il faut étudier et pratiquer les techniques de séduction amoureuse. Mais quand l'amour surgit, laissez-vous aller à sa magie. Suivez votre intuition et obéissez aux palpitations de votre cœur.

Que l'amour soit avec vous!

# Notes

1. Peretti, Peter O. et Kippschull, Heidi. « Influence of Five Types of Music on Social Behaviors of Mice », *Psychological Studies,* 1989, 35 (2), p. 98-103.
2. Rosman, Jonathan P. et Resnick, Phillip J. « Sexual Attraction to Corpses : A Psychiatric Review of Necrophilia », *Bulletin of the American Academy of Psychiatry and the Law,* 1989, 17 (2), p. 153-163.
3. Voigt, Harrison. « Enriching the Sexual Experience of Couples : The Asian Traditions », *Journal of Sex and Marital Therapy,* 1991, 17 (3), p. 214-219.
4. Ronai, Carol Rambo et Ellis, Carolyn. « Turn-Ons for Money : Interactional Strategies of the Table Dancer », *Journal of Contemporary Ethnography,* 1989, 18 (3), p. 271-298.
5. Tannen, Deborah, Ph.D. *« Décidément, tu ne me comprends pas ! » Comment surmonter les malentendus entre hommes et femmes,* Robert Laffont, Coll. Réponses, Traduit de l'américain par Evelyne Gasarian et Simon Smith, 1993. Titre original : *You Just Don't Understand,* publié par William Morrow and Company, New York, 1990.
6. Gray, John, Ph.D. *Les hommes viennent de Mars, les femmes viennent de Vénus,* Les Éditions Logiques Inc., Adapté de l'anglais par Jean-Marie Ménard, 1994. Titre original : *Men Are from Mars, Women Are From Venus,* publié par HarperCollins Publishers, New York, 1992.
7. Money, John, Ph.D. *Lovemaps,* New York, Irvington Publishers, 1986.

8. DeWitt, Paula Mergenhagen. «All the Lonely People», *American Demographics*, avril 1992, p. 44-48.

9. Goode, W.J. «The Theoretical Importance of Love», *American Sociological Review*, 1959, 2, p. 38-47.

10. Murstein, Bernard I., Ph.D. «Love at First Sight: A Myth», *Medical Aspects of Human Sexuality*, 1980, 14 (9).

11. Berscheid, Ellen. «Commenting on "Love at First Sight: A Myth"», *Medical Aspects of Human Sexuality*, 1980, 14 (9).

12. McKeachie, W.J. «Lipstick as a Determiner of First Impressions of Personality», *Journal of Social Psychology*, 1952, 36, p. 241-244.

13. Mathews, A.M. *et al.* «The Principal Components of Sexual Preference», *British Journal of Social Clinical Psychology*, 1972, 11, p. 35-43.

14. Kellerman, Joan *et al.* «Looking and Loving: The Effects of Mutual Gaze on Feelings of Romantic Love», *Journal of Research in Personality*, 1989, 23 (2), p. 145-161.

15. *Ibid.*

16. Fisher, Helen. *Histoire naturelle de l'amour*, Québec Livres. Titre original: *Anatomy of Love*, publié par Fawcett Columbine, New York, 1992.

17. Rubin Zick. «Measurement of Romantic Love», *Journal of Personality and Social Psychology*, 1970, 16, p. 265-273.

18. Linnankoski, Ilkka *et al.* «Eye Contact as a Trigger of Male Sexual Arousal in Stump-Tailed Macaques», *Folia-Primatologica*, 1993, (3), p. 181-184.

19. Fisher, Helen, *Histoire naturelle de l'amour*, Québec Livres. Titre original: *Anatomy of Love*, publié par Fawcett Columbine, New York, 1992.

20. *Ibid.*

21. Moore, M.M. «Nonverbal Courtship Patterns in Women: Context and Consequences», *Ethnology and Sociobiology*, 1985, 6, p. 237-247.

22. Cook, Mark. «Gaze and Mutual Gaze in Social Encounters», *American Scientist*, 1977, 65, p. 328-33.

23. Perper, Timothy. *Sex Signals: The Biology of Love*, Philadelphia Press: ISI Press, 1985.

24. Aronson, E. *et al.* «The Effect of a Pratfall on Increasing Interpersonal Attractiveness», *Psychonomic Science*, 1966, 4, p. 227-228.

25. Walster, E., Walster, G. W. *et al.* «Playing Hard to Get: Understanding an Elusive Phenomenon», *Journal of Personality and Social Psychology*, 1973, 26, p. 113-121.

26. Dutton, D.G. et Aron, A.P. «Some Evidence for Heightened Sexual Attraction Under Conditions of High Anxiety», *Journal of Personality and Social Psychology*, 1974, 30, p. 510-517.

27. *Ibid.*

28. Maslow, A.H. et Mintz, N.L. «Effects of Aesthetic Surroundings», *Journal of Psychology*, 1956, 41, p. 247-254.

29. Griffitt, W. et Veitch, R. «Hot and Crowded: Influence of Population Density and Temperature on Interpersonal Affective Behavior», *Journal of Personality and Social Psychology*, 1971, 17, p. 92-98.

30. Townsend, John M. et Levy, Gary D. «Effects of Potential Partner's Physical Attractiveness and Socioeconomic Status on Sexuality and Partner Selection», *Archives of Sexual Behavior*, 1990, 19 (2), p. 149-164.

31. Byrne, Donn. *The Attraction Paradigm*, New York, Academic Press, 1971.

32. Walster, Elaine, Walster, William G. et Berscheid, Ellen. *Equity: Theory and Research*, Boston, Allyn and Bacon, 1978.

33. Byrne, Donn *et al.* «Continuity Between the Experimental Study of Attraction and Real-Life Computer Dating», *Journal of Personality and Social Psychology*, 1970, 1, p. 157-165.

34. Sternberg, Robert J. *The Triangle of Love*, Scranton, Pennsylvania, Basic books, 1988.

35. Kerckhoff, C. et Davis, K.E. «Value Consensus and Need Complementarity in Mate Selection», *American Sociological Review*, 1962, 27, p. 295-303.

36. Cook, Mark et McHenry, Robert. *Sexual Attraction*, New York, Pergamon press, 1978.

37. Major, Brenda *et al.* « Physical Attractiveness ans Self-Esteem : Attributions for Praise from an Other Sex Evaluator », *Personality and Social Psychology Bulletin,* 1984, 10 (1), p. 43-50.

38. Walster, Elaine, Walster, William G. et Berscheid, Ellen. *Equity : Theory and Research,* Boston, Allyn and Bacon, 1978.

39. Silverman, I. « Physical Attractiveness and Courtship », *Sexual Behavior,* septembre 1971, p. 22-25.

40. Walster, E., Walster, William G. et Traupmann, S. « Equity and Premarital Sex », manuscrit inédit, 1972.

41. Mathews, A.M. *British Journal of Social Clinical Psychology,* 1972, 11, p. 35-43.

42. Lavrakas, J. « Female Preferences for Male Physiques », *Journal of Research in Personality,* 1975, 9, p. 324-334.

43. Smith, Jane E. *et al.* « Single White Male Looking for Thin, Very Attractive... », *Sex Roles,* 1990, 23, p. 675-685.

44. *Encounter,* 1956.

45. Bem, D.J. « Self Perception Theory », *Advances in Experimental Social Psychology,* 1972, 6, p. 1-62.

46. *Ibid.*

47. McCarthy-Anderson, Debra et Bruce-Thomas, Carol. *Obsession,* Ontario, Canada, Harlequin Books, 1995.

48. Résultats de sondages. *The American Enterprise,* janvier-février 1992, 3 (1), p. 107.

49. Kanin, E.J., Davidson, K.D. et Scheck, S.R. « A Research Note on Male-Female Differentials in the Experience of Heterosexual Love », *The Journal of Sex Research,* 1970, 6, p. 64-72.

50. Hobart, C.W. « The Incidence of Romanticism During Courtship », *Social Forces,* 1958, 36, p. 364.

51. Rubin, Zick *et al.* In *Journal of Social Issues,* 1976, 32, p. 1, cité dans *A New Look at Love.*

52. Sternberg, R.J. et Grajek, S. « The Nature of Love », *Journal of Personality and Social Psychology,* 1984, 47 (3), p. 12-29.

53. Goleman, Daniel. « New View of Fantasy : Much is Found Perverse », *New York Times,* 7 mai 1991.

54. Sternberg, R.J. et Barnes, M. « Real and Ideal Others in Romantic

Relationships: Is Four a Crowd?», *Journal of Personality and Social Psychology*, 1985, 49, p. 1586-1608.

**Lectures suggérées**

Vanderbilt, Amy. *Complete Book of Etiquette or Miss Manner's Guide for the turn-of-the-millenium.*

Gray, Marie. *Histoires à faire rougir, nouvelles érotiques*, Guy Saint-Jean, Éditeur.

# Table des matières

1. Quiconque? Oui. Pratiquement n'importe qui.................7

2. Qu'est-ce qui nous fait tomber amoureux?
   Les six éléments ........................................ 15

3. L'amour, ses manifestations physiques............................ 23

4. Où sont-ils, ces hommes et ces femmes que
   l'on recherche? ........................................................ 28

5. Le coup de foudre existe-t-il?............................................ 30

PREMIÈRE PARTIE
*La première impression*
*Le coup de foudre ne donne jamais une deuxième chance*

6. Comment faire une première impression du tonnerre .... 34

7. Comment tomber amoureux au premier regard ................ 39

8. Les premiers pas ...................................................... 48

9. Le langage corporel .................................................. 57

10. La première conversation ...................................... 65

11. Le premier rendez-vous........................................ 80

DEUXIÈME PARTIE
*Caractères similaires et besoins complémentaires*
*Je veux un amoureux qui est comme moi ou presque!*

12. C'est toi et moi, mon chéri, seuls face à
    ce monde complètement fou................................ 98

13. La similarité subconsciente ................................. 101

14. Comment établir une similarité consciente ..................... 109

15. Comment établir les besoins complémentaires.............. 121

## TROISIÈME PARTIE
*L'ego*
*Comment m'aimes-tu ? Y a-t-il plusieurs manières d'aimer ?*

16. Le monde tourne autour de toi.......................... 126

17. Première étape : les éloges silencieux................ 129

18. Deuxième étape : l'empathie ...................... 131

19. Troisième étape : l'admiration .......................... 138

20. Quatrième étape : les compliments tacites ....... 141

21. Cinquième étape : les grands canons ................ 145

22. Le réglage minutieux du narcissisme ................. 149

23. Entretenir les flammes de l'amour.................... 155

## QUATRIÈME PARTIE
*L'équité*
*En amour, le principe du « qu'est-ce que ça me rapporte ? »*

24. Tout le monde a une valeur marchande.................. 160

25. Le principe de l'équité et de l'amour................ 165

26. Les attraits physiques................................ 170

27. À la conquête des riches et célèbres.................. 179

28. Placer la barre plus haut ....................... 185

29. Les convaincre qu'ils sont amoureux de vous ............ 187

## CINQUIÈME PARTIE
*Le fossé qui sépare les hommes et les femmes*
*Y a-t-il de l'amour après l'Éden ?*

30. J'espère qu'il ou elle n'est pas comme les autres........... 192

31. Qu'est-ce qu'un discours masculin ? Qu'est-ce qu'un
    discours féminin ?............................... 196

32. Qu'est-ce que tel ou tel sujet éveille en vous? ............... 200

33. Excusez-moi, pouvez-vous me dire où… ........................ 203

34. De grâce, épargnez-moi les détails! ................................ 205

35. Dis-moi ce qui ne va pas (Non, ne me le dis pas) .......... 208

36. Quel est le plus court chemin du point A au point B? .. 210

37. Peux-tu m'aider à…? ..................................................... 213

38. Les petits mots gagnants ................................................ 216

39. Y a-t-il des eaux dangereuses dans le fossé qui sépare
    les hommes et les femmes? ............................................. 218

## SIXIÈME PARTIE
*Les relations sexuelles*
*Comment allumer l'électricité sexuelle?*

40. Les zones érogènes ........................................................ 220

41. Il n'y a pas deux sexualités pareilles ............................. 221

42. Adieu la règle d'or…. sous les couvertures .................... 227

43. Chasseurs, faites-lui l'amour comme elle veut
    être aimée ...................................................................... 230

44. Chasseresses, une relation sexuelle qui satisfait
    ses fantasmes ................................................................. 239

45. Un jeu questionnaire: qui est le plus sincère
    en amour? ...................................................................... 246

46. Les désirs sexuels, comme les empreintes
    digitales, sont propres à chacun ..................................... 249

47. Chasseresses, devenez de fins limiers sexuels ............... 259

48. Chasseurs, faut-il utiliser les mêmes techniques? ......... 274

49. Comment séduire le célibataire endurci ........................ 282

50. Se rincer l'œil, pourquoi pas? ....................................... 288

51. Le dernier point à soulever ............................................ 291

Le mot de la fin ..................................................................... 294

Notes ..................................................................................... 296

Achevé d'imprimer au Canada en Janvier 2007
sur les presses de Quebecor World Saint-Romuald